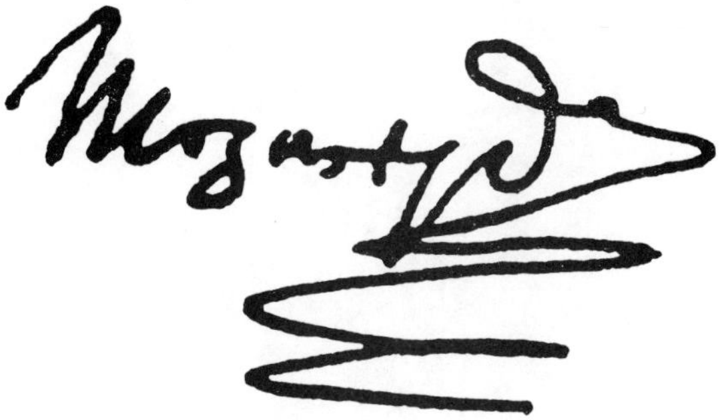
Mozart

© 1982 – TF1/TÉLÉCIP/ÉDITIONS MENGÈS
Copyright © 1982 by Les Éditions Héritage Inc.
Tous droits réservés

Dépôts légaux : 4e trimestre 1982
Bibliothèque nationale du Québec
Bibliothèque nationale du Canada

ISBN 0-7773-5657-0   Imprimé au Canada

LES ÉDITIONS HÉRITAGE INC.
300, Arran, Saint-Lambert, Québec J4R 1K5
(514) 672-6710

MOZART

D'après la sérié télévisée de TF1
réalisée par Marcel Bluwal

Scénario et adaptation de
Béatrice RUBINSTEIN et Marcel BLUWAL

sur une continuité historique de
Jean Mistler
de l'Académie française

Dialogues de
Félicien Marceau
de l'Académie française
et de **Marcel Bluwal**

Récit de
François de Villandry, Jean Vermeil et Julie Pavesi

*SOUS
LA DIRECTION
DE
RENÉ BONENFANT*

**Liste des principaux interprètes
de la série télévisée de TF1 réalisée par Marcel Bluwal**

Wolfgang Amadeus Mozart :
Christoph Bantzer
Léopold Mozart : Michel Bouquet

Constance Mozart : Martine Chevallier
Madame Mozart : Louise Martini

Nannerl : Anne-Marie Kuster
Mozart (8 ans) : Karol Zuber

Mozart (12 ans) : Jean-François Dichamp
Madame Weber : Madeleine Robinson

Colloredo : Michel Aumont
Michael Haydn : Jean-Pierre Sentier

Aloysia Weber : Dietlinde Turban
Sophie Weber : Monika Salcak

Le comte d'Affligio : Jean-Claude Brialy
Joseph Haydn : Peter Pasetti

Joseph II : Daniel Ceccaldi
Salieri : Carlo Rivolta

Theresa von Trattner : Constance Engelbrecht
Von Trattner : Alexander Kerst

Sussmayr : Hermann Killmeyer
Jean Chrétien Bach : Gerd Bockmann

Da Ponte : Stefano Satta Flores
Schikaneder : Pierre Santini

Coproduction
TF1 et TELECIP
GALAXY FILM PRODUCTION, Munich - W.D.R. (Westdeutscher Rundfunk.
Cologne) - R.A.I. (Radio Televisione Italiana - Rete 1, Rome) - MAGYAR TV
(Budapest) - R.T.B.F. (Bruxelles) - S.S.R. (Genève) - RADIO-CANADA
(Montréal) - T.V.E. S.A. (Madrid)

I

LÉOPOLD

Les chevaux peinent dans la boue de la grand-route qui mène à Stuttgart. Les fossés détrempés dégorgent les pluies d'orage. A la lumière de la lune voilée par les nuages, apparaît bientôt une imposante auberge noyée dans la bruine.

Dans un dernier effort, le cocher brusque son attelage qui s'immobilise dans la cour du relais, déjà encombrée de diligences et de carrosses. La lourde façade baroque, jaunie à la chaux vive, est percée de rangées de fenêtres uniformes et l'ensemble donne une impression de tristesse dans cette nuit humide.

D'un bond, le cocher saute à terre, tire le marchepied et délivre les passagers impatients de sortir de là, de respirer l'air du dehors. Blasé, il offre sa main aux femmes qui tentent, malgré leur précipitation, de préserver de la boue, le bas de leur robe.

Hésitant, visiblement fatigué, un homme descend. Son tricorne est mal ajusté, son front dégarni et son visage soucieux. Dans ses bras, dort un enfant déjà grand. D'un bref haussement d'épaules, l'homme replace son précieux fardeau contre lui. L'enfant sommeille. Les bruits de la cohue ne le troublent pas.

Des ordres fusent au fond de la cour. Des gens se précipitent dans un cliquetis d'armes... Les torches de l'hostellerie éclairent un détachement d'officiers et tout un remue-ménage que les flammes mourantes transforment en un vaste théâtre d'ombres folles.

L'enfant ne bouge pas, épuisé. Pour lui comme pour les autres, l'étape a été longue. Éreintés, tous n'aspirent qu'au sommeil. On se presse devant la porte vers laquelle les passagers se ruent par petits groupes, bousculés par les uniformes rouges qui passent et repassent.

Plié en deux, l'œil obséquieux, l'aubergiste dévisage les nouveaux arrivants. Avec un sourire jovial pour les habitués et un regard méfiant pour les inconnus.

— Honoré de vous revoir, monsieur... Très honoré...

Frôlant la terre de sa calotte, il s'exclame devant un bourgeois richement vêtu :

— La chambre quatre, comme d'habitude ?... Et un vin chaud ?

Mouillant ses lèvres, il fait volte-face et accueille une aristocrate aux formes généreuses :

— ... à votre disposition, madame. La chambre deux, si vous voulez. Il y a un double édredon... Et un vin chaud, peut-être ?... Non, pas de vin chaud, ajoute-t-il devant le haut-le-corps indigné de la dame.

Reculant à peine, il manque de heurter l'homme à l'enfant accompagné d'une femme solide, marquée par les années, et abritant une longue fille revêche sous un pan de son manteau.

— Oh ! pardon, monsieur...

— Qu'est-ce que c'est que ce branle-bas ? répond-il en désignant les militaires du menton, avec mépris.

— Les officiers des Hussards blancs, monsieur. Ils me font l'honneur de coucher chez moi...

— Belle clientèle !

Le maître de poste bombe le torse.

— Mon auberge se flatte d'être la meilleure du Würtemberg, monsieur.

Sûr de son effet, il se dirige vers l'entrée d'un pas décidé. L'homme le suit de près, le retient par l'épaule :

— Nous sommes quatre...

L'hôtelier détaille la petite troupe d'un œil réticent.

— Je vous donne les chambres six et sept. Elles communiquent.

— Non, une seule suffira.

Le tenancier pince les lèvres, toujours moins déférent.

— Comme vous voudrez.

Dehors, dans la cour, les valets manipulent les bagages sans ménagement. Ils les déchargent à la volée du toit de la diligence.

10

Sans y prendre garde, deux laquais chahutent une espèce de coffre très long, noir et sanglé de cuir.

De l'intérieur, à travers la vitre sale, l'homme les surveille. Horrifié de leur désinvolture, il se précipite sur le perron :

— Attention ! Faites attention ! C'est un clavecin, pas une barrique, espèces de brutes...

Le maître de poste et ses valets le regardent, ébahis, quand une sonnerie de clairon retentit. D'un coup, le tohu-bohu s'arrête et l'enfant, émergeant du sommeil, porte instinctivement les mains à ses oreilles :

— Oh ! C'est horrible, papa...

— Le petit est souffrant ? demande le maître de poste qui s'est approché d'eux.

— Non, c'est la quinte du clairon qui est fausse, décrète l'homme d'un ton sec.

La famille traverse la salle où les propos bruyants des officiers se mêlent aux rires nerveux des bourgeoises mal à l'aise, aux murmures onctueux d'un prêtre et au tintamarre de la vaisselle que l'on dispose sur les tables. Un gros escalier de chêne s'appuie sur le mur du fond. Le pas lourd, ils le gravissent lentement, précédés de l'hôtelier qui tient une chandelle. Un bruit sec éclate derrière eux et l'homme, tenant toujours l'enfant dans ses bras, se retourne.

— Attention ! Faites attention à cette boîte ! C'est un clavecin...

Ployant sous la charge, un des valets grommelle :

— Qu'est-ce que c'est, un clavecin ?

— Je ne sais pas, mais ça pèse comme un veau, répond son acolyte, essoufflé.

Ils s'acheminent péniblement jusqu'à la chambre six. Devant eux, le vaste corridor distribue ses portes le long d'un mur sans fantaisie que longe une balustrade donnant sur la sortie.

Stoïque, l'hôtelier s'arrête enfin et sort les clés de sa poche.

— Et puis-je demander à monsieur... pour la bonne forme...

— Vice-Kapellmeister Léopold Mozart et sa famille.

La main soudain figée sur la poignée de la porte entrouverte, l'aubergiste tombe de haut.

— Ah ?... Musiciens ?

Léopold, piqué dans sa fierté, se décharge de l'enfant que sa mère prend par les épaules.

— Oui, au service de Monseigneur Sigismond von Schrattenbach, prince-archevêque de Salzbourg.

— La chambre est à trois florins... précise l'hôtelier d'un air méfiant.

Léopold consulte sa femme du regard : oui, c'est cher.

— Je prends, réplique-t-il avec orgueil.

Le maître de poste ajoute, doucereux :

— Le repas à la table d'hôte est à vingt-cinq kreutzers...

— Nous avons dîné en route, ment madame Mozart, lui coupant la parole.

Devant cet aveu, le mari éprouve le besoin de se faire valoir :

— Nous sommes attendus par Son Altesse, à Stuttgart.

— Ça m'étonnerait, déclare le tenancier goguenard, le prince est parti pour Ludwigsbourg...

Léopold le fixe, ahuri.

— Vous en êtes sûr ?

— Nous l'avons vu passer, il y a trois jours. Un des courriers m'a dit que c'était pour un mois. C'est l'époque des manœuvres. Quand on loue ses soldats à toute l'Europe, il faut s'en occuper... Il est comme ça, notre prince, toujours entre deux casernes !

Madame Mozart prend le bougeoir des mains de l'aubergiste et pénètre dans la chambre, à la suite de ses enfants. Léopold referme la porte. Et comme, soucieux, il reste un instant immobile près du seuil pendant que sa famille s'affaire autour des malles, il entend le maître des lieux qui houspille sa servante, dans le couloir :

— Dis, tu ne vas pas changer les draps, non ? Pour ces saltimbanques !...

— Le client d'hier avait la fièvre quarte, dit la fille.

— Et alors ? Remballe-moi tout ça.

Sans un mot, Léopold s'avance dans la grande pièce, indifférent à sa femme qui prépare un repas froid et à ses enfants qui installent le clavecin sur les tréteaux. Il ôte sa veste et s'assied à une table en retrait. La jeune fille s'installe au clavier et commence à répéter inlassablement un passage difficile de son allegro de concert. Le petit garçon, au pied du poêle en faïence, a sorti prestement son

12

violon de l'étui et il approche de son père, silencieux, si près que celui-ci lui caresse les cheveux.

Un peu plus tard, madame Mozart, ramassant les reliefs du repas, demande à son mari :

— Qu'est-ce que tu comptes faire ?

— Aller à Ludwigsbourg. Non. Nous allons laisser la diligence et louer une voiture.

— Qu'est-ce que tu veux, Wolfgang ? dit-elle à l'enfant qui vient vers elle.

D'une petite voix frêle, celui-ci murmure :

— Pipi, maman.

— Le pot est derrière le paravent.

Il s'y précipite tandis que, pour ne pas déranger les exercices de la claveciniste, madame Mozart se rapproche de son mari. Celui-ci lui montre la feuille de papier sur laquelle il vient de jeter quelques notes.

— Tiens, Anna-Maria, écoute... C'est pour *La Gazette de Francfort*. « Le quinze du mois courant, monsieur Léopold Mozart arrivera en ville avec ses deux enfants miraculeux, avant de pousser vers la France et l'Angleterre. Le public francfortois aura le plaisir d'apprécier les dons prodigieux de sa fille, âgée de douze ans, ainsi que ceux d'un garçon de huit ans, son fils, qui est le plus grand musicien de tous les temps sur le violon et le clavecin. » Qu'en penses-tu ?

— Tu ne trouves pas que c'est un peu exagéré ?

— Jamais assez ! s'écrie-t-il en se levant. Il faut faire le siège du public. Nos Allemands surtout, ils sont sourds... Bon, maintenant, on va travailler un peu avant d'aller dormir. Wolfgang ! Nannerl ! La sonate en trio, tout de suite !

— Après une journée de voiture ? Il faut qu'ils dorment... intervient madame Mozart d'une voix lasse.

Mais Wolfgang a fini d'accorder son violon et il tire un pli de la robe de sa mère pour attirer son attention.

— Non, maman. Je veux jouer ! Je ne suis plus du tout fatigué !

Quant à Léopold, il fait bloc avec ses enfants. Il prend son violon, s'approche du clavecin et regarde son fils ajuster son instrument sous le menton. Nannerl ne s'est pas arrêtée de répéter, toute raide sur son tabouret, le regard perdu dans la partition.

— Nannerl, ton trait à la main droite. Méfie-toi de ton pouce.

Elle obéit de son mieux, mais rate sa figure et Wolfgang pouffe de rire dans son dos. Ses grands yeux rieurs s'illuminent. Il secoue sa tête blonde et trépigne.

— *La* naturel. Pourquoi tu fais un *la* bémol aussi ? Naturel !

— Papa ? Wolfgang se moque de moi !

Et son chenapan de frère répète sans arrêt le trait, comme elle aurait dû le jouer jusqu'à ce que Léopold arbitre l'incident avec bonhomie.

— Laisse-la tranquille, Wolfgang.

Du regard, il encourage sa fille.

— Monte-moi une gamme de *sol*, Nannerl, et fais attention à ton passage du pouce. C'est parce que ton pouce passe mal que tu accroches...

Mise en confiance, Nannerl monte et descend enfin la gamme comme il faut.

— Ah ! Bien... Tu vois, quand tu veux ? Wolfgang, tu es prêt ? Allons-y.

Il démarrent ensemble l'allegro par lequel débute une sonate visiblement écrite par Wolfgang pour mettre en valeur les qualités de virtuose des interprètes : le premier thème est enjoué. Le suivant, plus brillant encore. Et tous trois vivent cette complicité que seuls les musiciens connaissent. A chaque arabesque, à chaque fioriture, Léopold, d'un regard, engage Nannerl à répondre aux invitations du violon. Wolfgang reste à l'écart, plongé dans ce souffle musical qui les transporte. Il joue avec une concentration et un plaisir extraordinaires. Les laborieuses variations de la musique de cour s'effacent sous son archet endiablé.

— Un peu lent.

Léopold a cassé net l'élan du trio. Le fallait-il vraiment ? Dans le silence qui suit, on n'entend plus que les petits coups que la mère donne dans les édredons rouges des lits qu'elle prépare. D'un geste vif, Wolfgang prend son père par la manche et dit :

— Papa, reprends au début, s'il te plaît. Tout seul !

— Pourquoi.

— S'il te plaît papa... C'est une surprise.

Tout excité, il a du rire dans les yeux et tandis que son père s'exécute avec dextérité, Wolfgang orne le thème de la sonate d'une variation nouvelle en contrepoint. Avec un sens harmonique déconcertant pour son âge, il se joue des difficultés d'un rondeau sur une dizaine de mesures, puis il murmure :

— J'ai trouvé ça dans ma tête cet après-midi. Tu vas le noter, dis, papa ? Papa... ça te plaît ?

La jalousie n'a jamais fait un bon public et Nannerl ne peut cacher son dépit :

— Bah ! on a vu mieux.

Quant à Léopold, il ne partage pas l'enthousiasme de son fils :

— Tu as deux positions fausses. Regarde, ton deuxième doigt ne peut pas jouer le *fa*. Il faut prendre le troisième doigt et ça ira.

Wolfgang se rembrunit. Sa gaieté cède aussitôt la place à la tristesse avant que son visage ne prenne cette expression concentrée qu'il aura toujours en travaillant. Il reprend.

— Encore une fois !

Soudain, la porte s'ouvre et le maître de poste, rouge de colère, fait irruption dans la chambre.

— Dites, c'est bientôt fini, ce tapage ? Nous sommes dans une auberge ici ! Dans une auberge, les gens paient pour dormir !

— Mais, monsieur...

— Et ça se permet de critiquer le clairon ? ! Les militaires, eux au moins, ils mangent, ils boivent, ils dépensent.

Wolfgang blêmit. Ses lèvres tremblent. Des larmes coulent sur ses joues. Le violon à la main, il fixe intensément son père qui brave l'hôtelier.

— Qu'est-ce qui vous permet... Vous ne savez pas à qui vous parlez.

Menaçant, le maître de poste s'avance vers lui :

— Vous allez m'arrêter ce cirque ! crie le maître de poste en s'avançant vers lui, menaçant.

Léopold esquisse un geste de défense.

— Vous n'oseriez pas...

— Tiens donc !

Le tenancier s'approche encore et Léopold, le plus dignement possible, recule.

— Mon fils a été embrassé par l'Impératrice !

— Vous n'êtes que des gueux ! musiciens de malheur !

Wolfgang serre les poings. Il pose des yeux terrorisés sur son père, se contient un instant et éclate en sanglots :

— Non, papa ! Non ! Non ! Non !

— Vous n'avez pas honte ? demande alors une voix mielleuse, mais étrangement autoritaire.

L'aubergiste lève les yeux, déconcerté, et une ombre noire glisse vers l'enfant, un prêtre, qui le serre contre lui.

— N'aie pas peur, mon petit...

— Mais qu'est-ce que... balbutie l'aubergiste.

Le prêtre se redresse brusquement devant lui et le détaille de bas en haut, indigné. Il s'exprime avec une sérénité hautaine, dans un étrange allemand au fond duquel chante l'accent italien. Posant doucement sa main sur l'épaule de Wolfgang, il enchaîne :

— Taisez-vous, âme perdue ! J'étais là, dans la chambre à côté. Je priais. Et j'ai entendu cette musique.

Il pousse Wolfgang vers son père encore saisi d'étonnement.

— Ah, monsieur, c'était comme si Dieu lui-même... La voix de Dieu dans la nuit... Et ce sont ces enfants, ces âmes innocentes...

D'un signe de tête, il congédie l'aubergiste :

— Eh bien, sortez ! C'est votre présence ici qui est une offense au Seigneur.

Interloqué, le maître de poste reste sans voix, tourne les talons et sort en claquant la porte.

Léopold Mozart baisse les épaules, se libérant de son angoisse. A ce signe du père de famille, tous les autres retrouvent leur assurance. Nannerl lâche le velours rassurant de la robe maternelle, qu'elle étreignait et, à retardement, se met à pleurer à petits coups. Quant à Wolfgang, il ravale lentement ses larmes. Madame Mozart reprend le dessus la première, et un peu gênée, s'adresse au prêtre :

— Soyez béni mon père, sans vous...

Pour cacher son embarras, elle reprend son rôle de mère :

— Allons, les enfants, il est l'heure d'aller dormir.

— Non, madame, répond-il, suave, pas de merci, mais une faveur... S'il vous plaît, monsieur, continuez, pour moi, pour purifier l'air de la grossièreté, et que la musique des enfants soit comme notre Angélus, comme notre prière du soir.

Wolfgang, très excité, regarde son père.

— Oh, oui, papa ! Laisse-nous jouer...

Avec calme, madame Mozart tente de raisonner son mari :

— Tu ne crois pas qu'il est un peu...

— Tard ? l'interrompt le prêtre. Tant que je serai là, personne n'osera interrompre cette rosée du ciel.

Il a un curieux sourire. Et à la flamme vacillante de la bougie, son visage anguleux apparaît, très pâle et le menton bleu de barbe.

Les enfants se réinstallent à leurs instruments. La musique reprend ses droits, ensorcelant toute chose. Par l'embrasure de la fenêtre, la mélodie s'envole au-dessus des toits. En bas, dans la cour, les palefreniers arrêtent leur partie de cartes et goûtent cette musique qui coule en cascade dans la nuit, jusqu'à eux.

Wolfgang et Nannerl ne jouent pas longtemps. L'énervement du voyage les a dissipés. Ils rient sans raison, se chamaillent avec un polochon... Nannerl saute sur le lit en chantonnant des comptines. Leur mère s'efforce tant bien que mal de leur enfiler leur chemise de nuit. Pendant ce temps, Léopold et le prêtre se sont retirés pour discuter au calme. Léopold, ragaillardi, veut lui prouver que sa situation de musicien est loin d'être déshonorante. Il a besoin de faire oublier sa faiblesse de tout à l'heure devant le maître des lieux.

— A quatre ans, mon père, Wolfgang savait déjà composer sur le clavecin. J'ai tout là, noté, tout. Et cet homme nous a traités de gueux devant vous !

Sa femme, malgré le chahut de sa progéniture, n'a rien perdu de la conversation. Elle renchérit :

— C'est mon mari qui lui a tout appris, mon père, le clavecin, le violon, à lire, à écrire, à compter...

— Votre époux est le digne intermédiaire du Seigneur, madame, de Notre Seigneur qui a daigné combler vos enfants de tous les dons !

Devant cet éloge, Léopold ne se modère plus.

— Quand je pense qu'à Vienne, nous avons joué partout, chez

les princes, les ducs, les comtes... Jusqu'à Sa Majesté notre Empereur qui...

Étonné le prêtre s'exclame :

— A Schönbrunn ? Au palais ?

— Oui. L'Empereur a tourné les pages de la partition du petit...

Léopold cherche Wolfgang du regard au fond de la pièce, pour le prendre à témoin. Il ne le voit pas; c'est que l'enfant est tout près de lui, buvant ses paroles. Furtivement, au fil du récit paternel, il se serre contre sa jambe, fasciné par cette harangue de musicien de cour. Quel homme, le Vice-Kapellmeister Léopold Mozart !

— Wolfgang, viens faire ta prière ! appelle madame Mozart.

L'enfant sort de sa contemplation sans rechigner. Libéré de sa présence, le prêtre regarde Léopold et dit, incrédule :

— ... Allons, monsieur Mozart, l'Empereur !

— Vous ne me croyez pas ?

Madame Mozart s'impatiente. Elle n'aime pas les manières envoûtantes du prêtre. Elle tente de capter l'attention de Léopold.

— Léopold, les petits ont terminé leur prière. Ils t'attendent !

— J'arrive, j'arrive tout de suite.

Mais, tout à son idée, il se dirige vers la cheminée sur laquelle repose un lourd coffret à ferrures. Il le porte jusqu'à la table où il le lâche brusquement. Puis, prenant une clé dans son gousset, il vérifie le jeu compliqué de ses crochets et ouvre religieusement le coffre. A l'intérieur, s'entassent des chaînes ciselées, des camées sertis d'or, des tabatières aux fines gravures, des montres enrichies de diamants... de somptueux bijoux.

L'œil du prêtre s'arrondit. Il se penche vivement sur ces trésors. Léopold brandit une montre aux aiguilles de saphir.

— Voici le présent de notre Empereur François et celui de l'Impératrice, Marie-Thérèse. Dieu la bénisse. Vous ne me croyez toujours pas ?

— Des bijoux ? répondit-il, fasciné.

— C'est ainsi que les grands témoignent leur intérêt. Des témoignages inoubliables...

— Léopold ! crie madame Mozart d'un ton péremptoire.

Honteux de son exhibition, Léopold entasse nerveusement les

bijoux dans la cassette et la referme d'un coup sec, sans tourner la clé.

Le prêtre esquisse une dernière tentative pour accaparer l'attention du maestro si bavard :

— Jusqu'où n'irez-vous pas ?...

Hésitant encore à rejoindre sa femme, Léopold, dans un dernier sursaut, lance avec panache :

— Nous irons à Paris, mon père. A Londres ! Et d'ici peu.

Rejoignant les siens, il laisse le prêtre seul un instant, près de la cheminée, dans la pénombre. Soudain, Wolfgang rentre dans la pièce en une farandole endiablée, sa chemise de nuit de travers. Son père le saisit au vol, l'assied sur le bord du lit et s'accroupit devant lui. L'enfant entonne une ancienne comptine :

— Oragnia, figatafa... figatafa levita... Ceremica ceremica... Attic, attic, attic Ah ! Après Dieu vient Papa !

Il chante et bat la mesure en tapant dans ses mains.

La chanson terminée, Wolfgang se jette sur son père et le taquine... Puis il l'embrasse, les deux bras autour de son cou et Léopold le serre contre lui. Le visage enfoui dans la chevelure blonde de son petit virtuose, il lève un peu la tête et lance un regard attendri à Nannerl endormie que sa mère borde doucement.

D'un hochement de tête, Anna-Maria Mozart salue le prêtre qui se retire. Au moment de refermer la porte, par l'entrebâillement, il ébauche un geste incertain, mi-bénédiction, mi-adieu et disparaît sans bruit.

Dans un tintamarre infernal, la berline tangue sur la route de Ludwigsbourg. Croisant une escouade de militaires en uniforme rouge et or, la voiture ralentit. En ce début de juillet 1763, les importantes troupes du duc Karl-Eugen sillonnent tout le Palatinat pour de savantes manœuvres.

— Tu verras que ces soudards finiront par nous ramener une autre guerre de Sept Ans... grommelle Léopold en contemplant les soldats qui se sont rangés en colonne sur le talus pour laisser passer la berline

Dans un coin de la cabine capitonnée de vermillon plus ou moins net, Nannerl dispute un petit objet brillant à un Wolfgang cruel et moqueur.

— Rends-la moi ! C'est moi qui l'ai trouvée !

— Ah ! non, je la tiens, je la garde.

— C'est à moi !

Léopold émerge de la torpeur où il avait sombré, et intervient :

— Qu'est-ce que c'est ? Montrez-moi ça... Mais... c'est la médaille... La belle médaille que m'a donnée le comte Palffy.

Il fait les gros yeux à Nannerl et lui demande, sévère :

— Où l'as-tu prise ?

— Je ne l'ai pas prise. Je l'ai trouvée par terre, pleurniche-t-elle.

Intrigué, il élève le ton :

— Où ça, par terre ?

— Dans la chambre, ce matin, près de la porte.

Elle lui tend la médaille d'or au bout d'une chaîne. Il n'y a pas de doute : c'est bien le présent du comte Palffy.

— Près de la porte ? Elle était dans la cassette...

Il jette un regard effaré à sa femme et s'affole :

— La cassette ! Passe-moi la cassette, vite !

Madame Mozart l'extirpe de dessous son séant. D'une main fébrile, qui tremble en introduisant la clé dans la serrure, il l'ouvre et fouille, sortant l'un après l'autre les cadeaux princiers avant de les aligner dans le couvercle renversé.

Relevant la tête, il annonce la catastrophe :

— La tabatière de la princesse Lichnowski, la tabatière avec les diamants, elle est partie...

— Comment ça, partie ? s'inquiète Anna-Maria.

— Partie, envolée, volée ! !

— Mais par qui ?...

— C'est le prêtre ! Ça ne peut-être que lui. Et, en partant, il aura laissé tomber la médaille...

Anna-Maria se signe devant un tel blasphème de son mari, puis serre nerveusement entre ses doigts son métier à broder.

— Léopold, qu'est-ce que tu racontes... Un prêtre !

— Un faux prêtre, tout simplement. Il paraît qu'il y en a partout maintenant, ils pullulent dans les relais de poste... Et moi, comme un imbécile...

Il pose lentement la cassette à ses pieds.

La voiture roule à vive allure. Les fouets claquent. La traverse de l'attelage bat le flanc des chevaux. Le postillon vocifère des ordres sibyllins. Wolfgang compte les arbres qui défilent à la fenêtre. Il balance ses pieds qui ne touchent pas le sol. Il glousse et, n'y tenant plus, pouffe, la main devant la bouche. Cabot, il se dresse sur la banquette et se lance dans une savoureuse imitation du prêtre. Il lève ses petits bras en croix, implore le Ciel d'un regard béat et se frotte les mains avec onction. Son sens du comique, son génie de l'observation le rendent irrésistible. Les autres passagers ne peuvent s'empêcher de rire lorsqu'il commence, imitant l'accent italien du prêtre :

— Qué j'écoutais cette musique ! Quelle action de grâce à Notre Seigneur ! Continuez pour purifier l'air... Zé vous en prie, mademoiselle Nannerl, cessez de rire, vous troublez ma prédicationne. Ze poursuis donc... Tout pétit, zé vais me faire, comme oune souris dans le coin, comme oune pétite souris avec des grandes oreilles ! Et une petite patte dans la cassette. Ouvrez la cassette que zé vous dévalise, monsieur Mozart.

Outrée, madame Mozart chapitre son garnement :

— Wolfgang, voyons !

Mais le ton n'y est pas. L'enfant est tellement drôle.

— Fistigristimistigri !... Cassette ouvre-toi... Que je te fasse une croix !

Nannerl n'en peut plus de rire. Son visage a repris des couleurs. Léopold, lui, ne s'est pas déridé : son fils lui vole la vedette...

— Wolfgang, assez d'enfantillages !

— Oh ! papa, on nous en donnera d'autres, des tabatières !

Décidément, Léopold ne rit pas et l'atmosphère est tendue.

Un soleil resplendissant illumine les stucs multicolores des façades du château de Ludwigsbourg, ajouré de grandes ouvertures vitrées aux contours baroques. Des allées d'arbustes méticuleusement taillés découpent des parterres fleuris et ménagent des chambres de verdure. Elles convergent toutes sur une cour ovale couverte de gravier.

Au bas des marches, deux soldats en grande tenue montent la garde. Une escouade chamarrée vient les relever, au son des fifres et des tambours. Leur allure et leurs plumets masquent les incertitudes de leur musique.

Déroutée par ce rituel d'opéra bouffe, la famille Mozart, revêtue de ses plus beaux atours, se fraie un chemin parmi les gens d'arme. Un chambellan à la taille imposante les accueille. Suivant sa silhouette martiale, les Mozart empruntent un dédale de couloirs imprégnés de l'austère froideur des châteaux allemands. Le majordome s'arrête enfin devant une haute porte, les prie d'attendre et disparaît.

Léopold — jabot empesé, culotte de satin et bas cramoisis — inspecte sa tenue jusqu'à la boucle de ses souliers. Ses mains se croisent et se décroisent derrière son dos. Anna-Maria et Nannerl portent la même robe, toute de voile et de dentelles. La petite épée qui complète l'habit de parade de Wolfgang, ballotte sur un flanc au rythme de ses facéties.

Après une heure d'attente, l'énervement gagne la famille. Léopold tourne en ronds — des ronds de plus en plus petits —, répétant les compliments qu'il dira au prince. Il surprend le regard de son fils qui le fixe depuis un moment, avec cette singulière capacité d'abstraction qui laisse présager un caractère bien trempé. Leurs yeux se croisent : Wolfgang sent l'orgueil blessé de son père et il n'aime pas ça. Il sait bien ce que lui dirait Léopold : « Les grands ont bien des soucis. A nous de patienter en silence... » Comme s'il avait compris son reproche, le père adresse au fils un sourire furtif qui signifie : « Ne t'en fais pas, mon enfant, ça s'arrangera... »

Wolfgang vient d'entamer une partie de main-chaude avec sa sœur quand leur père les interrompt d'un geste péremptoire : on entend des pas.

Le chambellan arrive, suivi d'un secrétaire. Tout le monde se lève.

— Excellence...

— Oui ?

Après une révérence au chambellan indifférent, hautain, Léopold se présente, soudain très humble :

— Léopold Mozart. Excellence, Vice-Kapellmeister auprès de Sa Grandeur le prince-archevêque de Salzbourg. Sigismond von Schrattenbach. Je suis également l'auteur d'une « École de Violon »...

— Oui. Et alors ?

— Je suis recommandé à Son Altesse par Son Excellence le comte von Wolfegg...

Il sort aussitôt de son gilet, la lettre de recommandation avec le sceau. Le chambellan la prend du bout de ses doigs gantés, ne l'ouvre pas, toise Léopold et attend.

— Voici, Excellence, nous espérons que Son Altesse voudra bien nous faire la grâce de nous entendre au moment où elle le jugera bon. Nous serions très reconnaissants de pouvoir exécuter devant Elle...

— Ah ! je vois, condescend le chambellan. Des musiciens en tournée !... Cher monsieur, il faudrait que vous soyez un virtuose tout à fait exceptionnel.... pour intéresser Son Altesse et... il ne me semble pas, à vous voir, que...

— Mais, Excellence, ce n'est pas de moi qu'il s'agit...

— Pas de vous ?

Léopold, désignant ses enfants, immédiatement debout pour la révérence, les fait avancer vers le chambellan, comme pour vanter les mérites d'automates coûteux.

— Tout est dans la lettre de Son Excellence. Mes enfants sont des virtuoses accomplis qui ont déjà joué devant leurs Majestés impériales et royales, à Vienne, l'année dernière et à leur plus grande satisfaction. Il y a huit jours, à Munich...

Le chambellan, lassé, coupe sèchement le musicien.

— Merci, j'ai compris. Il s'agit de « ça » ? dit-il avec un petit geste vers les enfants.

S'approchant d'eux, il les considère comme s'ils étaient des petits singes, des animaux de foire.

— Ma fille Marianne, douze ans... mon fils Wolfgang, huit ans. Il est capable de...

— Ne vous donnez pas la peine, monsieur le Vice-Kapellmeister. Nous avons déjà eu ici, il y a deux ans, les automates de monsieur Maelzel... il y avait là, notamment, un certain joueur d'échecs tout à fait curieux, je puis vous l'assurer... Eh bien, même cette attraction n'a pas intéressé notre prince. Alors, vous pensez bien que pour ça...

Il tourne déjà les talons mais Léopold Mozart essaie une dernière fois de placer sa progéniture.

— Mes enfants sont de véritables... de véritables prodiges.

— Tous les parents disent ça. D'ailleurs, Son Altesse est au sanglier. Il faut souhaiter qu'elle fasse un beau tableau...

Comme il s'apprête à nouveau à les quitter, Léopold grille sa dernière cartouche :

— Pourrai-je au moins rencontrer mon estimé confrère le Kapellmeister Jomelli ?

— Cela m'étonnerait, fait le chambellan déjà loin, il y a grand-messe après-demain au château et monsieur Jomelli répète toute la journée avec les musiciens de Son Excellence.

— Et après la grand-messe ?

Le chambellan hausse le sourcil.

— Le jour du Seigneur ?... Vous oseriez...

La dernière cartouche du Vice-Kapellmeister s'est avérée détrempée.

Quelques jours plus tard, Léopold, Nannerl et Wolfgang rejoignent au pas de charge Anna-Maria, assise sur un banc de la grande cour ovale. Inquiète, elle demande :

— Alors, le petit a pu jouer devant Jomelli ?

— Oui, répond Léopold sans enthousiasme.

— Et il l'a trouvé bien ?

Léopold singe l'accent italien de son collègue de Ludwigsbourg.

— Caro mio ! Oun miracolo ! Incroyable ! C'est incroyable qu'un enfant allemand puisse avoir ce talent, cette flamme, cet esprit... voilà ce qu'il en a pensé. Résultat : il s'est arrangé pour que nous ne puissions même pas nous produire devant le prince.

— Léopold ! Mais pourquoi ?

— Tiens, il a peur pour sa place. Peur que je la lui prenne. Tu penses ! Un traitement de quatre mille thalers, maison en ville, maison à la campagne, le bois et le charbon à discrétion... Et pendant ce temps, l'autre, là... son prince, est à la chasse... Ça se prend pour Versailles ! Un jour nous y serons, nous, dans le vrai Versailles... Oh ! ces Italiens !... Qui nous prennent tout ! Toutes les places. Ce sont des charlatans, des crapules ! Tout ce qu'ils veulent, c'est étouffer la musique allemande.

Sa femme tente de contenir tant d'emportement car Wolfgang est là, et cet éclat l'inquiète, visiblement.

— Fais attention, Léopold, tu parles fort. Modère-toi. Dis-moi, les enfants vont-ils se produire au château ?

— Non. Impossible. Imagines-tu qu'à la messe, ce matin, le fauteuil du prince était vide ? Il est parti depuis hier pour Stuttgart. Ils nous ont fait attendre une semaine pour nous dire ça.

De rage, il tape du talon.

Wolfgang, terrorisé par la fureur de son père, se réfugie dans les jupes de sa mère :

— Papa, qu'est-ce qu'on t'a fait ? Qu'est-ce qu'on t'a fait ?

— Laisse. Ne m'écoute pas... C'est le mystère, ça.

— Quel mystère ?

Touché par l'intérêt de son fils, il s'accroupit devant lui.

— Que la musique italienne puisse être si bonne alors qu'elle est faite par des Italiens.

Wolfgang pointe son petit doigt vers l'imposant château.

— Et le prince ? Il est méchant avec toi, papa. Je le déteste.

Léopold ne peut accepter, malgré l'humiliation qu'il vient de subir, cette critique de lèse-majesté. Coincé dans sa contradiction, sa colère envolée, il s'assied sur le banc et essaie de convaincre son fils :

— Non, Wolfgang, les princes ne sont pas méchants. Ils sont le soleil qui nous éclaire, les régents du Très-Haut sur cette terre. Il faut que tu les respectes. Sans eux, tu n'es rien, comprends-tu ? Ils sont la main qui te nourrit.

Léopold cherche du regard l'approbation de sa femme.

— Même le prince Karl-Eugen ? insiste Wolfgang.

— Mais oui... Bon. Nous partons dès demain. Heureusement, à

Francfort, je suis sûr d'au moins deux concerts. Et les bourgeois paient en bon argent, eux !

Léopold mène sa petite troupe le long de l'allée qui conduit à la cité. Ils avancent d'un bon pas sans prendre garde à Nannerl qui se laisse peu à peu distancer, livide, sanglotant en silence et ravalant mal sa colère. Inquiète de ne pas sentir sa présence passive à ses côtés, sa mère s'arrête.

— Nannerl ! Où est Nannerl ?

— Nannerl ! Nannerl ! crie Léopold qui rebrousse chemin.

Il la retrouve adossée à un arbre, le doigt dans la bouche, la tête penchée. De grosses larmes roulent sur sa maigre poitrine naissante.

— Mais enfin, Nannerl, qu'est-ce qui t'arrive ? En voilà une idée de disparaître comme ça... Et tu pleures ? Pourquoi ce gros chagrin ? Que se passe-t-il ? Explique-toi...

Nannerl est toute blanche. Elle pleure et dans ses larmes, lève un œil timide et balbutie :

— Vous... ne... m'aimez pas. Tout est... toujours pour Wolfgang... moi, je ne compte pas... jamais...

— Mais tu es folle !

— A la maison... à Munich... ici... on ne parle que de lui. Je veux partir, je veux m'en aller...

Léopold s'accroupit devant elle. Sa voix se fait tendre. Il essaie de la réconforter, grave et gentil à la fois.

— Mais enfin, tu es une grande fille, Nannerl. Tu dois comprendre, à ton âge. Ton frère est si petit, c'est pour ça qu'il a du succès. C'est vrai, il compose un peu, il joue bien, mais toi, tu es déjà une vraie virtuose ! Tiens, voici ce que je te propose. A partir de Francfort, tu joueras toute seule ton allegro de concert. Et à Paris, on le mettra toujours au programme. A Paris, tu te rends compte ?

Après un silence, Nannerl reprend confiance. Elle sèche ses larmes et se jette au cou de son père.

— D'accord, petit papa.

Qui ne connaît pas Paris en ce xviiie siècle finissant, n'a rien vu. Cette capitale qui fait rêver l'Europe entière, qui attire les esprits les plus curieux, n'est que boue et rues encombrées, cohue de marchands et d'étudiants. Abandonnée, à cause de sa turbulence, par une cour qui festoie à Versailles, elle exhale ses odeurs putrides au gré des maisons de bois et chaux, avec, çà et là, une place de prestige au dessin militaire. Le Pont-au-Change achève sa courbe dans l'île de la Cité. Notre-Dame, la vieille cathédrale majestueuse, surplombe une cité encore à peine débarrassée de ses murailles.

Est-ce là que se pratique cette si belle langue que chacun s'efforce de parler dans toute l'Europe, ces meubles si gracieux que le monde entier imite ? Comment, dans ces rues toujours embouteillées, peuvent fleurir ces brillants salons où s'illustrent philosophes, écrivains et poètes ? Il y a de quoi surprendre le provincial et l'étranger qui n'ont pas l'habitude de tant d'esprit mêlé à tant de vivacité populaire. Le verbiage parisien n'est pas une légende, mais bien le signe que ce peuple s'apprête à devenir libre.

La diligence des Mozart termine sa course aux abords de la capitale. Cette tranquille famille autrichienne se retrouve brusquement pressée dans le tohu-bohu d'une foule impressionnante. Les cris de Paris fusent. Il faut descendre les Champs-Élysées, cette nouvelle percée arrachée aux champs ecclésiastiques, et où sont installés de rares hôtels. En bas, la nouvelle place Louis-XV brille de tous ses pavés neufs. On longe la grille noir et or des jardins des Tuileries, le Jeu de Paume d'où fusent les hourras de la jeunesse dorée...

Après tant d'heures de diligence, il faut du courage pour se replonger dans les petites rues populeuses jusqu'à l'église Saint-Roch. Vouée au saint qui, au début du xvie siècle, soigna les pestiférés d'Italie, elle est le point de ralliement idéal pour ces musiciens, parias de leur siècle. Après les vastes voûtes classiques, sous la haute coupole richement décorée d'une représentation de la Nativité, reposent monsieur Corneille, le dramaturge et monsieur Le Nôtre, jardinier du Roi Soleil, qui inventa les jardins à la française si souvent plagiés. Le luxe sobre du monument impressionne les Mozart. Quelle drôle d'idée se font les Français de la foi...

L'église, d'ailleurs, est vide. Trois ou quatre personnes à peine prient dans la nef. Madame Mozart, éreintée mais digne, s'assied près d'un confessionnal. Léopold la rejoint. Il a l'air épuisé. Il se laisse tomber sur une chaise et cache son visage dans ses mains. Au bout d'un petit moment, il lève la tête.

— J'ai les jambes qui me rentrent dans le corps... chuchote-t-il. Quelle ville ! Tu es sûre qu'il y a un prêtre allemand dans cette paroisse ?

— Mais oui, Léopold. Le père Konnareck. Un pénitent noir. C'est madame Van Eyck qui me l'a recommandé.

Léopold hoche la tête.

— Où sont les enfants ?

— Le petit a pris froid. Avec ces lits qui n'ont pas d'édredon, ça devait arriver. Et puis cette nourriture française ne lui réussit pas... A toi non plus... Alors, je l'ai laissé chez les Van Eyck, avec une bouillotte.

— Et Nannerl ?

— Elle est avec lui. Elle répète. Alors ?... ces concerts ?

Léopold soupire.

— J'ai pu arranger un concert chez la princesse de Conti. Une grande académie... Mais ce n'est que dans neuf jours. D'ici là, rien.

— Et toutes tes lettres de recommandation ? Oh... une grande académie, c'est déjà bien.

Léopold hausse les épaules.

— Ce n'est pas assez.

— Tu n'as vu personne d'autre ?

— Ma pauvre ! Cette ville est trop grande. Une seule course, et la journée est déjà passée. Tant de gens, tant de gens... Et tous pressés, occupés...

— Tu as peur que ça ne marche pas, pour les enfants ?

Léopold fait oui de la tête et pointe l'index vers un grand Christ en croix.

— Il faudra qu'« Il » y mette du sien...

Madame Mozart reste silencieuse un instant.

— Je suis bien, moi, dans cette église, dit-elle enfin. C'est presque comme à Salzbourg.

— Oui, c'est bien. Mais chez nous, c'est plus beau. Et il y a plus de monde.

Son regard suit une provocante jeune femme qui passe en se dandinant devant eux avant de s'agenouiller sur un prie-Dieu avec ostentation.

Avec une moue dubitative, Léopold enchaîne :

— Les Français sont catholiques mais, veux-tu que je te dise, ils n'ont pas la vertu. Regarde ça. Même ici, dans une église, les femmes sont fardées... Ça sent la poudre de riz... Mauvaise musique et mauvaise vie, voilà les Français.

Madame Mozart se demande où veut en venir son mari.

— Alors, pourquoi sommes-nous venus ?

— Parce que c'est ici que les enfants peuvent commencer une vraie carrière. Sans Paris, rien n'est possible.

Une pénitente sort du confessionnal. Sa belle main chargée de bijoux s'attarde sur le velours du rideau noir. Elle se dirige vers un prie-Dieu, s'agenouille et récite tout bas un acte de contrition. Dès qu'elle est partie, Léopold se lève :

— Bon, j'y vais. Tu te confesses, aujourd'hui ?

Sa femme serre un chapelet entre ses doigts.

— Après toi, Léopold...

L'affluence est grande, devant l'hôtel de Conti. Le quai Malaquais regorge de carrosses et d'équipages chamarrés aux couleurs criardes, qui piétinent jusque dans la rue de Seine pour déposer leur nobles passagers sur le perron illuminé.

Cette soirée du mois d'avril 1764 promet une grande fête. A l'affiche : deux enfants virtuoses. La princesse de Conti reçoit ce jour ce Tout-Paris aristocratique pour une de ses grandes réceptions musicales et mondaines dont son talent n'est pas le moindre des ornements. Plusieurs salons en enfilade invitent les hôtes aux plaisirs de leurs monumentaux buffets, abondants en victuailles et alcools rares. Il fleure bon une forte odeur de café, cette plante aromatique que le sieur Procopio vient d'introduire dans la meilleure société. A quelques tables prises d'assaut, s'affairent des grappes de perruques poudrées pour miser sur une partie de jacquet. Des cris et des hourras jaillissent de ces bouquets de nobles. De grandes cheminées marbrées où de hauts chenêts soutiennent de lourdes bûches, dégagent une chaleur qui tourne vite la tête. Au milieu des pièces, les graciles canapés que l'on nomme déjà du nom du roi Louis XV, croulent sous le charabia de discussions où l'on torture les grands principes. Il y est question de libéralisme, et de cette satanée constitution anglaise qui fascine les uns et chagrine bon nombre de propriétaires.

Dans le brouhaha, on distingue une vague cadence à l'italienne qu'un ensemble de cordes, égaré dans le va-et-vient des invités, s'échine à interpréter vaille que vaille. Au mur, les tapis d'Aubusson s'imbibent de la fumée des pipes de terre et de ces notes impromptues qui n'intéressent guère. Les toilettes des femmes renvoient la trouble lumière des candélabres, qui font scintiller les parures qui ornent leurs poitrines.

Dans un coin, perdu dans le plus grand salon, un trio : Nannerl, Wolfgang et Léopold Mozart.

Nannerl, assise près de son frère, l'écoute en fronçant les sourcils car il joue de plus en plus mal ses variations. Elle regarde son père, le suppliant des yeux de faire quelque chose — de faire taire cet auditoire inculte, au moins. Wolfgang, de plus en plus distrait par le manque d'intérêt de l'assemblée, rate un arpège sans difficulté, ce qui tire Léopold de sa digne léthargie.

— Qu'est-ce qui t'arrive ? Tu fais des fausses notes ?

— Je le fais exprès, papa, et ils ne s'en aperçoivent même pas ! Qu'est-ce que c'est que ces gens-là ? Ils n'aiment donc pas la musique ? réplique le petit Mozart, inquiet, sans cesser de jouer.

Son père le reprend :

— Joue mieux, veux-tu ? Quand tu auras fini, on enchaînera notre quatre mains avec Nannerl, et moi au violon.

Wolfgang trépigne sur son petit tabouret, se met debout devant le clavier du clavecin et joue fortissimo. Il martèle ses accords sans la moindre nuance.

— Comme ça, on fera plus de bruit qu'eux et peut-être qu'ils écouteront !

Léopold, angoissé à l'idée de l'éclat possible, retrouve toute l'onctuosité du valet de musique :

— Pour moi, Wolfgang, pour ton père, murmure-t-il, joue bien ! Assieds-toi, voyons, assieds-toi !

Wolfgang se calme et, continuant à jouer, se rassied.

— Ces gens-là, je les déteste !

Et il plaque l'accord final au grand soulagement de Léopold.

Les Mozart se préparent, accordent leurs instruments et se lancent dans une brillante sonate aux effets assurés que Wolfgang, en professionnel déjà assuré, a composée pour l'occasion. Au même moment, arrivent du salon voisin deux hommes arrogants, que précède une femme richement vêtue. Une tenace odeur de musc annonce leur auguste présence.

— Connaissez-vous le dernier mot de Mirepoix, chère comtesse ? A propos de...

La belle comtesse de Tessé l'interrompt avec insolence :

— Je sais. Depuis ce matin, on me l'a déjà raconté trois fois.

Elle prend par le bras chacun de ses cavaliers empressés et les entraîne à l'écart de la musique pour leur déclarer :

— Je ne connais rien de plus exaspérant que cette manie de citer les mots des autres. N'en avez-vous jamais qui soient de vous ?

La belle a jeté cette pique du bout des lèvres. Sûre de son effet, elle retourne parader dans le salon, toujours accompagnée de près, donnant au passage sa main à baiser et distribuant des compliments à ses admirateurs dans un éclat de rire. Ravissante, elle subjugue cette assistance blasée.

Quand elle daigne enfin s'asseoir, tous les invités l'imitent, l'encerclant de leurs chaises au centre du salon. Certains restent debout, s'appuyant au dossier d'un canapé, pour mieux savourer sa présence et rappeler la leur. Madame de Tessé avise une tête dans la multitude, celle d'une délicieuse femme-enfant :

— Bonsoir, Aglaé ! Ainsi, toujours dans la fleur d'une passion pour un mari ? Comment va notre cher Edmond ?

Aglaé ne répond pas. Un doigt sur sa bouche, elle désigne le petit groupe des Mozart qui joue dans l'indifférence, sans même s'apercevoir que cette jeune mélomane est leur seul public outre le petit homme bossu et vêtu de noir, collé au clavecin.

Un homme se lève et cède sa place à Aglaé qui s'installe près de Madame de Tessé. Prenant en considération son autorité, la comtesse cesse son badinage et, l'oreille tout de suite éveillée par la qualité de ce qu'elle entend, son intérêt multiplié par la jeunesse des deux petits clavecinistes, plonge dans une concentration inhabituelle. Son regard se rive sur le plus jeune des enfants, qui vit si intensément une musique bien grande pour ses petits doigts. Elle avise un de ses chevaliers servants :

— Oh, d'Esparon, si vous alliez nous chercher un peu de champagne...

Il s'exécute aussitôt, suivi de son acolyte, et tous deux se dirigent vers le buffet.

— Cette chère Tessé est ravissante, ce soir. Mes compliments, mon cher d'Anglès, dit d'Esparon.

Mais madame de Tessé ne quitte plus Wolfgang des yeux, qui maintenant joue seul. Il s'est aperçu de l'intérêt que lui porte la « belle dame » et comme toujours quand on l'écoute avec passion, il joue à la perfection, un sourire timide aux lèvres.

Il accumule les variations aux harmonies audacieuses, il risque les trilles les plus ardus, guettant chaque fois l'approbation de sa séduisante admiratrice. Elle, tout à fait fascinée, lui sourit. Un échange privilégié se noue entre eux dans le brouhaha ambiant.

— Enlevées de haute lutte !... s'écrie près de la comtesse, le chevalier d'Anglès qui tient deux flûtes de champagne.

— Taisez-vous donc, idiot !

Sur ces mots et négligeant de prendre son verre, elle se lève car Wolfgang a terminé. Elle applaudit, vaguement suivie par quelques-uns, s'approche du clavecin avec Aglaé et s'adresse au jeune musicien :

— Petit garçon, savez-vous que vous jouez à toucher le cœur ? Comment vous appelle-t-on, petit garçon ?...

Wolfgang ne dit rien, parce qu'il est très ému, mais aussi parce qu'il connaît mal la langue française. Léopold, conscient de la chance qui s'offre, vole à son secours :

— Wolfgang, madame, Wolfgang Mozart, pour vous servir. C'est mon fils. Et Marianne... ma fille.

Nannerl fait une profonde révérence tandis que Wolfgang, fasciné, ne bouge pas.

— Ah ! de petits Allemands ? dit la comtesse.

— De Salzbourg, oui. Madame la princesse de Conti nous a fait l'honneur de nous inviter. Mes enfants ont joué devant Leurs Majestés impériales et royales, à Vienne...

La comtesse tape d'un doigt sur le clavier.

— Jouez encore, petit garçon. J'aime. Connaissez-vous... *Au Clair de la lune* ?

Elle regarde l'enfant avec un sourire radieux et il acquiesce de la tête — oui, il connaît cela... S'installant au clavecin, il se met, sans plus attendre, à improviser un petit rondo sur le thème.

Admirablement.

Madame de Tessé se retourne vers l'assistance toujours aussi indifférente et crie à la cantonade :

— Taisez-vous, grands bavards ! Il se passe ici quelque chose d'étonnant. Mademoiselle de Cléré, Antoinette, d'Esparon, venez donc !... Un miracle !

Comme des ombres, les laquais descendent les lustres pour les allumer, regarnissent les candélabres. Toutes ces flammes se reflètent dans des miroirs au tain flou. Au-dehors, les calèches continuent leur ronde. Les cochers à l'arrêt recouvrent les flancs de leurs chevaux avec des couvrantes. La nuit est fraîche, la Seine moirée par le reflet de la soirée.

L'essaim des courtisans cerne le clavecin de cercles de plus en plus denses. Au milieu de cette arène, Wolfgang achève dans l'exaltation une ultime variation. Des applaudissements nourris brisent l'intensité du moment. Madame de Tessé vibre d'une chaleur qu'elle communique au jeune claveciniste. Seule, dans un coin, Nannerl ne participe pas à cette euphorie. Son visage se renfrogne. Elle ferme les yeux pour fuir le triomphe de son frère.

— Encore, encore, monsieur, s'il vous plaît ! exige la comtesse.

Wolfgang, les yeux toujours rivés sur madame de Tessé, se penche à l'oreille de son père et entame avec lui un bref conciliabule. Léopold acquiesce gravement et, tel un illusionniste, tire une écharpe de soie de sa poche et proclame à l'assistance :

— Mesdames, messieurs, si vous voulez bien, mon fils — et je vous rappelle qu'il n'a que huit ans — va vous rejouer le même rondo, mais cette fois à clavier couvert.

Il déplie une écharpe, en tend un bout à Nannerl qui le prend à regret, et la déploie sur le clavier qui devient invisible. Un « Ah » d'admiration parcourt l'assistance. Voilà qui est beaucoup plus intéressant; un petit singe musicien va exécuter un tour bien plus audacieux qu'une pirouette orchestrée.

Wolfgang rejoue le morceau sans aucune difficulté. Dans le fond, ce genre d'exercice n'est spectaculaire que pour celui qui ne sait pas jouer. Le véritable interprète ne regarde jamais. Mais peut-on demander à des noctambules distingués de connaître ce détail ? Wolfgang gagne des applaudissements sans valeur. Piètre consolation d'artiste...

Madame de Tessé quitte le cercle et se dirige d'un pas rapide vers le salon voisin tout en faisant un grand sourire à Wolfgang qui le lui rend.

Léopold, qui tremble devant tant de promesses, se tourne vers sa fille :

— Vite, Nannerl, ça marche. Attaque ton allegro de concert.

Elle reprend vie un bref instant et obtempère. Elle attaque l'allegro, mais son jeu sans brio disperse l'attention.

Dans l'autre salon, madame de Tessé happe le bras d'un bel homme d'une quarantaine d'années qui parle fort avec des amis. La perruque grisonnante sur un front marqué, il domine de sa haute silhouette le cercle de ceux qui l'écoutent avec respect.

— Ah, dites-moi, Grimm... commence-t-elle.

Le plus parisien des Allemands, celui qui fait trembler le petit monde des artistes par les virulentes critiques de sa gazette, se courbe avec une obligeance affectée pour baiser la main de madame de Tessé.

— Madame, aurai-je enfin le bonheur de vous intéresser ?

— Non, c'est moi qui ai quelque chose d'intéressant pour vous. Pour votre gazette.

Elle montre la porte de la main et poursuit :

— Il y a là un vrai prodige. Et qui vient de votre pays.

Grimm, perplexe, n'a visiblement aucune envie de voir un

prodige, ce soir. Il préférerait faire sa cour à madame de Tessé et qui sait...

— Venez ! insiste-t-elle. Mais venez donc !

Elle l'empoigne sans façon et l'entraîne vers le salon où Nannerl, avec un brio appliqué, achève son allegro. Grimm fait déjà la grimace :

— C'est ça, votre prodige ?

La comtesse ne l'écoute pas.

— Non, non, attendez...

Tandis que l'assistance applaudit Nannerl, elle fonce droit sur Léopold, plus raide que jamais.

— Monsieur, fait-elle en criant presque, monsieur... Mozarde, je crois ?... J'ai une proposition à vous faire.

Léopold se confond en courbettes et autour d'eux, le silence se fait.

— Chers amis, j'ai une proposition ! Écoutez, écoutez ! Ce jeune enfant qui nous stupéfie tous, je vais le mette au défi. Petit garçon, je vais vous chanter une ariette. C'est monsieur Gretry qui l'a composée pour moi. Pour moi seule. Acceptez-vous d'y mettre l'accompagnement, d'emblée, sans rien en connaître ? Je la chante et vous l'accompagnez...

Wolfgang, perdu dans ce flot de paroles qu'il ne comprend pas, se penche vers son père, pour lui demander ce que la comtesse peut bien proposer à l'auditoire et qui lui semble être une incitation au jeu. Léopold, cachant mal son affolement, explique en allemand à son fils, de quoi il s'agit. Son front soucieux parle pour lui : il juge la chose irréalisable. Quel enjeu... Si Wolfgang ne se sort pas de cet exercice périlleux, il risque de couvrir de ridicule toute l'entreprise familiale. Mais devant la panique de son père, celui-ci se met à rire et lui glisse trois mots à l'oreille.

— Qu'est-ce qu'il dit ? demande madame de Tessé.

— Madame, annonce Léopold angoissé, il dit... qu'il veut seulement que vous lui chantiez les deux premières mesures pour être dans le ton... mais je crois que...

— Les voilà ! s'écrie-t-elle.

Et elle chante d'une très jolie voix :

— « Cet aveu charmant répand dans mon âme... »

Sa voix est fraîche, avec plus d'aplomb que de justesse. On sent qu'elle suit régulièrement les cours d'un maître de musique.

Les yeux clos, le visage penché sur le clavier, Wolfgang a passionnément écouté. Il laisse passer un instant de silence, hoche la tête, rejoue mentalement les cinq premières notes de la mélodie : il est prêt.

Tout le salon Conti s'agglutine autour des protagonistes. Des buffets, des escaliers, des tables de jeux, des canapés, on se précipite vers l'attraction. Depuis le fond de la salle, on aperçoit la haute stature de Grimm qui trône au premier rang, prêt à rapporter l'événement.

Devant cette foule futile, dans l'arène soyeuse de ce cirque musical, se confrontent la comtesse, sûre de ses effets, et l'enfant, certain de son savoir. Il s'agit d'un combat. Wolfgang ignore le développement de l'ariette. Il lui faut anticiper sur l'imagination de Gretry et, faute de connaître à l'avance les notes, il plaque des harmonies simples dont il ne sait pas si elles vont tomber juste. Le défi l'excite. La comtesse chante et Wolfgang ne quitte pas sa bouche des yeux. Il suit intensément le moindre mouvement de ces lèvres précieuses qui jouent avec son destin : un verdict d'échec peut tomber à tout moment.

Il ne sait pas que la sensualité de cette bouche qui chante le lie à un avenir où les bouches des grandes cantatrices lui inspireront ses plus beaux opéras et ses plus amères passions.

Madame de Tessé retrouve dans la musique une pureté que sa vie mondaine lui fait trop souvent oublier. Elle est transportée par l'accompagnement de Wolfgang, avec ses variations de plus en plus riches. L'œil rivé sur lui, les coudes sur le clavecin, le buste penché en avant, elle épouse le rythme qu'il lui impose, dans une intimité à deux. Elle chante doucement et très bien.

Wolfgang n'a pas hésité longtemps. Les accords incertains, immédiatement corrigés, ont triomphé du premier couplet. Il ne s'est trompé qu'une fois malgré la complication inutile de l'air, et il a facilement retrouvé le fil, avec un sourire. Au second couplet, il devine la modulation en mineur et l'accompagne d'une formule d'arpèges de la main gauche. A partir de cet instant, comme les autres couplets et refrains reprennent, à la façon française, immuablement la même coupe et les mêmes harmonies, Wolfgang orne et paraphrase l'œuvrette comme en se jouant. Le dernier refrain est un feu d'artifice d'arpèges et de batteries. C'est un régal de l'entendre, pour le musicien chevronné comme pour l'amateur. Madame de Tessé n'en revient pas : l'enfant lui a ravi son succès, et c'est dans un délire d'applaudissements qu'il plaque l'accord final.

Éblouie, la comtesse se précipite vers lui, le prend dans ses bras et l'embrasse avec tendresse.

— Un miracle ! Mon petit miracle vivant !

Il saute dans ses bras et l'embrasse à son tour. Grimm, de son côté, calepin à la main, presse Léopold de questions. Léopold qui est aux anges devant le succès enfin arraché à Paris.

— Quoi ? Vous êtes depuis plus de quinze jours à Paris, et moi, Grimm, je n'en savais rien ? Avec ce talent ! Et je n'en savais rien ! C'est incroyable ! Sa Majesté devrait déjà avoir entendu ces enfants. Il faut vous montrer, mon cher.

Léopold, un peu dépassé par la volubilité parisienne, assure :

— J'ai là, avec moi, des lettres de recommandation...

— Qui ne vous auront servi à rien, j'en suis sûr.

Surpris de la désinvolture de son concitoyen émigré, Léopold ne peut que confirmer.

— En effet, jusqu'ici...

— Je vous comprends, mon cher Mozart, Je suis allemand moi-même...

— Ah, vous êtes...

— Mais français de vocation. Melchior Grimm, secrétaire de Son Altesse le Duc d'Orléans... Ce qu'il vous faut, ce sont des articles. Des articles et encore des articles. Laissez-moi faire. Dans trois semaines, ce petit prodige sera lancé.

Léopold, dans le ravissement le plus complet, n'entend plus rien, pas même son fils qui joue toujours, étouffé par la masse de ses admirateurs et admiratrices.

Il a réussi au-delà de toute espérance.

La famille Mozart vole de succès en succès, après ce coup d'éclat. Tout le monde, de Paris à Versailles, s'arrache le petit virtuose et personne ne veut risquer le déshonneur de ne pas l'avoir eu dans ses salons. Plusieurs de leurs concerts sont donnés au théâtre de Monsieur Félix, rue Saint-Honoré. Madame de Clermont les reçoit dans son immense palais pour deux représentations, en compagnie de monsieur de Sartines, lieutenant-général de la police. Tous les ambassadeurs des puissances étrangères se disputent les enfants Mozart. Milord Bedford et son fils les reçoivent princièrement. Jusqu'à madame de Pompadour, maîtresse du roi, qui désire entendre les prouesses de cette nouvelle coqueluche parisienne.

En carrosse, la famille Mozart se rend à Versailles. Le luxe du décor les impressionne. Comme Salzbourg paraît mesquin, à côté du palais de Louis XV ! Le lendemain de Noël, le roi les reçoit, en compagnie de la reine. Wolfgang la prend aussitôt en affection, lui parlant constamment, lui embrassant les mains et avalant toutes les friandises qu'elle lui offre avec bienveillance.

Léopold ne perd rien à rester dans l'ombre de son fils adulé. Le roi les gratifie de la somme de 1200 livres or prises sur le compte des « menus plaisirs du Roy ».

Wolfgang reçoit tous les jours de nouveaux témoignages d'étonnement et d'admiration pour ses dons et talents, mais au contraire de son père, il n'en tire ni vanité ni orgueil. Il joue n'importe quand, n'importe où, sans se faire prier, dès que son père le lui demande. Il comprend et lui obéit au moindre signe, poussant la soumission jusqu'à se priver de manger ou d'accepter sans permission la moindre faveur. En cachette, il trouve encore l'énergie pour composer quelques sonates qu'il veut dédier à sa première muse, cette pulpeuse madame de Tessé dont il avait bu chaque note d'une certaine ariette.

Il est tard et dans le petit appartement que la famille Van Eyck leur a offert dans une rue populeuse du vieux Paris, Wolfgang, n'est pas encore couché. Sa mère dort dans la chambre voisine et Nannerl, là, tout près. Lui, assis à la table, le dos au clavecin, il écrit. Il lève soudain la tête en entendant un bruit de pas dans l'escalier, et dissimule rapidement deux feuillets de musique derrière des livres. Léopold entre.

— Mais qu'est-ce que tu fais, encore réveillé à cette heure, toi ?

Wolfgang veut répondre, mais sa mère s'emporte déjà, depuis la chambre :

— Il n'y a pas eu moyen de le mettre au lit ! Il mène un train ! Pour une fois qu'il pouvait dormir comme tout le monde. Comment était-ce, ce concert ?

— Comme leur musique française, répond Léopold en enlevant son manteau. De l'eau claire. Rien à se mettre sous la dent. J'ai parlé à un certain monsieur Carmontelle qui veut faire le portrait du petit...

— Fais-le coucher, dit la voix maternelle. Et puis viens, toi aussi. Il est tard.

Léopold bâille et va vers son fils.

— Allez. Wolfgang... Qu'est-ce qui t'arrive ? dit-il subitement après l'avoir mieux regardé.

— Papa, je veux écrire des sonates. Des vraies. Pour madame de Tessé. Elle est si gentille. Et si belle aussi. Et elle chante bien.

— Des sonates, rien que ça ? Mais c'est difficile, Wolfgang, il faut savoir... Si tu y tiens, demain, je commencerai à t'expliquer. Tu essaieras d'avoir des idées, et je les noterai.

Disant cela, Léopold se fait l'écho du débat qui partage les musiciens au sujet des deux formes de sonates : l'italienne, plus ancienne et qui a fait le tour de l'Europe et l'allemande, beaucoup plus récente et dont le père est Philippe-Emmanuel Bach.

Mais Wolfgang sort ses feuillets de leur cachette, derrière les livres, et les tend fièrement à son père :

— Tiens papa, c'est pour toi ! J'en ai déjà écrit un mouvement. Tout entier sur ton papier. D'un bout à l'autre, comme tu sais faire, toi.

L'expression de Léopold change. Il prend la feuille de musique et se met à lire. Au fur et à mesure de sa lecture, son front se plisse d'étonnement. Wolfgang, suspendu à ses lèvres dans l'attente d'une critique favorable, guette le moindre signe sur le visage de son père.

— Tu es content, papa ? Tu sais, ça n'est pas difficile... Je me suis inspiré de celle de monsieur Schobert qu'on a entendue au concert.

Léopold, décontenancé, regarde son fils qui rit d'aise. Pour la première fois, il est réellement impressionné par les dons de Wolfgang.

— Tu as écrit ça ce soir ?

— Oui, depuis que nous sommes rentrés du jardin. C'est drôle, tu sais, papa. J'avais tout ça dans ma tête pendant qu'on se promenait, tout arrêté comme la rivière de chez nous, à Salzbourg, quand elle est gelée. Et puis je l'ai écrit sur la table et tout s'est remis à couler...

— Sans toucher le clavecin ? fait Léopold ébahi.

— Non, je ne voulais pas les réveiller, explique-t-il en pointant son doigt vers les chambres. Alors, dis, tu es content ?

Léopold regarde de nouveau la partition. Il a du mal à croire ce qu'il découvre. C'est un vrai coup de tonnerre. Finalement, il se dirige vers la porte qu'il ferme avec précaution, et revient vers Wolfgang en lui rendant ses papiers.

— Joue-le-moi.

Wolfgang saute au clavecin, dispose le feuillet avec précipitation, et attend que son père s'installe. Il se met à jouer, pianissimo pour ne gêner personne, mais avec une rare netteté. Dès les premières mesures, Wolfgang égrène les développements naïfs d'une sonate à la coupe calquée sur celles que compose son père : un allegro initial, un andante et l'ébauche d'un menuet à l'allemande. Au-delà de la simplicité de la mise en œuvre, et de l'influence certaine de Schobert qui date de la semaine précédente, on sent déjà la sensibilité, la mélancolie, l'originalité du compositeur. Wolfgang a eu, en quelques mesures, l'intuition d'une synthèse entre le goût français, les traditions italiennes et la solidité expressive allemande. Il s'agit de « vraie » musique, et Léopold ne saurait s'y tromper.

Heureux, aux anges, le petit garçon joue en souriant à son père qui regarde avec respect le nouveau Wolfgang qui vient d'apparaître...

Il quitte son fils dans un état second et pénètre dans la chambre conjugale, une veilleuse à la main; il va s'asseoir près d'Anna-

Maria déjà endormie. Il la secoue doucement et souffle :

— Anna-Maria... tu m'entends, Anna-Maria ?...

— Oui.

— Je t'empêche de dormir ?

— Oui...

— Écoute... Il s'est passé quelque chose d'important...

— Le petit est malade ? s'affole-t-elle, soudain redressée.

Fiévreux, Léopold l'entoure d'un geste tendre :

— Mais non, non. Calme-toi. Tu te souviens de cette émotion que nous avons eue il y a trois ans, quand le petit a joué la deuxième partie de violon avec Schachtner... et qu'il l'a jouée presque juste, alors qu'il n'avait jamais pris une leçon de violon ? Tu te souviens ? Schachtner en avait les larmes aux yeux. Et Wolfgang n'avait que cinq ans...

— Oui, murmure-t-elle, ensommeillée.

— Ce sentiment que j'avais déjà alors, poursuit-il comme s'il se parlait à lui-même... Je ne sais comment dire. Ce sentiment qu'il allait si vite... Plus vite que tout ce qu'on aurait pu imaginer... C'était inconcevable... C'était incompréhensible. Et pourtant... c'était.

— Et alors ? Qu'est-ce qu'il y a ?

Il se tourne brusquement vers elle, une main tendue vers la chambre des enfants.

— Il est compositeur, le petit. Il est doué, plus que doué. Ce soir, directement à la table, pendant que vous dormiez, il a composé un andante de sonate. Parfait. Rond. Avec le relatif à la dominante, la modulation où il faut, le retour au thème, la main gauche ! Et il l'a écrit sans une faute ! Incroyable, Anna-Maria, inimaginable. A son âge ! D'autres, à quinze ans, n'y arriveraient pas. Anna-Maria, je crois que Wolfgang a plus que du talent...

Madame Mozart, abasourdie par tant de compliments de la part de son mari, garde son bon sens et le modère.

— Ne t'agite pas, Léopold !

— Mais comprends donc ! Il est meilleur que moi ! Pas simplement un très bon musicien. Il peut devenir... qui sait, très grand...

Elle plonge sa tête dans le traversin, tournant le dos à son mari.

— Mais qu'est-ce que tu as, Anna-Maria ?

Tout aussi subitement, elle lui fait face et le regarde dans les yeux.

— Ce n'est pas vrai, tu n'es pas un petit musicien. Tu te mets plus bas que terre, mais ton « École de Violon » est la meilleure. Léopold, je n'ai pas besoin de toute cette grandeur.

— C'est vrai, Anna-Maria. Mais le Seigneur nous a fait un don. Nous ne pouvons pas dire : « Ce don, je ne l'ai pas reçu. » Nous ne pouvons pas dire : « Je ne l'ai pas fait fructifier. » Ce serait une insulte à la face de Dieu, Anna-Maria.

Tous deux se regardent sans un mot. Léopold a parlé avec le plus grand calme et Anna-Maria ne sait plus quoi dire.

Ville universitaire, Salzbourg est gouvernée par un prince-archevêque. Entourée de collines verdoyantes, bordée par les rives de la Salzach, elle est agréable et animée. L'archevêque Sigismond III von Schrattenbach exerce sa charge avec justice et bonté. Il est profondément pieux, mais sans bigoterie. Imitant ses prédécesseurs, il a fait de Salzbourg une ville dotée d'un authentique cachet, aux maisons multicolores, qui ne sont souvent qu'un délicieux décor. Dans les nouvelles rues que l'on a récemment taillées dans les vieux quartiers, certaines façades ne sont en effet que des postiches élevés à la hâte pour cacher des vides inesthétiques. Toute la ville est un harmonieux décor de théâtre. Sur les hauteurs de cette riche cité qui vit de l'or, du sel et de l'argent des montagnes du Tyrol, se dresse la triste et massive citadelle de Hohensalzbourg, où réside le prince-archevêque.

Salzbourg n'est que musique, depuis les auberges où chante le petit peuple jusqu'aux demeures aristocratiques où se produisent les meilleurs musiciens de l'époque. Les théâtres de Salzbourg ne désemplissent pas, à l'instar des salons du prince-archevêque qui entretient une véritable petite armée de laquais musiciens. Ils mènent une existence prospère mais austère sous la crosse ecclésiastique, fiers de leurs prérogatives, mais envieux de ceux qui, parmi eux, réussissent à émerger de leur routine.

Au milieu de la grande cour pavée du palais archiépiscopal, un petit groupe de musiciens en livrée or et pourpre, pérore. Ils se préparent à répéter; il y a cassation, ce soir, aux chandelles. Ils ouvrent leurs étuis de cuir, s'assoient sur des chaises dorées et accordent leurs instruments. Derrière eux, des ouvriers montent fébrilement une large estrade recouverte d'un tapis orné des armes princières.

Cinq à six musiciens se pressent autour de l'un des leurs qui lit à voix haute, une longue lettre. C'est le trompette Schachtner, vieil ami des Mozart, qui vient de recevoir cette missive. Le violon sous le bras, la perruque de travers, un retardataire trouble la lecture :

— Dis-donc, Schachtner, tu as pensé à...

Quelqu'un dans le groupe le fait taire :

— Tais-toi donc, Schachtner nous lit une lettre du père Mozart qui se trouve à Londres.

Schachtner, tout fier d'être le porte-parole du Vice-Kapellmeister Mozart, lit :

— « ...le dix-neuf, nous sommes revenus à Londres et allés chez le roi et la reine de six heures à dix heures du soir. En sortant, nous avons reçu vingt-quatre guinées anglaises une fois de plus. Le roi a fait jouer à Wolfgang des pièces de Bach et de Haendel qu'il a déchiffrées à première vue sur l'orgue, et de telle façon qu'on le considère ici comme meilleur organiste que claveciniste... En un mot, ce qu'il savait au départ de Salzbourg n'est qu'une ombre au regard de sa science d'aujourd'hui. Il a écrit sa première symphonie avec toutes les parties. Cela dépasse l'imagination... Il parle toujours de Salzbourg et des amis. Nous vous saluons. Léopold. »

Sa lecture achevée, Schachtner replie la lettre avec recueillement et la glisse dans sa livrée. Le petit groupe se disloque dans un silence lourd de jalousie.

Un musicien gras, brandissant son hautbois avec véhémence, s'attarde. Il apostrophe Schachtner :

— Voir si c'est vrai, tout ça !

— Tu ne les crois pas, Gerhardt ?

— Quand il s'agit de son Wolfgang, Léopold a toujours eu tendance à exagérer.

— Tiens, dans une autre lettre de Londres, il m'écrit qu'ils ont rencontré Jean-Chrétien Bach...

— Tu veux dire le fils du vieux Jean-Sébastien ?

— Lui-même. Le Bach qui est professeur de la reine Charlotte. Il paraît qu'il a pris Wolfgang en amitié, qu'il le traite comme son égal, qu'il lui apprend même tout ce qu'il sait...

Gerhardt rougit de mécontentement.

— Tout ce que Jean-Chrétien a appris des Italiens ?

— Gerhardt, fait le trompettiste, si je ne te connaissais pas comme je te connais, je finirais par croire que tu es jaloux !

— Jaloux, moi ?

Il explose :

— Une symphonie à huit ans ! Une symphonie avec toutes ses parties ! A qui espères-tu le faire croire ? Le père l'a aidé, c'est évident... S'il n'a pas tout fait lui-même...

Haussant le ton, Schachtner s'emporte :

— Ni le père, ni le fils ne sont capables de tricher. Enfin, qu'est-ce que tu as contre eux ? Tu me parais bien aigri.

— J'ai que je ne fais pas dans le génie, moi. J'ai que je ne fréquente pas les rois à vingt-quatre guinées la soirée ! Je ne fais que mon métier ! Honnêtement. Et pas sur le dos de mon fils.

Ivre de colère, Schachtner se laisse aller à un geste menaçant.

— Tu vas retirer ça tout de suite ! Tu vas...

Mais déjà, quelqu'un leur a tapé sur le bras pour les prévenir et ils se reprennent aussitôt à la vue du carrosse archiépiscopal qui s'arrête à grand fracas, non loin d'eux. Ils se plient en deux. De la portière, une main gantée de pourpre et ornée de l'anneau cardinalice, leur fait signe d'approcher, péremptoire.

La voix mielleuse du prince-évêque fige les musiciens :

— Monsieur Schachtner, je vous prie...

Le trompette accourt. L'affabilité du vieil homme contribue à sa réputation de noblesse et de générosité. Son instrument en main, le musicien attend au pied du carrosse, que le beau vieillard parle.

— Il m'est revenu, Schachtner, que vous étiez en correspondance suivie avec notre Vice-Kapellmeister, monsieur Mozart.

— Oui, Votre Grandeur.

— Ils sont en Angleterre où, m'a-t-on dit, ils sont très en faveur ?

Le musicien hoche la tête.

— En effet, Votre Grandeur, Sa Majesté George III...

— Je sais, il les a reçus ! L'ennui, c'est qu'avec tous ces voyages, cela fait deux ans que, moi, je n'ai plus de Vice-Kapellmeister... Alors que je le paie, monsieur Schachtner.

— Votre Grandeur, ils vont revenir...

— Après un voyage en Hollande qui va encore prendre je ne sais combien de temps. Monsieur Schachtner, à l'occasion, quand vous écrirez à monsieur Mozart — aujourd'hui ou demain, par exemple — vous seriez heureusement inspiré en lui suggérant de rentrer dans les plus brefs délais. Faute de quoi, je serai forcé de disposer de son poste... N'oubliez pas, monsieur Schachtner.

— Je n'aurai garde, Votre Grandeur.

Conciliant, l'archevêque tend son anneau pastoral que le trompette baise avec déférence.

— Merci.

Le carrosse disparaît dans un nuage de poussière.

Pendant ce temps, à Londres, la famille Mozart fait le bonheur musical des salons à la mode. A Londres, ville serpent qui gobe la prospérité coloniale et irrigue son cosmopolitisme des eaux sales de la Tamise, il règne une atmosphère de cloaque propice aux épidémies.

La cathédrale Saint-Paul, orgueil de cette cité boursouflée, surplombe de son architecture austère, les ruelles putrides où errent marins et bourgeois déguisés en quête de plaisirs.

Si Londres engrange des richesses sur ses quais, elle a perdu sa musique. Purcell est mort depuis longtemps et n'a pas été remplacé. Avec l'or, le café et les peaux, on a aussi importé les compositeurs. Hændel, mort depuis cinq ans, vécut ici un demi-siècle durant lequel il eut un monopole par défaut. A ce jour, les concerts sont dirigés par Carl-Frédéric Abel et Jean-Chrétien Bach, tous deux d'origine germanique.

Cela ne déplaît pas à la couronne. George III, de la dynastie des Hanovre, reste très attaché à sa famille allemande. La reine, princesse de Mecklembourg, accueille avec bienveillance les musiciens de son terroir.

On murmure, ici et là, que Wolfgang a fait une telle impression sur le couple royal qu'au détour d'une allée, leur carrosse venant à croiser la voiture des Mozart, le roi les a reconnus, s'est penché à la portière et les a salués de la main avec amitié. Et en ce printemps de 1764, la famille Mozart s'installe dans le luxueux hôtel particulier de Jean-Chrétien Bach.

Dans la vaste bibliothèque, où de larges fenêtres laissent pénétrer une lumière douce qui donne aux reliures des reflets mordorés, Wolfgang, le nez contre un carreau, regarde dehors. Jean-Chrétien Bach, front haut et nez aquilin, fourrage parmi les partitions qui jonchent le couvercle de son clavecin. Il tourne son regard perçant vers Mozart.

— Wolfgang ! Viens jouer, j'ai retrouvé le fugato...

Wolfgang obéit. Il a les traits tirés, le teint pâle et l'air fatigué. Il vient au clavecin où il s'assied sur les genoux de Jean-Chrétien pour jouer avec lui. Le plaisir qu'ils ont à jouer à quatre mains une pièce difficile de Hændel, les absorbe entièrement. Soudain, Wolfgang s'arrête.

— Dis, Jean-Chrétien...

— Qu'est-ce qu'il y a ?

— Jean-Sébastien, ton père, c'était aussi un grand musicien ?

— Très grand, oui.

— Est-ce qu'il t'a tout appris, comme mon papa m'apprend à moi ? interroge gravement l'enfant.

— Il m'a tout appris, oui.

— Tu es allé dans une école ?

— Oui. Un collège. Et mes régents étaient très sévères.

Wolfgang, soudain volubile, s'anime peut-être un peu trop.

— Mon papa à moi, il n'est pas sévère. Il sait tout. Hier soir, après le concert, à Chelsea...

— Vous avez donné un concert à Chelsea ?

— Oui, dans un café, avec Nannerl. Il y avait beaucoup de monde. On payait l'entrée, c'était drôle. Eh bien, il m'a appris. Il m'a fait comprendre toute l'affiche de notre concert, et pourtant, elle était en anglais ! J'ai tout su ! Tout ! Tiens... — Wolfgang saute sur le guéridon, y prend un livre, l'ouvre à la page de titre et fanfaronne avec un accent terrible : — *Edward Gibbon. Story of the decline and fall of the roman empire...* Je peux même te traduire... « L'histoire de ... la... » Non, je ne sais pas encore, il faudra que je demande à papa.

Toujours volubile, il revient vers Jean-Chrétien en sautillant.

— Tu vois, j'aime bien les chiffres, le calcul... Alors, en voiture, papa me pose des problèmes. A Paris, j'ai appris le français. Et l'histoire et...

Jean-Chrétien, interrompant cet inventaire, demande :

— Et la musique ?

— Bien sûr.

Jean-Chrétien contemple distraitement les rayonnages de la bibliothèque.

— Mon père à moi, le grand Jean-Sébastien Bach, était sévère. Très sévère, Wolfgang, mais très bon. Très grand.

— Plus grand que toi ? Plus grand que papa ?

Au même moment, la porte s'ouvre et Léopold Mozart apparaît, la goutte au nez, la tête presque enfouie dans une longue écharpe, la main tremblante sur le pommeau d'une canne torsadée. Depuis le concert donné dans la rotonde de Ranelagh House, il y a cinq semaines, Léopold traîne une vilaine angine que ses médecins lui ont conseillé de soigner dans le village de Chelsea, aux portes de Londres. C'est grâce à cette immobilisation que Wolfgang a pu parfaire ses connaissances auprès de Jean-Chrétien et composer sans clavecin, avec pour seule aide, son oreille intérieure et les conseils de son aîné. Fragments intéressants entachés de petites imperfections dues à l'impétuosité de sa jeunesse. Jean-Chrétien, affecté de cette irruption qui rompt l'intimité de leur dialogue, se lève courtoisement.

— Bonjour, Mozart.

Wolfgang abandonne aussitôt son maître pour courir vers son père dans un grand élan de tendresse. Ce dernier s'éclaircit la voix.

— Wolfgang, dit-il, va jouer dans la pièce à côté. J'ai à parler à monsieur Bach.

L'enfant desserre son étreinte, hausse les épaules et quitte la pièce. Léopold est visiblement préoccupé. Il ne cesse d'arpenter la pièce de long en large, ponctuant chaque pas d'un coup de canne. Il avoue enfin, avec amertume, la raison de sa nervosité :

— On m'a écrit de Salzbourg. Notre prince-archevêque a pris le mors aux dents. Il veut que je rentre. Mon talent fait, paraît-il, défaut aux festivités salzbourgeoises !...

— Et pourquoi pas ? Pourquoi ne pas rentrer ? demande Jean-Chrétien.

Léopold, qui s'attendait à plus de soutien de la part de son éminent confrère, s'offusque :

— Mais... mais la carrière de Wolfgang !

— Précisément. Le petit est fatigué. Il a besoin de repos. Depuis des années, il n'arrête pas d'apprendre et d'apprendre encore. Il a eu tous les succès, jusqu'aux honneurs de la Royal Society, du British Museum. Il a pu travailler avec les Italiens, avec moi, se donner des bases solides. Et tout à l'heure, je le regardais, avec sa petite mine, et je me disais que Salzbourg ne lui ferait pas de mal.

— Vous en parlez à votre aise, pontifie Léopold. Salzbourg, vous ne savez pas ce que c'est ! C'est un éteignoir. Ici, j'ai toutes les occasions de faire connaître mon fils. Wolfgang peut donner tous les concerts qu'il veut.

— Jusque dans les pubs, Mozart ? tranche Bach.

Léopold reste interdit devant cette attaque directe. Il faut dire qu'à cette époque, le musicien, valet patenté d'un maître, ne peut guère se produire que de cour en cour, portant avec lui le prestige de son seigneur, et sur lui, ses lettres patentes. Organiser un concert, c'est se déshonorer en allant chercher l'argent et les applaudissement d'une bourgeoisie avide de musique et dont certains affectent encore d'ignorer la puissance. De plus, à Londres, la situation politique et la maladie du roi ne rendent pas l'atmosphère propice aux concerts. Si l'on veut survivre, il faut bien ne pas dédaigner les pubs et les cafés...

Léopold émerge difficilement de sa gêne, il ne dit rien. Jean-Chrétien renchérit :

— Le petit m'a raconté. Ne m'en veuillez pas si je vous rapporte ces paroles, mais je crois que ni vous, qui êtes en convalescence, ni lui, qui est au bord de l'épuisement, ni votre fille, qui ne va guère mieux, n'avez besoin de ces concerts-là !

Léopold s'arrête, reprend sa marche, ouvre la bouche pour répondre et puis se tait.

— Allez, Mozart, ne vous chagrinez pas... Nous devrions nous asseoir. Une tasse de thé ?

Léopold le fixe puis s'assied, croisant les jambes. Jean-Chrétien, en parfait anglais, lui sert lui-même le breuvage colonial, et le rituel des tasses et des pots l'apaise. Il se résigne :

— Bien. Nous rentrons. Mais j'ai des engagements en Hollande, des invitations partout. Même du prince d'Orange. Le prince d'Orange vaut bien le prince-archevêque de Salzbourg, je pense !

Le voyage du retour est long, plein des imprévus inhérents à un tel trajet. Pour regagner Salzbourg, les Mozart traversent des paysages très variés offrant tous autant de beautés que de risques — des attaques des brigands à celles des maladies. Ballottés dans leur diligence, accablés de chaleur, ils voient leur périple jalonné d'une suite de stations qui sont autant de rendez-vous avec la musique mais aussi avec des chirurgiens incompétents et rapaces. A Lille, Léopold et Wolfgang doivent s'aliter pendant tout le mois d'août.

Après Genève, Rotterdam et Anvers, les voici le 11 septembre 1764, à La Haye où la princesse von Nassau-Weilbourg accueille chaleureusement les enfants Mozart. Là, un grand concert public, avec orchestre, est organisé le 30 septembre. Sur scène, Nannerl et Wolfgang jouent une sonate à quatre mains. Wolfgang, livide dans son habit de parade, en nage, plaque le dernier accord. Puis, dans un délire d'applaudissements, les enfants saluent à plusieurs reprises le public cossu. Soudain, Wolfgang s'avance, comme pour annoncer quelque chose, et s'effondre sur le sol.

Un brouhaha de surprise s'élève dans la salle. Mais déjà, le rideau retombe et dans la pénombre de la scène, les machinistes se précipitent vers l'enfant évanoui, l'emportent dans les coulisses. Léopold, qui vient de recevoir son cachet des mains de l'organisateur, arrive enfin, et prend dans ses bras Wolfgang dont la tête ballotte. Tenant un pan de la couverture dont on l'a recouvert, Nannerl suit en pleurant.

Léopold minimise le scandale :

— Ça lui est déjà arrivé, ça n'est rien... Les nerfs... Nous avons un médicament à la maison. Vite, un fiacre ! Il va revenir à lui... Vite !

A l'auberge du Cheval d'Or, la sérénité typiquement protestante des lieux contraste curieusement avec l'inquiétude de la famille Mozart. Dans la grande chambre badigeonnée à la chaux, que quelques rares meubles austères sont loin d'égayer, un médecin s'affaire autour de l'imposant lit noir à baldaquin. Debout contre la table, les trois Mozart sont muets d'angoisse. Nannerl se tord les mains, affolée. Elle quitte ses parents et va se recroqueviller dans un coin, près du grand poêle bleu que l'on a allumé en toute hâte, malgré la saison, pour le petit malade.

Le médecin et son aide n'ont rien trouvé d'autre à faire que de saigner Wolfgang. L'enfant n'est plus blême : il est gris. Les yeux clos, toujours inanimé, il respire difficilement. Les gestes du chirurgien, qui nettoie méticuleusement ses instruments, ne sont que barbarie. Son assistant, compresse en main, puise de l'eau chaude dans la bouilloire qui chantonne sur le poêle pour réchauffer le front de Wolfgang. Le médecin considère enfin la petite quantité de sang qui a coulé dans le verre, réfléchit, consulte son acolyte puis revient à la table, s'assied et fait signe à Léopold d'approcher.

— Monsieur, dit-il d'un ton pontifiant, il est temps de faire venir un prêtre.

Madame Mozart cache son visage dans son mouchoir. Nannerl pousse un petit cri. La camarde rôde dans la pièce.

— J'ai tenté une dernière saignée, poursuit le chirurgien, mais le sang reste corrompu. Ces fièvres au cerveau sont rebelles. Il faut un corps d'homme constitué pour avoir quelque chance d'y résister... et dans le cas présent...

Il a un geste de résignation à l'adresse de l'enfant.

— Mais la semaine dernière, docteur... implore madame Mozart.

— Oui, madame, j'ai cru à un rétablissement des humeurs. La nature n'en a pas jugé comme moi.

Il s'attarde, tapotant sa trousse. Son aide finit d'y ranger les instruments. Visiblement, il attend ses honoraires. Malgré son chagrin, Léopold finit par s'en apercevoir, met la main à sa poche et lui glisse deux florins d'argent. Pour ce prix, il en veut plus :

— Vous ne me laissez pas d'ordonnance ? En Allemagne, nous avons... enfin, il y a des poudres antispasmodiques...

Le médecin fait non de la tête. Et empochant son argent sans un mot, il se dirige vers la porte suivi de son assistant, et conclut :

— Vous trouverez une église catholique à l'angle de la Zonderstraat et de la Merivenstraat. Le desservant s'appelle Van Beveren. Monsieur le curé Van Beveren.

Ils sont sortis, laissant Léopold, Anna-Maria et Nannerl à leur détresse. Brusquement, madame Mozart se détourne et éclate en sanglots, imitée par Nannerl qui ne peut quitter des yeux le drap blanc qui recouvre son frère. Léopold, qui a perdu toute superbe, redouble de tendresse envers son épouse, tente de la consoler. Il la prend par les épaules quand brutalement, elle lui fait face :

— C'est ta faute. Ta faute ! Le petit, tu en as abusé. Tu as défié le Seigneur, par orgueil — pour toi ! Pour ta gloire à toi ! Et regarde, maintenant, il va mourir !

Désespéré, il essaie maladroitement de l'étreindre.

— Laisse-moi ! Ne me touche pas ! Tu es content, maintenant, tu es content ?

Léopold ne peut que se justifier :

— Tu es folle. Tout ce que j'ai fait, c'est pour lui. Pour son avenir...

— Pour toi ! Pour toi seul ! Il ne fallait pas partir. Salzbourg nous suffisait bien. Mais il a fallu que tu le traînes sur toutes les routes, dans toutes les auberges d'Europe ! Et il y a deux mois, Nannerl a failli en mourir, elle aussi.

Nannerl, affolée devant ce déferlement de reproches qu'elle n'a encore jamais entendu dans la bouche de sa mère, s'interpose entre ses parents :

— Maman, je t'en prie, je t'en prie, arrête...

Léopold en fait aussitôt un argument pour sa cause :

— Mais elle est là, Nannerl ! Elle est là !

— Oui, parce que le Seigneur s'est laissé fléchir. Une fois. Mais tu t'es endurci dans ton orgueil. Tu t'es bouché les oreilles et maintenant, il va mourir.

Léopold, à bout, va répondre, mais Nannerl s'accroche à lui.

— Papa, s'il te plaît, le prêtre... Pour Wolfgang, le prêtre !
Il lui fait lâcher prise et sort brusquement, hagard. Comme une
ombre désolée, il va vers la chapelle, îlot de catholicisme dans cette
ville calviniste. La large nef de l'édifice est vide. Léopold
s'agenouille sur un prie-Dieu, et la tête abandonnée dans ses mains
jointes, pleure, effondré.

On s'affaire dans l'auberge où d'une pièce à l'autre, résonnent les
mille bruits de la vie quotidienne hollandaise. Les pigeons
roucoulent sur le balcon, juste au-dessus de la porte d'entrée. Plus
haut, sur le toit, des hirondelles lissent leurs plumes. Au loin, le
carillon de la demie de neuf heures tinte. Les chevaux de poste
s'ébrouent dans la cour. Tout le monde s'active joyeusement. Au
deuxième étage, une fenêtre entrouverte permet d'entendre dehors
les notes d'un allegro très gai. Wolfgang, au clavecin, a oublié sa
fièvre cérébrale. Il joue dans le bonheur la sonate qu'il vient de
composer, inspirée par cette musique italienne que lui a révélée
Jean-Chrétien Bach. Derrière lui, violon au menton, lisant sur la
même partition, toujours imperturbablement sérieux lorsqu'il
pratique son art, Léopold l'accompagne avec toute la dextérité du
parfait professionnel.

La musique de Wolfgang a considérablement mûri, enrichie
peut-être par l'épreuve qu'il vient de surmonter. Léopold, radieux
comme jamais, montre à son fils ce qu'il peut encore améliorer et la
pointe de son archet court sur la partition sous les yeux attentifs de
l'enfant. Puis, prenant la place de Wolfgang devant le clavier, il
enchaîne la partie de clavecin. Debout, Wolfgang reprend la partie
violon et accompagne son père avec toute la vigueur de ses forces
retrouvées.

Léopold, en pédagogue zélé, l'interrompt.

— Wolfgang... pour ta mélodie en tierce entre le clavecin et le
violon, il faut tout inverser. Mettre le violon dessus et descendre le
clavecin à l'octave inférieure. Le clavecin, ça ne chante pas. Ça ne
peut pas être le dessus d'un violon, Wolfgang, voyons ! Ça ne se
fait jamais ! Allez, nous reprenons comme j'ai dit...

L'élève défend son style avec une bonne argumentation, nourrie de toutes ses influences européennes.

— Mais moi j'aime bien que ça serre en haut, papa ! Le violon et le clavecin auront l'air de voler dans le ciel au-dessus de la main gauche !

Léopold continue à défendre l'orthodoxie de la tradition.

Et ils rejouent le passage litigieux. Wolfgang s'applique et effectivement, ça sonne mieux. Léopold, fier de lui, ne manque pas de le faire observer à son fils.

— Tu vois, Wolfgang ? Cette sonate est au point, maintenant. Dans un mois, nous la jouerons devant notre prince !

Wolfgang s'arrête, pose son violon et fou de joie, saute au cou de son père.

— On rentre, papa ? Ça y est ? Que je suis content ! Tu les as prévenus à Salzbourg ? Ils savent déjà ?

— Oui, ils le savent et...

— Alors, papa, on va pouvoir tout leur montrer ! Tout ! On leur racontera le zèbre du zoo de Londres, qui courait... comme ça...

Il improvise une petite marche sautillante au clavecin.

— Et le roi Georges qui boitait... comme ça...

Le clavecin boite en accords syncopés et Wolfgang explose de cette gaieté nerveuse, un peu étrange, qui le caractérisera toute sa vie.

— Et les Français à Versailles...

— Assieds-toi, Wolfgang, et écoute-moi, dit Léopold d'une voix posée. A Salzbourg, vois-tu, les choses... Enfin, il y a longtemps que nous sommes partis du pays. Tu as oublié comment c'était...

L'enfant regarde son père, inquiet.

— Pourquoi ? Ce ne sont plus les mêmes ? La rivière a changé de place ?

— Non, mon garçon, bien sûr que non, mais...

Léopold ne trouve pas les mots pour avouer à son fils quelle existence étriquée ils vont retrouver, loin des ors et du luxe des cours. Il y renonce. Wolfgang le verra bien tout seul...

— Tu as raison. Rejouons la sonate.

Et ils se remettent à jouer avec passion.

Dans la cour du sombre palais archiépiscopal de Salzbourg, les préparatifs vont bon train. Une fois de plus, les ouvriers clouent les tréteaux, déroulent les tapis et tendent les brocarts sur les tribunes. Les musiciens, la livrée des grands jours sur le dos, répètent une dernière fois, choisissant la meilleure place pour servir au mieux l'œuvre qu'ils joueront en fonction de la résonance de leur instrument.

Léopold et Wolfgang, en habits de parade pourpres gansés d'or et larges pourpoints dentelés, gravissent l'interminable escalier d'honneur aux volutes de marbre baroques. Calmes, en habitués de ce genre de situation, ils traversent une enfilade de salons carrelés en damier, aux murs surchargés de peintures encadrées d'énormes moulures dorées. Conduits par un valet en habit, ils croisent d'autres serviteurs en habit, eux aussi.

Les voici devant la porte du bureau du prince-évêque. En attendant d'être introduits, ils se disent quelques mots tout bas. Léopold, réajustant le jabot de son fils, lui glisse à l'oreille, sentencieux :

— Notre maître est un bon maître, Wolfgang. Sois très respectueux. C'est un prélat de notre Église. Il faut voir le Seigneur Dieu à travers lui. Tu as bien compris ?

Wolfgang hoche la tête, très intimidé par la solennité du ton paternel. Un valet les invite à le suivre dans le cabinet du prince-évêque.

La pièce est immense, ornée d'une série d'austères portraits d'inspiration religieuse. De loin, le bureau de bois précieux paraît minuscule dans un tel espace. Plus ils s'en approchent, et plus sa masse noire s'impose; sur ce noir, la couleur pourpre des vêtements du prince-évêque assis devant ce meuble impressionnant, paraît éclatante. Il s'entretient avec un chanoine d'âge canonique et debout derrière lui, son secrétaire particulier, un laïque, tient la plume et le livre de correspondance sous son bras.

A mi-chemin entre la porte et le prince, Léopold et Wolfgang s'immobilisent. D'une voix suave, le prélat les invite à approcher.

— Avancez, avancez, Herr Vice-Kapellmeister.

Les deux Mozart s'exécutent, pleins de respect.

— Vous voilà revenu ? Vous avez tardé, mais enfin vous êtes là. C'est bien.

— Votre satisfaction est ma meilleure récompense, Votre Grandeur, affirme Léopold, habitué à flatter la vanité du prince.

— Laissez. J'ai eu des échos... On m'a rapporté que vous avez répandu dans toute l'Europe la renommée de notre principauté et de sa chapelle musicale. Cela vous fera pardonner votre absence et les inconvénients qui en ont résulté pour le service de la chapelle. Vous me comprenez, Herr Vice-Kapellmeister.

Trop heureux de s'en tirer à si bon compte, Léopold s'incline.

— J'ose espérer, Votre Grandeur, que je n'ai pas démérité de votre confiance...

— Nous verrons cela, transige le prince-évêque en caressant le bras de son imposant fauteuil. Qu'il avance.

Léopold encourage son fils de la main.

— Ainsi, voici le jeune auteur des prouesses qu'on nous a rapportées ? Il a de bonnes joues d'enfant allemand, élevé dans la religion. Accomplit-il tous ses devoirs, au moins ? Je parle de ses devoirs envers Notre Seigneur.

Wolfgang, effronté, répond sèchement :

— Oui, Monseigneur.

S'adressant à l'enfant à la troisième personne, selon la coutume des pays de langue allemande, le prélat lui demande :

— Quel âge a-t-il ?

— Neuf ans, Monseigneur.

Satisfait, il s'adresse au vieux chanoine qui n'a pas bronché jusqu'à présent.

— C'est le petit Mozart, voyez-vous. Sa mère est une Anna-Maria Pertl de Sankt Gilgen, vous savez bien ?

Le chanoine, qui n'en sait rien, ne se compromet pas et le prince-évêque, paternel, donne une petite tape sur la joue de Wolfgang.

— Voilà qui fera un bon confirmant. Bien, nous reparlerons de tout cela. Je ne vous retiens pas.

Il tend son anneau à baiser, ce que Léopold fait avec effusion, imité avec plus d'indifférence par Wolfgang.

Le secrétaire, qui n'a rien eu à noter, leur fait signe de sortir par une petite porte dissimulée dans la tenture. Reculant sans quitter le prélat des yeux, au risque de glisser, ils s'exécutent avec force révérences.

Ils se retrouvent dans un petit escalier dérobé où Wolfgang peut enfin donner libre cours à sa rage.

— C'est tout ? fait-il, goguenard.

La porte s'ouvre brusquement derrière eux. Le secrétaire du prince-évêque apparaît et susurre :

— Herr Vice-Kapellmeister, vous reprenez votre service dès ce soir, à Vêpres. Sa Grandeur compte sur vous pour remettre un peu d'ordre dans les chœurs qui, depuis quelque temps, s'en vont à vau-l'eau.

— Oui, Excellence, acquiesce Léopold.

Cet ordre lancé, le secrétaire, au moment de repartir, se ravise et ajoute, très théâtral :

— Ah, Monseigneur vous autorise à garder votre fils auprès de vous pour le souper au château.

— Merci, Excellence.

Même dans la joie, Léopold garde le ton qui convient à sa position.

Dans la grande salle des gardes, dénuée de tout ornement, une longue table est dressée tous les jours pour les valets, devant une grande cheminée. Deux laquais assurent le service pendant que les convives se servent un verre de vin du Tyrol. Tous sont vêtus de la livrée princière : le coiffeur, les musiciens, les secrétaires, les valets de chambre et bien sûr, Léopold. Seul, Wolfgang fait tache dans cet ensemble avec son costume de jeune homme de bonne famille.

Il ne cesse de regarder son père, horriblement choqué de le voir transformé en homard princier. Personne n'aborde les exploits de la tournée des Mozart. On dirait que le mutisme est de rigueur. Au contraire, on abreuve Léopold des nouvelles petites et grandes du pays : concerts, engagements, départs de l'orchestre, mariages, décès, amours... Triste conversation pour le retour de deux virtuoses.

Le maître d'hôtel, un gros bonhomme au faciès enluminé par le vin, préside la table de toute la puissance de son organe vocal. Gare à celui qui ne rit pas de ses plaisanteries...

— Vous auriez dû voir ça ! Moi, je l'ai vu. J'étais devant ma fenêtre à me raser. Dans la cour, Gustave qui faisait le jeune homme, a envoyé un baiser à la grosse Lise, vous savez bien, celle de la lingerie...

La tablée rit grassement. La complaisance est de mise. Léopold parvient à grimacer un rictus pincé qui se veut sourire.

— Je continue mon histoire. Donc, en même temps, mon Gustave met le pied sur une plaque de glace et le voilà les quatre fers en l'air... révérence gardée. Sacré Gustave !

Les rires explosent et Gustave ne sait plus où se mettre. Du doigt, le maître d'hôtel désigne sa victime qui rit jaune.

— Ce qui m'a moins fait rire, c'est que dans l'heure, j'ai dû trouver un autre troisième valet d'écurie... Le Gustave, lui, depuis qu'il est endommagé, on l'a mis à souffler l'orgue de monsieur Haydn... Tiens, à propos, monsieur Mozart, on vous l'a présenté, monsieur Haydn ?...

Sans plus de ménagement que lorsqu'il parlait du Gustave, le maître d'hôtel désigne à l'attention de tous, un homme mince et jeune, le seul qui soit resté silencieux. Il a l'air doux et intelligent, le visage rayonnant de bonté, et il n'a pas cessé de regarder Wolfgang.

— Voici monsieur Haydn, notre nouveau Konzertmeister. Allez, Mozart. Ce n'est pas de la concurrence ! Il n'a un contrat que pour cette année.

Les rires s'étranglent. Un malaise plane sur l'assemblée. Léopold, piqué par cette boutade, dresse l'oreille. Il avise ce bel homme si discret parmi tous ces ruffians. Dès que leurs regards se croisent, Léopold sait qu'il n'a rien à craindre du nouveau Konzertmeister.

— Enchanté, monsieur. Seriez-vous parent de...

— Joseph Haydn, oui, c'est mon frère, monsieur Mozart. Mon nom est Michel. Michel Haydn.

— Ah, très bien. Et votre frère...

Sèchement, Michel Haydn met fin à ces questions de parenté.

— Je n'en sais pas plus que vous. Nous n'entretenons plus de relations.

Pendant cet aparté, Wolfgang a découvert, fasciné, un extravagant personnage, espèce d'échalas à la perruque extraordinairement travaillée. Frisé et maquillé à outrance, ce véritable héros de la commedia dell'arte est en train de manger d'un air dégoûté, du bout des doigts.

— Dis, papa, qui c'est ?

— Le coiffeur de Monseigneur. Un Italien, monsieur Di Venanzo.

Wolfgang observe toutes ces têtes autour de la table, toutes ces fonctions disparates sous le même uniforme. Décidément, un seul visage le rassure et lui plaît : celui de Michel Haydn. Il finit par tirer la manche de son père.

— Papa, je n'aime pas que tu portes ce costume !

— Quel costume ? dit Léopold, tel le chien qui ne sent plus son collier.

Wolfgang touche le galon d'argent de la livrée de son père.

— Celui-là. Celui que tu as maintenant.

Frappé, Léopold se tourne vers son fils avec défi, mais celui-ci lui rend son regard sans ciller.

Dans une ruelle encombrée d'enseignes du vieux Salzbourg, les Mozart habitent un vieil immeuble du xve siècle dont les Haguenauer leur louent le troisième étage : quatre pièces et une confortable cuisine. Ils mènent une existence bourgeoise où les travaux ménagers et la tenue du cahier de comptes ont leur importance. La seule chose qui les différencie des tranquilles Salzbourgeois, est leur passion pour la musique. Trois ans de paisible vie provinciale ont profité à la croissance de Nannerl et Wolfgang.

Nannerl a dix-huit ans, maintenant. Elle est devenue une splendide jeune fille qui s'exerce toujours au clavecin, avec la même application acharnée. Wolfgang, preste et nerveux, lui enfonce un doigt taquin dans le dos en passant. Il a grandi, ses traits se sont affirmés. Un nez épaté, des oreilles décollées et des yeux qui pétillent de charme et d'intelligence. Il vient d'abandonner sa table de travail où il compose tout le jour, de cette manière réfléchie et rapide qu'il gardera toujours.

Il danse à travers les pièces, agitant une feuille manuscrite qu'il tient entre deux doigts et dont l'encre luit au soleil.

Quand la feuille est sèche, il disparaît dans la cuisine où Thresel, la bonne, pétrit la pâte du kugelhopf. Espiègle, il trempe son doigt dans une saucière et repart à son travail.

Au palais archiépiscopal, dans les jardins à la française que les princes-évêques ont fait terrasser à grand prix, Sigismond von Schrattenbach prend le café avec un invité de marque. Une cohorte de serviteurs danse le ballet bien orchestré d'un de ces repas de prestige qui doivent éblouir l'hôte.

Toute cette cavalcade se déroule au son d'un orchestre dirigé par Léopold Mozart, attentif au moindre mouvement de son prince. Les deux personnages ne prêtent guère attention aux accents des violons. Ils discutent ferme de problèmes personnels. Le comte de Fuerstemberg, un solide gaillard vêtu d'un costume à brandebourgs mauves, parle fort. On devine, à la façon dont il se penche vers l'évêque, qu'il est atteint de surdité.

— Ah non, Monseigneur. Non. Pourquoi devrais-je vous céder ces fermages ? Et à ce prix-là ? Ce serait un drôle de marché.

— Vous avez tort, Fuerstemberg, croyez-moi. A ce prix-là, c'est une affaire, crie l'archevêque.

Panique dans l'orchestre. On fourrage dans les partitions à la recherche d'un air qui couvrirait ces propos peu poétiques. D'un coup sec de sa baguette, Léopold rétablit l'ordre dans ses troupes. On enchaîne sur un allegro vivo.

Dans les vestiaires du palais, après l'aubade, c'est le brouhaha. Les musiciens, en rangeant livrées et instruments, avant d'enfiler leurs habits de ville, échangent de violents propos. Assis à une table, immobile, Michel Haydn semble bizarrement absent.

Léopold se change, lui aussi, pas loin du hautbois Gerhardt et du trompette Schachtner qui expriment leur amertume.

— Dommage qu'il soit sourd comme un pot, le Fuerstemberg, se désole Gerhardt, nous avons vraiment joué pour rien... Tu as vu la tête que faisait notre Vice-Kapellmeister ?

Après un clin d'œil à Léopold, Schachtner rétorque, glacial.

— Non, je n'ai pas remarqué.

— Sais-tu pourquoi il faisait cette tête-là ? Je vais te le dire ! Il comptait fermement qu'on l'inviterait à Vienne, avec son fils, pour les fiançailles de la fille de Marie-Thérèse. L'invitation est bien arrivée, mais elle est pour Adlgasser !

Schachtner, irrité par le sous-entendu de Gerhardt, répond, tout en observant du coin de l'œil, Léopold qui fulmine :

— Et tu trouves ça juste ? Après la sérénade que nous a encore composée le petit Wolfgang et que nous venons de jouer ? Une sérénade qui est la perfection même ! A treize ans...

— Quoi ? Treize ans ? s'exclame Gerhardt. Treize... ça ne fait jamais que seize moins trois. A seize ans, Telemann avait déjà écrit onze concerti et Pergolèse trois opéras. Elle n'est pas si extraordinaire que ça, sa sérénade. C'est de la gentille musique, rien de plus.

Faisant front à Léopold qui s'est avancé, menaçant :

— C'est mon avis et je le dis comme je le pense, monsieur Mozart.

Ivre de colère, Léopold vide son sac :

— Voilà que vous recommencez, monsieur Gerhardt ! En tant que votre Kapellmeister, j'ai à vous dire ceci : le hautbois est un instrument difficile. Quand on a l'honneur de donner le *la* à un orchestre, comme vous, il faut essayer de le donner juste !

— Quoi ? Mon *la* est faux ? s'écrie Gerhardt, furieux.

— D'autre part, mon fils et moi, nous vous méprisons. Est-ce clair ?

Léopold sort en claquant la porte, dignement. Témoin de la scène, Michel Haydn n'a pas bronché.

Le soir, l'atmosphère est tendue autour de la table familiale. Madame Mozart raisonne son mari :

— Mais enfin, tu n'es pas invité, Léopold !

— Wolfgang et moi, nous y allons. Un point c'est tout, assure-t-il.

Wolfgang fait la fine bouche.

— Moi, je n'ai pas tellement envie d'y aller, à ce mariage.

— Toi, tu parleras quand on t'interrogera. Il va y avoir des fêtes à n'en plus finir. Tu penses... le mariage d'une archiduchesse avec le roi de Naples, c'est une occasion unique ! Avec un peu de chance, nous pourrons être reçus à Schoenbrunn...

— Mais mon amie Frau Doktor Barisani m'a dit que pour Salzbourg, c'est l'organiste Adlgasser qui a été choisi.

— Laisse-moi faire, Anna-Maria, je sais qu'il y a une chance à saisir là-bas. Il faut que nous allions coûte que coûte à Vienne.

Plus tard, dans la chambre conjugale, Léopold prie sa femme de s'asseoir. Plus calme, il se fait persuasif.

— Essaie de comprendre, Anna-Maria... Bientôt, Wolfgang n'étonnera plus personne. On commence à nous oublier. La preuve, c'est que nous n'avons pas été invités à Vienne !

— Mais Wolfgang peut faire une jolie carrière ici, dans la musique du prince-évêque ? Il y a des gens de talent, ici aussi ! Regarde Michel Haydn...

— Bel exemple, c'est un ivrogne ! Écoute-moi. Tu vois bien que Wolfgang étouffe, ici. Il n'y a qu'à Vienne qu'il peut avoir une chance.

— Tu n'y penses pas... s'effraie-t-elle. Repartir sur les routes, dormir dans les auberges au risque de retomber malade. Et cette fois-ci, le Seigneur n'exaucera peut-être pas nos prières...

— Mais Vienne est à trois jours de route ! Ce n'est pas loin.

— N'oublie pas que tu n'es pas invité, Léopold et que ce séjour sera à tes frais.

— Je sais, mais j'ai déjà demandé à notre bailleur, monsieur Haguenauer. Il accepte de nous prêter de l'argent à sept pour cent.

Madame Mozart soupire, en bonne mère.

— Notre Wolfgang est encore si petit...

— Petit, Wolfgang ? Tu es bien comme toutes les mères,

complètement aveugle ! C'est bien parce qu'il a trop grandi qu'il perd son audience auprès des grands.

Léopold ouvre la porte et appelle Wolfgang, encore à sa table de travail. Il accourt.

— Mets-toi là et ne bouge pas.

Léopold a désigné le chambranle de la porte où, de tout temps, on a mesuré les enfants. Les graduations y sont portées en pieds. Wolfgang obéit et son père lui pose un livre sur la tête, pour faire toise.

— Quatre pieds, six pouces.

— Mais non, voyons, dit madame Mozart qui refuse l'évidence, quatre pouces.

— Six pouces !

— Et les talons... Il a des talons !

— Pas du tout, ne sois pas de mauvaise foi.

Wolfgang laisse ses parents à leur querelle. Il s'en va en chantant à tue-tête, sur un air de marche militaire :

— Quat'six, quat'six quat'... quat' six quat'six, quat'six quat'...

Il est si drôle que toute la famille a le fou rire. Toute sa vie, il saura utiliser comme personne, l'art de la pirouette pour détendre une atmosphère orageuse ou dénouer une situation impossible.

Devant la maison, un coche chargé de bagages attend. On a remis le clavecin dans sa longue boîte noire et ressorti les malles du grenier pour ce nouveau voyage. Léopold, en habit de voyage, fébrile, fait le compte des paquets une dernière fois. Les plus fidèles amis sont là pour les adieux, avec la vieille bonne Thresel, et Schachtner, le fidèle entre les fidèles...

Les enfants sont déjà montés dans la cabine, enchantés de partir. Madame Mozart, résignée, se signe. Wolfgang fait le pitre, une fois de plus. De la fenêtre, il s'adresse à sa vieille nounou :

— Le petit Mozart part à la conquête de la grande ville, Thresel ! Le petit Mozart tout petit... Si petit ?... Pas si petit que ça ! Allez, Thresel, au revoir !

La main ferme de sa mère l'a déjà fait disparaître à l'intérieur de la voiture qui s'ébranle.

Dans la seconde moitié du xviiie siècle, Vienne attire tous les regards. L'impératrice Marie-Thérèse a doté l'Autriche d'une administration efficace. Sage et cultivée, elle favorise le mécénat et Vienne, reconstruite dans le foisonnant style baroque, est alors un centre intellectuel et artistique, très vivant. Après de longues et pénibles guerres, tout le monde ici, est avide de plaisirs et court aux concerts ou aux bals masqués... L'*Alceste* de Gluck vient de triompher à l'Opéra impérial. Joseph Haydn commence son irrésistible ascension. Marie-Thérèse, qui a eu pour professeur le musicien Hasse, chante elle-même avec talent.

Léopold ne se trompe pas quand il décide de se rendre à Vienne. Salzbourg, malgré la volonté de son prince-évêque, reste une ville de province où un musicien n'a pas vraiment d'avenir et Léopold sait que les réjouissances qui accompagnent les noces de la fille de Marie-Thérèse avec Ferdinand, le roi de Naples, seront autant d'occasions de se produire en concert et audition. C'est le moment... L'atmosphère de la ville a changé, c'est vrai, depuis le premier séjour qu'y a fait la famille Mozart, cinq ans plus tôt, car l'empereur François Ier est mort des suites d'une longue maladie et l'impératrice, sa femme, n'a plus le cœur d'organiser des fêtes familiales à Schoenbrunn, sa résidence. Mais le mariage va, à coup sûr, redonner son intensité à la vie artistique de la capitale.

C'est aussi le moment de produire Wolfgang une dernière fois, car sa taille ne lui permet plus de jouer les enfants prodiges de la musique; il est aujourd'hui un musicien parmi bien d'autres, qui jouent tout aussi bien que lui, et les articles des gazettes s'extasient de moins en moins sur le virtuose exceptionnel que sa précocité annonçait. L'idéal serait donc que le jeune Mozart conquière Vienne avec une autre arme : la composition. Mais là encore, rien n'est acquis car ses premières œuvres ont été écrites selon ces principes harmoniques paternels qui ne permettent pas à son génie créateur de s'affirmer.

Pour comble de malheur, c'est en cette année 1768 que s'abat sur Vienne en fête, le pire des fléaux : une épidémie de petite vérole, maladie alors sans remède qui n'épargne personne, des hommes de la rue aux têtes couronnées.

Le séjour viennois coûte cher aux Mozart. Ils n'ont pu louer qu'un appartement de deux petites pièces dans une sombre ruelle. Et aujourd'hui, on entend le glas lugubre de la cloche d'une église.

Dans l'une des chambres aux volets fermés, Nannerl est couchée dans un haut lit campagnard. Elle est agitée, en nage, malade. Debout à son chevet, Wolfgang lui tend un bol de bouillon. Il n'a guère l'air plus vaillant qu'elle ; son visage est gris et il semble épuisé, mais enfin, il est valide.

Dans l'autre pièce, Léopold est assis, les coudes sur la table, silencieux. Debout devant lui, sa femme contemple le chef de famille tout en gardant un œil sur les enfants par la porte ouverte.

— Bois, Nannerl, bois ! S'il te plaît. Tu vas déjà mieux, il faut manger... supplie Wolfgang.

Elle fait non de la tête et il souffle sur la soupe brûlante pour la refroidir.

— Tu te fatigues, Wolfgang, tu tiens à peine debout, dit la voix douce de sa mère.

— Ça me fait plaisir de soigner Nannerl. Et dis à papa que dès qu'elle dormira, je ferai un peu de clavecin. J'ai envie.

— Veux-tu que je te prépare quelque chose, à toi aussi ? demande-t-elle.

Son visage s'éclaire lorsqu'il accepte et elle se tourne vers Léopold :

— Tu te rends compte, Wolfgang veut jouer. Il se sent assez bien !

Les deux époux se regardent. Leur soulagement est bref — un autre glas s'est ajouté au premier...

— Je crois que nous aurons sauvé nos deux enfants, Anna-Maria. Mais quel malheur !

Elle vient s'asseoir à la table.

— On m'a dit que les Messmer sont partis à la campagne. Les voisins du dessous aussi. Il y a eu deux morts dans la rue, hier.

— Cette petite vérole, quel malheur ! Quelle malchance !

Le glas sonne toujours. Soudain, deux nouvelles cloches se mettent en branle. Tous deux écoutent, consternés.

— Tu entends ? dit-il.

— Oui, qu'est-ce que ça veut dire ?

D'autres cloches encore se joignent aux premières. Ils se lèvent, très graves, quand Wolfgang apparaît, le bol à la main.

— Qu'est-ce que ça veut dire, papa ?

Toutes les cloches de Vienne sonnent maintenant. Léopold enfile sa veste.

— Restez ici, je vais voir.

Il est sur le point d'ouvrir la porte, quand on frappe. C'est une petite vieille au chignon grisonnant, un châle noir sur les épaules. Elle reste sur le seuil et s'écrie d'une voix éraillée, en joignant les mains :

— Notre princesse, Maria-Josepha, la petite fiancée... Elle est morte, madame Mozart !

Le palais de Schoenbrunn, fierté de la couronne, égale Versailles, du moins dans l'admiration qu'il suscite en Autriche avec sa longue façade austère, ses nombreux salons trop luxueux, les deux obélisques de sa cour d'entrée... Le vaste jardin à la française donne sur les grilles ouvragées d'un zoo magnifique, plein d'animaux rares.

Dans le salon impérial, statues et tableaux sont voilés de crêpe noir. Sur une estrade, installée dans un imposant fauteuil, l'impératrice — vieille dame un peu lourde aux yeux rougis par le chagrin —, porte le deuil. Très digne, elle tricote tout en conversant avec madame Mozart et Nannerl. Sa dame d'atour, encore plus vieille qu'elle, est assise à ses pieds, sur un tabouret bas et range des pelotes de laine dans une corbeille. Près de l'immense bureau du futur empereur, Joseph II, Mozart et son fils parlent musique.

— Oui, voyez-vous, ma bonne, déclare Marie-Thérèse, cette grande maison de Schoenbrunn est bien vide et triste maintenant.

Intimidée, madame Mozart ne sait comment s'exprimer.

— Pauvre madame... pauvre princesse... Si jeune, à la veille de son mariage... Pauvre roi de Naples...

Soudain mère plutôt qu'impératrice, Marie-Thérèse laisse parler son cœur :

— Vos enfants ont été atteints ?...

— Oui. Tous les deux... Nous avons eu si peur, mais grâce à Dieu...

— Grâce à Dieu... répète la souveraine.

Elle se signe. Madame Mozart l'imite. Brusquement, Marie-Thérèse redevient impératrice :

— Quant au roi de Naples, je lui donnerai une autre de mes filles. Le Seigneur Tout-Puissant, dans sa souveraine bonté, a bien voulu me donner abondance de progéniture. Je reconnais là les desseins de la Providence.

Du bout des doigts, elle caresse la joue de madame Mozart, anéantie par cet honneur.

Le ton est très différent dans le petit groupe des hommes. Léopold plaide la cause de son fils devant Joseph II, homme encore jeune qui a l'air fin et intelligent. Une indéniable sympathie circule entre lui et Wolfgang. Ils se sourient tandis que Joseph II écoute Léopold avec intérêt.

— Des symphonies ? s'étonne-t-il.

— Des symphonies. Des sonates, des messes... Sans compter ses qualités de virtuose au clavecin, au violon et à l'orgue, qualités que nous avons pu développer depuis notre dernier séjour ici.

— C'était il y a quatre ans, je crois ?

— Sa Majesté est trop bonne de s'en souvenir. J'ose dire que maintenant, mon fils peut rivaliser avec les meilleurs musiciens de Vienne...

Joseph II a compris : il considère Léopold un moment, puis lentement, fait non de la tête.

— Monsieur Mozart, ma cassette est vide. L'Autriche est épuisée par les guerres et je dois, avant tous les autres, être soucieux des deniers de mes sujets. Les postes existants sont pourvus, et je ne puis en créer de nouveaux.

Léopold ravale son dépit. Il tend la main vers le clavecin tout proche.

— Si Sa Majesté daignait entendre mon fils...

Joseph II fait de nouveau non de la tête; il ne sourit plus.

— Et l'étiquette, monsieur Mozart... Celle de Schoenbrunn est lourde à porter, mais elle a un sens en cette période d'affliction.

— Je supplie Sa Majesté de bien vouloir me pardonner...

La timide frimousse de Wolfgang est un bien meilleur argument aux yeux de Joseph II qui n'a cessé de le regarder d'un air songeur.

— Il y a peut-être un moyen. Je ne voudrais pas vous laisser repartir sur le sentiment que votre famille ne m'intéresse pas, monsieur Mozart. Elle m'intéresse...

Sentant que la chance tourne, Léopold oscille entre l'angoisse et l'espoir. Soudain Joseph II avise Wolfgang.

— Petit. Saurais-tu écrire un opéra ? Pour Vienne ?

Après quelques secondes de stupéfaction, Léopold intervient très vite :

— Mais sûrement, Sa Majesté verrait que...

— Laissez-le parler. Alors, petit, qu'en penses-tu ?

Les yeux de Wolfgang vont de son père à l'empereur. L'affolement cède la place à l'excitation mais c'est la spontanéité de l'enfance qui finit par l'emporter :

— Oh, j'en ai envie ! Cela me ferait tellement plaisir ! Oh, oui, je sais, je sais ! Votre Majesté ! Merci ! Merci !

Il a élevé la voix et l'impératrice a tourné la tête vers eux. Joseph II sourit à cette explosion de joie, et il conseille tout bas :

— Si vous voulez conserver l'amitié de l'impératrice, modérez votre plaisir, jeune homme. Se tournant vers le père, à haute voix : Bien. Il faut que vous rencontriez le comte d'Affliggio. Je lui ai donné mes théâtres impériaux en location, mais je crois qu'une recommandation de ma part a encore quelque importance.

II
LA CASSURE

Cinq heures. C'est l'heure où la grande salle du théâtre impérial de Vienne se remet à vivre. Les serviteurs descendent les lustres pour allumer les chandelles qui aussitôt, se reflètent sur les cristaux. Les ors brillent dans la pénombre. Les ouvreuses retirent les coutils des fauteuils et le bruissement des tissus qu'on replie court de baignoire en baignoire, du parterre aux corniches du vaste théâtre à l'italienne. Dans les coulisses, machinistes et souffleur s'affairent. Les musiciens se mettent en train, les danseuses font des exercices d'assouplissement, le décorateur fait déplacer un élément de décor en toile peinte.

Quant au comte Guiseppe d'Affliggio, étonnant personnage, au bagou latin et au geste large, il parcourt en maître les dégagements et les couloirs de son théâtre. Homme de cour, homme du monde aussi bien qu'homme d'affaire et homme de spectacle, il s'occupe de tout à toute allure, donnant un ordre ici, un baise-main là, et suivi comme son ombre par Léopold Mozart. A qui il fait les honneurs des lieux...

— Non, non, venez. Dans ce théâtre, vous êtes chez vous, maintenant !

... avant de se tourner vers le régisseur...

— Ici vous ajouterez des fleurs... Là aussi... Je veux des fleurs partout !

... de s'arrêter devant une femme de ménage...

— Que fait ce balai ici ? Voulez-vous m'enlever ça ! Ah, monsieur Mozart ! Quand vous aurez un théâtre à vous... Si, si, un jour, vous en aurez un... Veillez aux femmes de ménage... Les

73

femmes de ménage sont le fléau du théâtre ! Une fois, j'ai trouvé une serpillière qui traînait dans la loge impériale...

Son accent italien se fait soudain plus charmeur encore :

— Ah, votre fils, votre fils ! Savez-vous que ce que vous me demandez est énorme ? Énorme ? Confier la scrittura d'un opéra à un enfant de douze ans !

— Treize... treize ans.

— C'est fou ! C'est fou ! Mon théâtre a une réputation à défendre. Une réputation mondiale.

Suivant le comte dans son bureau où règne une fantastique pagaille, Léopold risque :

— Mais l'empereur...

— Je sais. L'empereur... J'attache le plus grand prix aux recommandations de l'empereur.

Subitement, l'empereur lui sort de l'esprit et revenant vers la porte, il crie :

— N'oubliez pas les douze bouteilles de Tokay pour notre diva !

— Douze ? Et elle les boit ? demande Léopold, stupéfait.

— Non, pas du tout. Mais elle a besoin de les savoir là, répond d'Affliggio, très content de lui. Les caprices des vedettes, mon cher... Autre drame. Autre souci. Notre ténor, lui, il lui faut sa côte de bœuf. Un soir, on l'avait oubliée. On a failli ne pas lever le rideau.

Il s'assied à son bureau, plonge les mains dans un fatras de papiers, vérifie le bon équilibre des hautes piles de feuilles qui cernent son sous-main, et désigne une chaise à Léopold.

— Asseyez-vous. Treize ans ! Un enfant de treize ans dirigeant un opéra ! Et un opéra écrit par lui-même. Quelle affiche ! Presque aussi belle que pour mon spectacle à Londres où j'avais mis un ours, un sanglier, un tigre et un bœuf sauvage avec des pétards aux cornes... Ça, c'était du spectacle !

— Ici, il s'agit de musique, rappelle Léopold, offusqué.

— Musique, bien entendu. Grande musique. Ça n'empêche pas l'affiche.

Et d'Affliggio la dessine d'un doigt nerveux qui trace les mots dans l'air, devant lui — il parle sans cesse et beaucoup, avec les mains.

— ... Wolfgang Mozart ! Mesdames, messieurs, retenez bien ce nom...

— Ce n'est pas moi qui risque de l'oublier, fait observer le père.

— Pardon ? C'est vrai ! Vous voyez ! L'enthousiasme ! Quand l'enthousiasme me prend, je ne sais plus ce que je dis. Votre fils a un immense talent, monsieur Mozart.

— Vous ne l'avez même pas entendu...

— Je me suis renseigné. Un directeur doit se renseigner, tâter le public... Savez-vous qui je consulte toujours d'abord, monsieur Mozart ? Mon coiffeur. Et mon coiffeur est d'accord. Maintenant, parlons peu mais parlons bien. Entre gens comme nous, les questions d'argent... fi ! Je vous offre soixante-quinze ducats.

Il se cale dans son fauteuil, croise les jambes, apparemment certain que la question est réglée, mais comme Léopold esquisse un geste de protestation, il s'écrie :

— Vous avez mille fois raison. Cent ducats. J'y perds, mais ce n'est rien. Cent ducats.

— Mais le livret ?

D'Affliggio cueille une brassée de feuillets sur la pile qui oscille, à sa gauche, la tapote pour la rassembler et la tend à Léopold.

— J'en ai un, superbe. Un opéra bouffe.

— Bouffe ? Et le deuil ? s'indigne le Vice-Kapellmeister.

— Le deuil ? Quel deuil ? Ah, oui ! Le deuil de la princesse... Il sera passé, le deuil ! Nous travaillons pour l'avenir. Regardez-moi ce livret. *La Finta Semplice.* Joli titre. Tiens, rien que le titre, déjà, me met de bonne humeur. C'est l'histoire de deux barbons, Cassandro et Polidoro. Deux rôles en or. Ils ont une sœur, Giacinta. Jolie, naturellement...

Il souffle une seconde, le temps d'un clin d'œil canaille à Léopold, et poursuit :

— Très jolie. Arrive un officier... Vous voyez...

— Et ce livret est de qui ? s'enquiert son hôte.

Alors, avec un geste de la main exprimant à la fois embarras, modestie et sincérité — tout cela théâtralement feint — d'Affliggio passe aux aveux :

— De moi, bien entendu... Avec un peu de Goldoni.

A filou, filou et demi : Léopold le négociateur refait surface.

— Je vois... Il faudrait peut-être aussi une... Je crois que c'est l'usage... une garantie.

— Bravo ! Ah ! je n'ai pas affaire à un novice...

Il ouvre un tiroir et en sort un dossier.

— Tenez, regardez ça. C'est mon contrat d'association avec Gluck. Avec Gluck, mon cher, le grand musicien. Il y est pour un quart. Levez-vous... Non, non, levez-vous, insiste-t-il, et regardez ce fauteuil. Hier, c'est Gluck qui y était assis. Que voulez-vous de plus comme garantie ? Un contrat, c'est du papier. La parole de d'Affliggio, c'est de l'or...

A cet instant, le régisseur entre, suivi d'un jeune garçon perdu sous un monceau de fleurs.

— Qu'est-ce que c'est encore ?

— Ce sont les fleurs, monsieur le comte. Les fleurs que vous m'avez fait prendre.

— Eh bien, allez les disposer !

— C'est qu'il y a la facture...

— Donnez-la au caissier.

— Le caissier n'est pas là, monsieur, avoue le régisseur, penaud.

D'Affliggio cherche dans les poches de son habit.

— Ah bon... Diable ! C'est que j'ai oublié ma bourse. Mon cher ami... dit-il à Léopold avec un naturel déconcertant... à charge de revanche.

— Mais volontiers.

— C'est dix-sept florins, précise le régisseur.

Léopold sursaute. Il est tombé sur plus pingre que lui.

— Dix-sept florins ?

— Pendant que vous y êtes, ajoutez en trois pour ce gentil petit bonhomme.

Et, magnifique, le comte caresse le menton de l'enfant.

— Qu'est-ce qu'on dit ?

— Merci, monsieur le comte, dit le jeune garçon en empochant l'argent que Léopold lui tend.

Tout l'appartement des Mozart a été transformé en salle de musique pour faciliter la tâche de Wolfgang. Madame Mozart coud dans la chambre du fond où dorment les parents, maintenant.

En chemise de lin et culotte ordinaire, Wolfgang compose. Concentré, beaucoup moins détendu qu'à l'habitude, il peine sur le mauvais livret de d'Affliggio. Parfois, il se lève, va au clavecin, vérifie la rythmique du texte italien, plaque un accord, revient, et se remet à écrire.

Nannerl, elle, recopie au propre avec grand soin, le travail de son frère. Soudain, elle éclate de rire.

— Oh, c'est drôle, ça ! L'imitation du chien que tu as faite au premier violon, là... ouh, ouh... ah, ah, ah... chante-t-elle.

— C'est bien, hein, tu aimes ?

— Tu as trouvé ça tout seul ?

— Non, c'est papa. C'est une bonne idée, non ?

Disant cela, il semble si malheureux que sa sœur s'alarme :

— Qu'est-ce que tu as ?

— Rien du tout !

— Wolfgang, tu ne sais rien cacher... Qu'est-ce que tu as ? Tu as fait une bêtise ?

Il hausse les épaules, fait non de la tête puis n'y tient plus.

— Je n'y arrive pas, Nannerl ! Ça ne marche pas !

— Tu es fou ! Et ça, c'est quoi ? Elle est bonne ta musique...

Elle lui montre le paquet de feuillets, ce qui ne le rassure pas du tout.

— Oui, mais le livret... Tu y comprends quelque chose, toi ?

Elle saisit une feuille, la lit, s'assombrit très vite et conseille :

— Demande à papa ?...

— Mais je suis tout le temps obligé de lui demander, à papa ! Pour ça, pour autre chose ! Il me corrige, il m'aide, mais... Et puis, il est tellement nerveux, je ne l'ai jamais vu comme ça... Et toi ? Tu l'as déjà vu comme ça ?

Nannerl fait non de la tête, consternée, et Wolfgang continue :

— Il faut toujours recommencer, refaire des bouts... Je lui demande pourquoi et il ne répond pas...

Il la regarde, paniqué tout à coup.

— Tu ne lui diras rien, à papa... Tu promets !

— Oui, le rassure-t-elle et après quelques secondes de silence, elle ajoute : Mais peut-être que papa non plus...

— Quoi ?

— ... il ne sait pas très bien.

— Tu es folle ! s'écrie-t-il avec colère.

— Qu'est-ce que vous complotez encore les enfants ? demande madame Mozart depuis la chambre du fond.

A ce moment, Léopold fait irruption dans la salle et effectivement, il a l'air très soucieux. Les enfants le saluent. Il va embrasser sa femme, pose son manteau sur le lit, revient près d'eux.

— Tout va bien, Wolfgang ? Ça avance ?

— Oui, répond son fils en baissant la tête.

Déjà, Léopold est à nouveau auprès d'Anna-Maria.

— Ça y est, j'ai vu Gluck. Il nous soutiendra, mais il n'a pas été facile à convaincre. Et j'ai demandé audience au prince Kaunitz.

L'aiguille que tient madame Mozart s'immobilise en l'air :

— Le ministre ?...

— Bien sûr. Il ne faut rien négliger.

— Et Métastase* ?

— J'ai réussi à décrocher un rendez-vous mardi matin. A Vienne, ajoute-t-il d'un ton amer, le Christ en personne ferait un miracle devant la cathédrale, qu'il faudrait encore payer les gens pour qu'ils aillent le voir ! Bon... Tu as une seconde ?

Refermant la porte sur eux deux pour s'isoler des enfants, il tire une grosse bourse d'argent de sa poche et va chercher la cassette qui trône sur la cheminée. Puis, prenant la petite clé dans son gousset, il exécute tous les gestes de la cérémonie rituelle de l'ouverture — et de la fermeture — de la cassette. Il est nerveux, presque en colère :

— Quatre cent trente florins pour une montre chronomètre à double échappement avec trois diamants... Je te le dis, Anna-Maria, à Vienne, les bijoutiers profitent de la misère du monde !

— La montre du roi de France ? Tu l'as vendue ?

---

* Poète attitré de la Cour de Vienne, protégé par Marie-Thérèse. Auteur de drames musicaux et de pièces de théâtre qui furent mises en musique, il recherchait l'équilibre entre l'expression littéraire et l'expression musicale et fut ainsi à l'origine d'un renouvellement de l'art dramatique. Italien, il mourut à Vienne en 1782.

— Il faut bien. Maintenant que l'archevêque suspend mon traitement chaque fois que je m'absente.

Elle tend l'oreille.

— Pas si fort, Léopold, les enfants...

On frappe et Wolfgang entre, une feuille à la main.

— Papa ?

— Qu'est-ce qu'il y a ?

— Ce passage-là, je ne comprends pas. Il y a Cassandro qui dit : quand je me tiens près d'elle, mon sang bouillonne. Pourquoi a-t-il son sang qui bouillonne ? Il est blessé ?

— Mais non ! Ne t'occupe pas de ça et écris ta musique !

— Regarde, insiste l'enfant. Il dit aussi : je m'empourpre. C'est qu'il saigne ?

Furieux, Léopold évite le regard moqueur de sa femme.

— Est-ce que je sais, moi ? Tu m'ennuies, à la fin.

Mais Wolfgang, mortifié, insiste.

— Il faut bien que je sache, pour écrire. S'il est blessé, c'est une autre musique !

— Laisse, Wolfgang, ton père est fatigué. Il t'expliquera ce soir, après dîner... intervient madame Mozart.

Léopold s'est esquivé. Il a rejoint Nannerl et vérifie ses pages recopiées :

— Nannerl, tu me sortiras les deux airs pour les castrats. Celui du un et celui du trois. J'ai arrangé une audition avec le comte d'Affliggio, demain soir. Comme ça, il finira peut-être par nous signer le contrat...

Sur la scène du théâtre impérial, on a repoussé tous les décors. Les faibles lumières de la rampe éclairent un clavecin bleu à reflets argentés. Wolfgang est au clavier. Debout près de lui, Caratelli et Caribaldi, les deux castrats, font connaissance avec ses airs, déchiffrant la partition à voix couverte.

Caratelli, poudré à outrance, trébuche sur une difficulté et montrant le feuillet à Wolfgang :

— On peut reprendre là ? Difficile... eh ?

On n'a retiré les housses qu'aux fauteuils du premier rang et dans la pénombre de la salle, les rangées de sièges font un vaste moutonnement blanc sur la rive duquel Léopold et Anna-Maria sont installés. Tous deux sont tendus, anxieux, l'œil rivé sur ce qui se passe sur la scène.

La scène où le comte d'Affliggio, assis sur une chaise, derrière le clavecin, écoute avec une sorte de recueillement très intense. A côté de lui, se tient un homme élégant, l'air affable. Bientôt, le comte se penche et lui murmure à l'oreille quelques mots en italien. On voit à son attitude, qu'il a pour cet homme la plus grande estime. Celui-ci acquiesce de la tête.

— Qui est-ce, l'autre ? chuchote Anna-Maria, dans la salle.

— Un ami à lui, répond Léopold, agacé. Un médecin italien. Monsieur Di Berma. Très important !

— Tu crois que tu as bien fait d'organiser cette audition avec les chanteurs ?

— Il le fallait ! tranche-t-il.

Les castrats ont fini de déchiffrer la partition. Ils ont visiblement pris plaisir aux petits airs en forme de cavatine du jeune Mozart.

— *E allora ?* demande le comte à Caratelli.

— *Va bene. Benissimo. Veramente arie d'opera seria. Non tanto facile, ma il ragazzo ha molto talento,* répond le chanteur.

Et se tournant vers Wolfgang, il l'applaudit discrètement. Caribaldi et Di Berma font de même.

— *Molto. Quest'opera andra alle stelle...* ajoute Caratelli.

Quant au comte d'Affliggio, il ne dit pas un mot. Et il n'applaudit pas.

Six mois ont passé. Léopold a tant fait de démarches qu'il pourrait se diriger les yeux fermés dans les coulisses du théâtre impérial. Il s'y trouve, ce soir, justement. Dans une heure, la représentation de *la Buona Figliola* va commencer et Léopold est fou de rage. Voyant le comte qui arrive, en tenue d'apparat, très à l'aise, il se précipite vers lui et explose, sans préambule :

— Ah !... non ! J'en ai assez ! Ça fait six mois maintenant que vous nous lanternez. Six mois que notre opéra est fini. Et toujours rien ! Des promesses, des promesses...

D'Affliggio veut éviter l'esclandre. Il est gêné. Les ouvreuses qui découvraient les fauteuils, regardent toutes de son côté.

— Écoutez-moi... commence-t-il.

— Vous aviez juré que nous passerions à Pâques ! Résultat, c'est *la Cascina* que vous avez fait représenter. Puis à la Pentecôte. Et ça a été *la Buona Figliola !*

— J'ai des obligations.

— Quelles obligations ? Celle de manquer à votre parole ?

— Monsieur, je vous prie... Il y a ces femmes qui écoutent.

— Tant mieux. Comme ça, tout le monde saura quel personnage vous êtes.

D'Affliggio tente de reprendre le dessus.

— Je suis ici dans mon théâtre.

— Un théâtre dirigé par un menteur. Un escroc !

Les ouvreuses sont figées de stupeur.

— Retirez ce mot. Retirez-le immédiatement !

— Nous avons un contrat !

— Je l'annule.

— J'irai me plaindre chez l'Empereur, menace Léopold.

— Allez-y ! Je l'aurai vu avant vous et je lui aurai dit que mon orchestre ne veut pas se laisser diriger par un gamin, que mes artistes trouvent les airs trop difficiles et qu'ils ne peuvent pas les chanter.

— Ce n'est pas vrai !

— Ils le diront. C'est ce qui compte. Et j'ajouterai que votre *Finta Simplice* ne vaut rien, qu'il n'y a pas d'humour, pas de fantaisie, pas de...

Léopold plie sous l'insulte.

— Mon fils...

Tout d'un coup, le comte, lassé d'être injurié devant son personnel, réplique :

— Votre fils ! Votre fils ! Vous le prostituez, votre fils. Petit Wolfgang, petite musique ! A Naples, on dit : « D'un citron vert, on ne presse pas de jus ! » Bonjour !

Là-dessus, le comte part, laissant Léopold immobile, comme foudroyé.

Si le premier opéra bouffe de Wolfgang est loin d'annoncer son futur génie, il ne s'en situe pas moins dans l'honorable moyenne de ce qui se produit alors à Vienne. Il manque simplement à Léopold les appuis nécessaires pour imposer la musique de son fils. Gluck lui-même, le bon Gluck, a participé en sous-main à l'éviction du jeune concurrent.

Léopold sort du théâtre en courant. Très agité, bouleversé, il parle tout seul, heurte des personnes en dévalant l'escalier, ne s'excuse pas, n'y songe même pas... Il court retrouver les siens, poussé par une seule pensée : fuir Vienne. Retrouver Salzbourg.

Les retrouvailles avec Salzbourg sont difficiles mais enfin, les Mozart retrouvent leur maison, leurs amis, le prince-évêque et la rivière. A quelque temps de leur retour, par une douce fin d'après-midi, Michel Haydn rend visite à Léopold.

Léopold débouche une bouteille de vin. A côté, on joue du clavecin, comme toujours. Et les deux hommes parlent en vieux amis qu'ils sont, aujourd'hui.

— Un verre de blanc, Mozart ? demande Michel qui, sans se soucier du refus de Léopold, se sert encore une fois avant d'en venir à ce qui le préoccupe : Enfin, qu'est-ce qu'il y a ? Vous devriez être satisfait, *la Finta Semplice* a été un succès, hier...

— Oui, ici, à Salzbourg. Votre femme a très bien chanté, d'ailleurs. Merci.

— Hé ! Quand on ne peut pas avoir Vienne...

Michel a abusé du vin, ses gestes sont incertains, sa voix un peu pâteuse, et Mozart termine la phrase pour lui afin de ne pas avoir à subir l'élocution laborieuse de son ami :

— ... il faut savoir se contenter d'une seule représentation devant le prince-archevêque !

— C'est toujours ça.

Léopold lui jette un regard vengeur, se lève et marche, remâchant sa rancune :

— Ce qui me fait le plus mal, Haydn, ce n'est pas encore ça. Avoir à supporter une cabale, un complot, un véritable complot, c'est déjà dur. Mais qu'il soit organisé par des Allemands ! Et contre un Allemand ! Ah, ces beaux messieurs de Vienne, les Gluck, les Hasse... Ils ont eu peur d'un enfant. Wolfgang, pour eux, maintenant, c'est l'ennemi, le danger. D'ailleurs, que peut-on encore espérer d'un pays où la musique est confiée à un d'Affliggio ? Le voleur ! Il ne m'a jamais payé un seul florin ! Savez-vous ce qu'il a osé me dire ? Que mon fils, je le prostituais...

Michel Haydn cligne des yeux et ne répond pas tout de suite, comme noyé par le flot de paroles de Léopold. Il finit par émerger et déclare parfaitement calme :

— Il avait raison.

Léopold s'arrête brusquement d'aller et venir, et le fixe.

— Quoi ? Qu'est-ce que vous dites ?

— *La Finta Semplice*, ce n'est pas bon, Mozart. La vérité, c'est ça. Rien d'autre. Ce n'est pas bon.

— Vous êtes soûl, comme d'habitude...

— Je suis soûl, oui. Peut-être faut-il être soûl pour oser dire enfin tout ce qu'on a sur le cœur... Vous êtes là, à rendre le monde entier responsable de votre échec ! Mais il suffisait d'écouter, hier. Ça, un opéra bouffe ?... Des bouts de récitatifs, pas d'ensemble, des airs d'opéra seria et... morne, tout ça, morne ! De temps en temps cinq six mesures...

Et comme Léopold ouvre la bouche, il l'arrête, hurlant presque :

— Attendez ! Vous crierez après ! Ce petit, moi, je l'aime. Vous avez raison. Il a plus de talent dans un seul de ses doigts que tous ces ânes de Vienne ! Mais vous l'avez poussé à des choses qui sont au-dessus de son âge ! Au risque de le perdre. De casser le ressort.

Il remplit à nouveau un verre, avec des gestes d'une précision qui étonne, et Léopold lui confisque la bouteille.

— Bien ! D'accord, d'accord !... Vous croyez lui rendre service en remuant ciel et terre, en écrivant à l'empereur, en bombardant l'Autriche de vos suppliques, de vos jérémiades... Vous ne faites que le ridiculiser.

— Haydn, vous êtes chez moi. Si vous...

— Vous êtes un tout petit musicien, Léopold Mozart, tout petit,

petit ! crie Michel avec violence. Et ce que vous avez essayé avec *la Finta Semplice*, c'est de vous grandir à Vienne à travers Wolfgang. C'est tout !

Léopold, au comble de la colère, se précipite sur lui et le saisit au collet.

— Vous voulez me rosser ? Ça vous servira à quoi de vous battre avec un ivrogne ?

Les deux hommes se mesurent du regard. Il y a un bon moment que le clavecin s'est tu, mais ils ne s'en sont pas rendu compte.

Wolfgang était au clavier. Il a tout entendu et maintenant, il est là, dans le couloir, très pâle, la main sur le bouton de la porte. Il n'ose entrer. Léopold finit par lâcher Michel, puis lentement va vers un fauteuil, près de la fenêtre. Haydn s'assied sur une chaise. Le silence dure longtemps puis le maître de maison reprend avec douceur, comme s'il s'excusait :

— Pourtant, avant de partir de Vienne, après *la Finta Semplice*, le petit a quand même écrit *Bastien et Bastienne*. Ça a eu du succès.

— Oui. C'est gentil *Bastien et Bastienne*... Là, vous ne pouvez pas lui faire de mal. Mais pour le reste... Tenez, vous devriez l'emmener en Italie. C'est une bonne idée, ça ! A Bologne, il y a le père Martini. Voilà un homme qui sait la musique. Là, le petit ne perdrait pas son temps... non ?

Père et fils partent seuls pour l'Italie, le 13 décembre 1769. Wolfgang a presque quatorze ans. Après maintes requêtes, l'insatiable Léopold a réussi à obtenir de l'archevêque Sigismond, une nouvelle permission. L'Italie est le pèlerinage indispensable à tout jeune compositeur qui veut affiner son style et confirmer son talent. Gluck, Hasse, Gassmann, Jean-Chrétien Bach sont venus d'Allemagne et d'Autriche pour apprendre les subtilités de la musique italienne dans les écoles de Venise, Bologne, Naples et Rome à la réputation indiscutée.

La diligence dévale le versant italien du Brenner. Léopold serre précieusement contre lui la bourse qui contient le petit capital accumulé lors des précédentes tournées. Il va falloir dépenser avec parcimonie car ce pécule n'est pas énorme...

Wolfgang regarde défiler les paysages verdoyants des Alpes italiennes qui ont un caractère toujours plus méditerranéen. Son père, près de lui, le contemple, surpris de constater qu'il éprouve pour lui une espèce de timidité nouvelle, qui ressemble à du respect devant ce jeune talent en devenir.

— Tous les quatre, ce n'était pas possible. Moi aussi, j'ai de la peine... Mais c'est un long voyage. A quatre, ça aurait coûté vraiment trop cher.

Étonné que son père lui parle comme à un homme, Wolfgang ne sait que répondre. Aussi, lui désignant les voyageurs endormis, il dit :

— Chtt... Parle plus doucement...

Léopold continue, un ton au-dessous :

— Et il faut que Nannerl continue à donner ses leçons. Nous en avons besoin... Maman ne pouvait pas la laisser seule. Mais nous sommes là tous les deux... Un grand voyage à nous deux... Ça ne te fait pas plaisir ?

Wolfgang se tait. Son regard serein parle pour lui.

La diligence traverse la vallée du Haut-Adige. Elle s'arrête bientôt au bord d'un pré et les passagers descendent avec leurs paniers pendant que le cocher mène les chevaux à la fontaine. On déplie des nappes blanches sur l'herbe, on s'installe, on sort les provisions des paniers, on parle, on rit, on mange et si on se tait, on entend le bourdonnement des abeilles et le chant des oiseaux. Il fait bon.

Léopold prend grand soin de son fils et, tout en déjeunant, il continue à se justifier :

— Ce voyage, il le faut. Pour toi, Wolfgang. Pour ton avenir. Tout ce que je pouvais t'apprendre, je te l'ai donné. Maintenant, nous devons chercher plus loin. Pour cela, il n'y a que l'Italie. En Italie, la musique est partout. Et ici, les musiciens, on les respecte, on les aime... On les aime vraiment. Nous pourrons avoir des commandes... Peut-être même un opéra ? D'Affliggio en sera malade !

— Ce serait possible, tu crois ?

Brusquement passionné, Wolfgang lève des yeux brillants vers lui.

— En Italie, tout est possible. A Bologne, nous irons voir le père Martini. Wolfgang ! Martini... c'est la musique faite homme. En quelques leçons, il t'apprendra des choses qui te resteront toute la vie.

Il reste songeur un instant puis avec une humilité inhabituelle, étrange, il ajoute :

— Et moi aussi... Pour continuer à t'aider, il faut que j'apprenne, moi aussi, avec toi. Tu veux bien ?

Wolfgang, d'abord étonné de ce véritable numéro de séduction, sourit moitié conquis, moitié gêné, et puis décidément tout à fait conquis : l'amour filial est le plus fort... Heureux, il contemple le paysage montagnard, autour d'eux, et au loin, le campanile en pierres brûlées d'une église de village.

— Comme c'est beau ! Papa, regarde ce ciel. Ce bleu... C'est un bleu que chez nous... Il y a une lumière !

— C'est l'Italie !

La diligence reprend la route de Milan. Il leur faut descendre la vallée de l'Adige jusqu'à la plaine lombarde. Le 22 décembre 1770, ils passent à Bolzano mais si les noms des villes ont une consonance italienne, si tout le monde parle lombard, ils sont tout de même en territoire autrichien...

Le lendemain, au crépuscule, ils sont à Rovereto dont le bailli Christani, haute personnalité de la ville et ancien maître des pages de Salzbourg, est un ancien élève de violon de Léopold. La diligence stoppe sur la place de l'église, une austère bâtisse jésuite. Les passagers descendent et se dirigent vers le gîte d'étape — minable —, qui sera le leur, ce soir.

— Nous allons un peu visiter la ville, décide Léopold. Attends, que je regarde dans mon guide... Non, il paraît qu'il n'y a rien à voir.

Il s'interrompt soudain à la vue des groupes qui se sont formés sur la place.

— Qu'est-ce que c'est ? Un mariage ? dit-il en voyant la porte de l'église grande ouverte et la nef illuminée.

— On se marie la nuit, en Italie ?

Mais déjà rassemblée, une foule s'approche d'eux. Il y a dans l'air une surexcitation toute latine qui leur apparaît, à eux, germains, comme presque menaçante. Ils reculent devant la bousculade qui commence, et où l'on voit des costumes populaires aux couleurs vives mêlés à de riches habits bourgeois... Des cris fusent :

— C'est lui ! Lui !

Soudain, les mains se tendent, convergent vers eux. Léopold et Wolfgang comprennent qu'ils sont le point de mire...

— *Il tedesco ! Il giovane tedesco !*

La foule les encercle, les sépare... Happé par un groupe d'énergumènes tout souriant, le père est tiré par les épaules et par les mains, congratulé... et il aperçoit la tête de son fils qui émerge de la foule, y disparaît et apparaît de nouveau, jusqu'au moment où deux solides gaillards, chapeau à lacets vissé sur la tête, le hissent sur leurs épaules et le portent vers le porche de l'église.

— Papa ! papa ! hurle-t-il, affolé par un tel délire.

Mais Léopold se débat comme il peut et en vain.

— Wolfgang ! crie-t-il. Mais laissez-moi ! Voulez-vous !... mais voulez-vous !

— *Il giovane, Il giovane.* Mozart, Mozart ! scande joyeusement la foule.

Et dans ce tourbillon insensé, une femme tend son enfant à Wolfgang — qu'il le bénisse... — tandis qu'un vieil homme enlace Léopold et l'embrasse à l'étouffer en lui criant :

— Quel bonheur ! Un tel fils !

Wolfgang est maintenant porté dans l'église et Léopold se démène pour le suivre au moins des yeux. La foule se répand dans les travées de la nef, puis chacun s'immobilise, debout au coude à coude.

— *Ma chi é ?* demande une femme aussi perdue que Léopold.

— *Un giovane tedesco chi a suonato davanti tutti i re della terra,* l'informe un paysan en guêtres noires.

— *Come ? Cosi piccolo ?* s'exclame-t-elle.

Le groupe qui entraîne Wolfgang se fraie un chemin vers le buffet d'orgue, y monte et avec un respect infini, l'installe aux claviers. Abasourdi, il contemple les deux villageois qui actionnent déjà les leviers du soufflet.

Soudain, la voix de Léopold domine la cohue :

— Joue ! Wolfgang, joue ! c'est pour toi qu'ils sont venus, tous !

Son père, enfin ! Il le voit, au pied du buffet d'orgue — un visage écarlate parmis tous ceux qui sont levés vers lui.

— Joue ! hurle-t-il, radieux.

Cet ordre fait taire tout le monde. Et Wolfgang attaque un choral triomphant dont il improvise de magistrales variations, qui font béer l'assistance d'admiration. Le contraste entre la fragilité de l'adolescent et l'énormité du volume musical, est saisissant.

Au comble de l'émotion, Léopold a trouvé le coin d'un prie-Dieu pour s'asseoir. Très vite, la fierté l'emporte et il ne peut s'empêcher de se pencher vers son voisin, le vieil homme mal rasé qui l'a embrassé tout à l'heure.

— Je suis le père !...

— Chttt !...

Frustré, il se tourne vers son autre voisin et se retrouve, stupéfait, devant le docteur Di Berma, l'ami du comte d'Affliggio, qui a assisté aux répétitions de la Finta Semplice, l'année dernière, à Vienne.

— Mais c'est monsieur... c'est le docteur Di Berma...

— Le docteur Di Berma, oui. Vous vous souvenez, à Vienne, chez d'Affliggio ?...

Geste à l'appui, Léopold questionne :

— Et c'est vous qui... ?

— ... oui. C'est moi qui leur ai dit.

Léopold veut parler, mais Di Berma pose un doigt sur ses lèvres. La musique emplit la nef et quand Wolfgang s'arrête, c'est après un instant de silence impressionnant que les applaudissements éclatent, frénétiques, faisant trembler les vitraux.

C'est un Mozart en transes qui se laisse porter, sans crainte maintenant, et puis qui rit, qui rit... tout son être soulevé par une émotion violente qu'il ressent pour la première fois de sa vie.

Il a conquis Rovereto. La veille de Noël, le bailli Christani invite les Mozart à déjeuner et c'est à cette fastueuse réception qu'ils rencontrent le comte Septime Lodron, parent d'une grande famille de Salzbourg. Le lendemain, Wolfgang participe à un concert chez le baron Todeschi qui l'avait déjà remarqué à Vienne. Toute la noblesse de la ville est venue l'écouter.

Léopold et Wolfgang reprennent la route de Lombardie dans

l'élégante berline du docteur Di Berma. Un énorme succès mondain les attend à chaque étape. A Vérone, annexée à la République de Venise, le concert organisé pour Wolfgang est un triomphe: tous les personnages importants de la ville s'arrachent le jeune prodige qui, entre les déjeuners, les dîners et tant de clavecins toujours à proximité, ne sait plus où donner de la tête. Envoûté par son génie, le percepteur général des impôts de Venise, monsieur Lugliati, demande au peintre Cignaroli de faire son portrait.

Léopold envoie des lettres enthousiastes à sa femme. A Mantoue, un Wolfgang presque bronzé, donne un concert à l'académie royale philharmonique et la gazette de la ville rend compte de la soirée d'une manière qui les comble : l'auteur de l'article analyse pour la première fois, les talents de Wolfgang comme compositeur, et non comme exécutant. Mais n'a-t-il pas, au cours de ce concert, improvisé et chanté sur des paroles qu'on venait de composer pour lui ? N'a-t-il pas harmonisé sur place un motif musical que lui a proposé à l'improviste, le premier violon ? Il a même risqué les premiers mouvements d'une symphonie composée sur un thème donné au violon. Il a triomphé de tous ces pièges. Il a bravé l'épuisement sans jamais se départir de son énigmatique sourire.

Sur la route de Milan, à l'intérieur de la cabine capitonnée, les Mozart et Di Berma croquent des pralines en devisant gaiement. Le docteur agite un éventail devant son visage gras et fardé, ce qui amuse follement Wolfgang.

— Tout ce succès est normal, dit-il, précieux. Le nom de Mozart était arrivé jusque dans nos murs. Jusqu'au petit peuple ! Il m'a suffi de dire : Mozart... Et à Milan, vous verrez...

— J'ai des lettres d'introduction, fait remarquer Léopold.

— Inutiles, mon cher. Jeudi soir, vous êtes invités à une académie chez le comte Firmian, gouverneur de la Lombardie. Il y aura Sammartini.

— Le père Martini ? s'enquiert Wolfgang.

— Non, Sammartini. Notre aigle de la musique ! Il m'a déjà parlé de vous avec enthousiasme. Et ce soir, si nous arrivons à temps... — il regarde sa montre — mais nous arriverons... c'est la première de *Caesare in Egitto* de notre grand Piccinni. La loge est retenue. Toute l'Italie vous attend, Sa Sainteté à Rome, Sa Majesté à Naples, tout Florence, tout Bologne !

Le gouverneur de Lombardie les prend affectueusement sous sa protection dès leur arrivée à Milan. Le gouverneur ? C'est le comte Karl von **Firmian**, neveu de l'ancien archevêque de Salzbourg, Anton von **Firmian**. celui-là même qui a fait entrer Léopold Mozart au service du prince-archevêque de Salzbourg.

Il installe ses hôtes dans trois vastes chambres de son propre palais, une immense bâtisse tarabiscotée. Il met un domestique à leur disposition. Et puis, souffrant de la goutte, il doit retarder le concert qu'il veut donner chez lui en l'honneur de Wolfgang. Milan est en fête : le carnaval bat son plein. Les feux d'artifice illuminent le ciel et on danse partout.

Le soir du concert arrive. La cour du comte von Firmian est à l'image de toutes celles d'Europe. Mais ici, le goût des Italiens pour l'excès charge tous les êtres, les lieux, les objets, les atmosphères, d'un quelque chose « en trop », inimitable. Les perruques sont énormes, les costumes théâtraux et les regards comme coulés dans des maquillages de craie; on est trop maigre, trop gros, trop jeune. trop vieux ou trop beau...

Les salons se succèdent, emplis de grappes de personnages extravagants sous les volutes de stuc de la décoration baroque des plafonds et des cimaises.

Dans cet univers si éloigné de la mesure, de la sérénité et de la maîtrise de soi, Wolfgang joue un brillant rondo avec sa maestria habituelle. Dès qu'il a achevé, les applaudissements crépitent et le comte Firmian s'écrie :

— Sublime ! Absolument sublime ! Et cette ambroisie lui coule des doigts comme si c'était de l'eau... Quel spectacle !

Une duchesse au décolleté ravageur et couvert de diamants, se pâme :

— On croit mourir. J'ai été très heureuse, monsieur le maestro !

S'éventant, sa voisine s'exclame, la tête renversée :

— Et le toucher ! Vous avez entendu son toucher ? Apollon sur sa lyre. Vous êtes apollinien, voilà le mot, apollinien...

Une rangée d'éventails fébrilement secoués, approuve. tandis que Léopold, avide comme un oiseau de proie, tente d'arracher quelques bribes de la gloire de son fils.

— Je suis le père, déclare-t-il à un baron.

— Le père de qui ?

— Du jeune maestro... Moi-même, j'ai écrit une « École de Violon » et...

— Ah, oui ?

La jeune femme qui accompagne le baron, s'approche de Wolfgang, qu'un halo de respect isole un peu du public. Elle lui tend un verre en cristal :

— Je vous ai apporté un sirop d'orgeat. Vous devez mourir de soif !

— Merci, madame.

Il l'avale d'un trait et elle se penche langoureusement vers lui, lui dévoilant ses avantages :

— Demain cinq heures, église San Babila...

Sidéré, Wolfgang la regarde.

— Pour quoi faire ?

Elle rit et le voici à demi étouffé par la cour des soupirants qui la suivent.

— Ça y est, je la tiens ! s'écrie Léopold qui apparaît à cet instant.

— Quoi, papa ?

— La commande ! Un opéra, ici à Milan, pour la saison prochaine ! Il s'appellera *Mitridate, rè di Ponte*. Le comte Firmian a tout arrangé.

— C'est vrai ?

— Je ne t'ai jamais menti, Wolfgang !

Le lendemain, à l'hôtel du comte Firmian, Léopold et Wolfgang bouclent leurs malles.

Accoudé à la fenêtre de la chambre, l'adolescent s'offre au soleil, les yeux fermés. Rêveur. Il écoute les rythmes, les chants, les cris du marché de la piazza delle Erbe. Il respire les senteurs d'épices, de fruits... Voix, parfums et couleurs — il pénètre la vie des jours et des nuits d'Italie. Pendant ce temps, son père s'exclame :

— Quel contrat, Wolfgang ! Cent gigliati d'avance, le logement assuré, deux domestiques et tous nos frais payés. Tu penses si j'ai signé ! Le comte a même ajouté un cadeau : une tabatière cerclée d'or, avec vingt gigliati dedans ! Viens voir...

— Oui, papa, j'arrive, dit Wolfgang, mais il n'ouvre pas les yeux.

— Tu viens faire tes bagages ?

— Oui, papa...

— Qu'est-ce qu'il t'a dit, Firmian, pendant que je signais ? J'ai vu qu'il te prenait à part.

— Il m'a parlé d'un ténor qu'il veut engager pour nous.

Léopold, inquiet que l'on songe à traiter sans lui, s'approche aussitôt.

— Quoi ? De qui t'a-t-il parlé ?

— Un certain Man... Manzuoli, je crois...

A ce nom, Léopold est immédiatement dans tous ses états.

— Manzuoli ? Mais c'est le plus grand ténor d'Italie, Wolfgang ! Il faut tout me raconter. Voyons... Tout ! J'ai besoin de savoir, moi, pour conduire ta carrière. Si tu commences à me cacher des choses, on n'y arrivera jamais !

— Mais je ne te cache rien, papa, gémit le jeune garçon, excédé par ces soupçons.

— Alors quoi, tu rêves ? dit Léopold en le sentant si lointain.

— Non, non. Je pensais au dernier mouvement de ma sonate. Je viens de trouver une jolie coda bien difficile.

Après deux courtes étapes à Lodi où Wolfgang achève un quatuor à cordes, puis à Parme où ils font connaissance de la Bastardella, la fameuse cantatrice, les Mozart traversent les territoires des États pontificaux et s'arrêtent à Bologne. Léopold, muni des recommandations du gouverneur de Lombardie, est reçu avec son fils par le comte Pallavicini qui organise aussitôt une grande académie, où se presse toute l'aristocratie de la ville.

Tard dans la nuit, après ce concert très applaudi, Wolfgang travaille aux récitatifs de *Mitridate*. Son père est prêt à se coucher; il va d'une pièce à l'autre, les mains dans le dos, et il parle.

— C'était très bien, cette deuxième variation. Tu as vu ? Tout ce que tu as essayé aujourd'hui a beaucoup plu. Le jeune comte me l'a dit.

Wolfgang, plongé dans son opéra, hausse les épaules. Ce jeune aristocrate de son âge ne l'a guère impressionné.

— Le jeune comte !

— Écoute, quand il a joué, après toi, ça n'était pas si mal... Veux-tu que je t'aide pour les récitatifs ?

— Non, ça ira.

— Ils seront prêts pour le quinze octobre ?

Lassé, Wolfgang ne répond pas.

Son père est assis dans son lit. Il remonte avec application ses trois chronomètres et par la porte ouverte, continue à converser.

— Jamais nous n'avons été si bien logés. Choyés, vraiment ! je l'ai écrit à ta mère... Ah, les maîtres...

Le mot arrête net Wolfgang qui a un regard aigu vers la porte.

— ... les maîtres poursuit son père, quand ils sont comme ce Pallavicini, c'est autre chose que nos Allemands... Ce matin encore, dans son bureau... il a dû voir que j'étais fatigué. Eh bien, devine ce qu'il a fait ? Il m'a fait asseoir presque tout de suite. Tu vois ?

— Je vois... Ce que je ne vois pas, c'est pourquoi tu as attendu ? !

Léopold met l'oreiller en place, derrière son dos.

— C'est vrai que je suis fatigué... Demain, tu iras sans moi chez le père Martini... Pour une fois... As-tu fait ton contrepoint ?

— Mais oui.

— Tu ne viens pas te coucher ?

— Non, j'en ai encore pour un moment. Dors, papa, dors...

Wolfgang, ses partitions sous le bras, se dirige vers le couvent où le père Martini règne en souverain.

Visage radieux et manières bienveillantes, Martini est tout à la fois mathématicien, historien de la musique, compositeur, le meilleur contrapuntiste, le plus fin critique musical et le pédagogue le plus réputé de son temps. Il a formé de nombreux élèves aussi célèbres que Jean-Chrétien Bach. Sa renommée dépasse les frontières. Il est adulé de tous.

Sur la longue table de la bibliothèque, Giambattista Martini donne une leçon au jeune Mozart qui écoute avec une attention passionnée.

Grand et maigre, le prêtre se penche sur le devoir de contrepoint de son jeune élève. De sa voix calme et douce, il commente :

— Dans le contrepoint à quatre voix égales, mon cher enfant, la difficulté est naturellement d'éviter que le traitement ne rende la matière de la musique trop compacte. Est-ce que je me fais bien comprendre ?

— Oui, très révérend père et maître. Je serre trop les voix ?

— Oui. Mais pas seulement. Regardez là... et là !

Il montre sur la partition une mesure défectueuse, la soulignant d'un trait de crayon.

— Ces mélodies accompagnées à la tierce par mouvements parallèles... C'est facile ! Indigne de vous ! La polyphonie est un jeu libre où l'harmonie doit naître du mouvement des contraires ! Des contraires...

— Mais, très révérend père et maître, c'est mon père qui...

Le regard glacial de Martini l'arrête net. Le vieil homme hésite un instant, puis change de ton.

— Mon enfant, vous êtes en ce moment comme le caméléon qui prend les couleurs de l'étoffe sur laquelle on le pose. Vous cherchez à plaire. C'est une manière de vous rassurer. Mais c'est aussi votre faille. J'ai écouté votre concert chez les Pallavicini. Tout cela, c'est de la mondanité, c'est un peu d'écume, du néant. C'est bien si vous le prenez comme cela doit être pris, comme une récréation. C'est mal si vous le confondez avec ce qui doit être non une récréation, mais votre création.

— Mais, très révérend père et maître, mon père dit que le public....

Irrité de voir tant de talent gâché par tant de conformisme, Martini va jusqu'au bout de sa pensée :

— Pour tout ce que les autres ont à vous dire, vous les avez assez écoutés. Maintenant, n'écoutez plus que vous-même. Ce ne sont pas les applaudissements qui nous aident, c'est le silence de notre âme. Méditez ceci : une pendule arrêtée marque l'heure exacte deux fois par jour. Soyez cette pendule arrêtée. Arrêtez-vous sur ce qui est vous-même, sur ce que vous avez d'unique et d'irremplaçable. Ne courez pas derrière la mode. C'est le moyen de ne jamais la rattraper. Attendez qu'elle vous rejoigne... Quand le Seigneur a doté quelqu'un de dons aussi éclatants que les vôtres, c'est pour qu'ils s'appliquent à sa plus grande gloire... Mon enfant, n'écoutez personne.

C'est un discours exigeant pour l'adolescent qui a pressenti confusément tout cela sans savoir le formuler, peut-être parce que c'est l'annonce du conflit qui se prépare entre lui et Léopold.

— Même pas mon père ? demande-t-il encore.

— Personne.

Un peu plus tard, au fond du parc du palais Pallavicini, près de la chapelle, Léopold discute avec son fils. Il l'a entraîné dans le parc pour que les « maîtres » n'entendent rien de ce qu'il a à lui dire; il est très en colère, se lève et se met à marcher à grands pas. Wolfgang le suit, catastrophé.

— Honteux ! C'est honteux !

— Mais papa, je te jure...

— Quoi, mon influence ? Quand je te fais changer quelque chose, ce n'est pas de l'influence, c'est de l'expérience ! C'est donc ça que les curés enseignent à présent ? La haine des enfants pour leurs parents ?

— Ce n'est pas de la haine, papa...

— C'est pire ! De l'ingratitude !

— Mais papa, je te suis reconnaissant !

D'un mouvement sec, Léopold repousse son fils qui s'accroche à lui.

— Rompre le lien entre nous, voilà ce qu'il veut, Martini ! Un lien que Dieu a voulu. Dieu, Wolfgang...

L'adolescent secoue la tête, désespéré.

— Et d'abord, quand il te dit : « N'écoutez pas les conseils », ce n'est peut-être pas un conseil, ça aussi ? Veux-tu que je te dise ? Martini, il date. Tout ce contrepoint, c'est parfait comme exercice d'école, mais personne n'écrit plus comme ça. Ce que les gens veulent maintenant, c'est la mélodie.

— Mais papa, lui, il dit...

— Mais je le sais ! Je le sais mieux que lui. Sur cent personnes qui nous écoutent, il n'y en a pas dix qui aiment ce que nous faisons. Les autres...

Il pointe le menton vers le château, et dans un souffle :

— ... les autres, ce sont des ânes avec de grandes oreilles. Mais ce sont ces grandes oreilles qui font le public, ce sont ces grandes oreilles qu'il faut chatouiller. Et pour ça, il faut que ta musique reste plaisante. Plaisante, Wolfgang, tu m'entends ? Il faut plaire. Sinon, on finit sur la paille. C'est ça que tu veux ?

Wolfgang, ébranlé, attend un long moment avant de répondre :

— Non, papa.

Léopold se redresse, certain d'avoir encore une fois gagné la partie.

— Bien. Viens. Rentrons.

Ils cheminent un instant en silence, main dans la main. Les pommettes rouges, l'œil encore brillant de larmes, Wolfgang s'obstine encore une fois :

— Pourtant, le contrepoint, dans la symphonie...

— Ça suffit, Wolfgang ! Tu m'énerves. Allons travailler à notre opéra. La générale est dans deux mois. Pense que l'archiduc Ferdinand, le fils de notre impératrice, sera dans la salle. Et que notre avenir dépend de lui.

Six jours, une courte semaine, ont suffi à transformer l'horizon musical de Wolfgang Mozart. Son père le lui avait bien dit : les leçons du père Martini restent gravées toute la vie dans la mémoire d'un compositeur. Avait-il prévu que cette petite semaine allait annoncer leur rupture irréversible ?

En cinq jours, ils rallient Rome. Leur route mêle la boue des chemins et le succès des concerts. A la Chapelle Sixtine, Wolfgang entend une répétition du *Miserere* de Gregorio Allegri, soutenu par deux chœurs. Il est interdit dans les États pontificaux, de tenter de copier ce texte musical déjà ancien, sous peine d'excommunication. Wolfgang, transfiguré par cette musique, s'en imprègne de telle manière qu'en rentrant chez lui, il retranscrit d'un seul jet l'œuvre entière sans la moindre erreur.

Allant de prodige en prodige, Léopold et son fils réussissent même à forcer le barrage des gardes suisses et pénètrent dans les appartements du pape Clément XIV. Il leur suffit de dire « Mozart» pour que leur présence soit fêtée. Le pape nomme Wolfgang chevalier de l'Éperon d'or, distinction que le grand Gluck n'obtiendra que difficilement, malgré ses états de service.

Et à nouveau : diligence, étape, succès, orgue et clavecin...

A Naples, avec comme toile de fond le Vésuve et ses tourbillons de fumée dignes d'une scène d'opéra, ce ne sont que succès populaires et salons combles. La reine Caroline reçoit aimablement le père et le fils. Avec Lord Hamilton, ambassadeur d'Angleterre, ils écoutent au théâtre les opéras bouffe de Piccinni et Païsiello.

Enfin, Milan. La ville attend avec impatience la première de *Mitridate,* l'opéra de Wolfgang qui rapporte cent trente florins à son père. Le succès est triomphal, malgré les difficultés qu'a vécues Wolfgang pour tailler chaque air à la mesure des capricieux castrats. L'histoire latine ne l'a pas beaucoup encombré... A quinze ans, il sait écrire, mais pas encore prendre en charge la tension d'une action théâtrale et musicale. La mosaïque d'arias brillants, teintés d'un rien de nostalgie allemande, comble les Milanais; mais possédants italiens et occupants autrichiens vivent ensemble, ici.

Wolfgang, depuis son clavecin, donne le signal de la cadence finale. Un instant de silence précède de frénétiques applaudissements. Wolfgang salue le public et la loge impériale, envahie de roses. Dans une loge voisine, Léopold n'applaudit pas : il jubile, et Wolfgang comprend sa mimique satisfaite : « Tu vois, je te l'avais bien dit ! »

Le couple princier applaudit discrètement, pendant que la foule ovationne le jeune homme :

— *Evviva il maestro ! Evviva il maestrino !*

La princesse de Modène murmure à l'héritier présomptif qui applaudit en souriant :

— Vraiment, c'est admirable ! Comptez-vous lui donner cette place que son père demande ?

— Je n'y pense pas une seconde, répond-il sans cesser d'applaudir. Ce matin même, j'ai reçu une lettre de Vienne, de l'impératrice. Elle me dit textuellement : « Ne vous encombrez pas de gueux comme cela qui courent le monde. » Ma mère est toujours d'excellent conseil.

Et il continue d'applaudir, pour la plus grande joie de ses sujets.

Quelques heures plus tard, Wolfgang participe à une soirée plus intime, chez la célèbre poétesse Corilla, ce qui flatte son désir d'être considéré comme un compositeur, et non plus comme une attraction scénique car il y a longtemps qu'il ne recherche plus la virtuosité.

La Corilla volète d'un salon à l'autre. La cinquantaine avec un corps massif, enrubannée, fardée et déguisée en muse antique de fantaisie. Tout en elle est excessif, sa voix rauque et masculine, ses attitudes et ses rires gras.

— Regardez, le génie n'a pas besoin d'étude ! déclare-t-elle. Il suffit qu'il apparaisse, qu'il éclate, qu'il tonne ! Mon petit Zeus. A genoux, devant toi, à genoux !

Elle serre Wolfgang contre sa large poitrine. Autour d'eux, bruit une assemblée choisie, composée d'une dizaine de poètes et de musiciens. Une cantatrice chante dans un coin les meilleurs airs de *Mitridate*. On boit. Une coupe à la main, un poète s'écrie :

— La poésie à genoux devant la musique !

Et la Corilla parle, parle... et ses paroles sont un flot que rien ne saurait endiguer.

— Elle sont sœurs. Ta musique, enfant, m'a percé l'âme. Demain, ou cette nuit, oui, cette nuit même, dans la profondeur des ténèbres, j'écrirai une ode pour toi, pour toi seul !

Un rimailleur un peu éméché, lance à Wolfgang :

— Une ode ? Avec une ode de Corilla, vous êtes sûr de passer à la postérité !

Léopold, témoin muet de tant d'exaltation, en est éberlué. Mais son fils, lui, ressent depuis quelques secondes une des émotions les plus fortes qu'il ait jamais éprouvées. En se retournant, il a aperçu, là-bas, au fond du salon, un adolescent qui ne le quitte pas des yeux. Une quinzaine d'années, admirablement beau, blond, les cheveux bouclés et un sourire indéfinissable. Ce qui unit Wolfgang à l'inconnu est tout de suite si fort, que tous deux ne peuvent s'empêcher de faire un pas vers l'autre.

La Corilla, à qui rien n'échappe, s'écrie, éclatante d'impudeur :

— Je savais bien qu'entre ces deux jeunes êtres, l'étincelle allait jaillir ! Amadeus, puisque tu es aimé des dieux, voici le jeune dieu qui t'aimera !

Elle prend la main de Wolfgang et celle du jeune homme et les joint dans les siennes.

— Excusez-moi d'arriver si tard, dit le jeune homme à l'hôtesse avec un fort accent anglais — et un sourire timide. J'avais un concert en ville... Se tournant vers Wolfgang : Je m'appelle Thomas Linley. Je vous admire, monsieur Mozart. Je suis moi-même, humblement, violoniste. Élève de Nardini.

— Thomas Linley... répète Mozart, troublé.

La Corilla les installe au beau milieu de l'assistance qui s'est assise. Wolfgang, au clavecin, accompagne Thomas au violon. Ils improvisent tous deux magnifiquement sur un aria de *Mitridate*. Ils jouent, perdus dans la musique et dans la fascination qu'ils ressentent l'un pour l'autre. Les spectateurs, conscients de l'importance de cette rencontre, contiennent leur admiration. La Corilla elle-même, impressionnée, parle à voix basse :

— Regardez-les, murmure-t-elle, ils ont la jeunesse. Ils ont le génie. Je crois voir la Grèce des dieux. Ce sont les Dioscures...

Léopold met brutalement fin à ces instants chargés d'une ambiguïté que le voyeurisme de l'assemblée rend un peu louche.

— Wolfgang, il est temps de partir.

La Corilla ne veut pas perdre les deux agneaux qu'elle donne en offrande à son public :

— Comment, déjà, bourreau ?

— Oui, madame, tranche Léopold, inflexible.

Thomas se penche tendrement vers Wolfgang :

— Demain, je joue au palais Pallavicini... Y serez-vous ?

— Oui, répond le jeune Mozart dans un souffle.

Dans la roseraie du parc des Pallavicini, Wolfgang et Thomas marchent côte à côte, passionnés et pudiques à la fois. Aucun geste ne les rapproche, mais chacun de leurs regards, de leurs sourires, tisse un nouveau lien qui resserre leur amitié. Ils se livrent leurs secrets les plus intimes, déshabillent leur âme l'un pour l'autre.

— J'ai une sœur, Amadeus... Une sœur que j'aime beaucoup. Si vous la connaissiez... Nous nous ressemblons tellement que souvent, on nous prend pour des jumeaux.

Thomas parle l'italien avec l'accent pointu des Anglais et Wolfgang répond aussitôt, dans une sorte de cri de tout son être :

— Alors, elle doit être très belle !

Ils goûtent la plénitude des silences. On n'entend que le gravier qui crisse sous leurs pieds.

— Et vous ?

— Oh, moi, ma sœur ne me ressemble pas... Pas du tout.

— C'est si beau, votre musique, Amadeus ! Chaque fois que je l'écoute, j'ai envie de pleurer. De vraies larmes... Vous avez tant de talent... tellement plus que moi.

Un enthousiasme subit illumine le visage de Wolfgang.

— Et si nous restions ensemble ? Si nous faisions une tournée ? Ce serait extraordinaire, non ? Je peux demander à mon père, il dira sûrement oui. Vous imaginez : la célèbre tournée Thomas Linley et Wolfgang Amadeus Mozart ? !

Thomas sourit, heureux.

— Ah non, vous en tête ! Wolfgang Amadeus Mozart et Thomas Linley...

Se rendant compte de leur propre excitation, ils se mettent à rire pour redevenir aussitôt silencieux. Debout dans le soleil, ils s'arrêtent et Thomas s'accroupit pour suivre, du bout de l'index, l'ombre du profil de son ami sur le bord d'une vasque. A la fin de cette caresse, il le fixe :

— J'aimerais dessiner votre profil pour le garder avec moi...

Wolfgang ne répond pas. Son cœur bat très fort.

Ils ne savent pas que Léopold les observe depuis la terrasse où il a trouvé leurs deux violons abandonnés. L'Italie lui a volé l'amour confiant de son enfant et l'emprise musicale qu'il avait sur lui. Mais déjà, la calèche de Thomas s'avance. Wolfgang l'accompagne, les larmes aux yeux, jusqu'au marchepied. Ils s'étreignent sans un mot. L'attelage démarre, s'éloigne.

— Au revoir... à bientôt... dit Wolfgang tout bas mais pas assez pour que son père, derrière lui, n'ait pas entendu.

— Parce que tu comptes le revoir ? siffle-t-il d'une voix sèche que son fils ne lui connaissait pas encore.

— Oui, la semaine prochaine, à Venise. Il y sera en même temps que nous.

Ulcéré par les décisions de ce fils qui lui échappe, Léopold réagit :

— En même temps que nous ? Pas pour y donner des concerts, j'espère ?

— Non. Lui, il doit se produire à Bolzano.

— Je vois. Bolzano, c'est un trou.

— Tu sais, son père est compositeur, lui aussi. Et maître de musique à Bath, près de Londres...

Wolfgang défend Thomas avec l'énergie du désespoir, ce qui porte la jalousie de son père à son paroxysme.

— Dis tout de suite qu'il est mieux que moi, tu me feras plaisir !... enrage-t-il, glacial. Bien, j'espère que tu as terminé le dernier mouvement de ton quatuor pour Venise ? Sinon, il te reste à peine le temps.

Il s'en va. Il est parti — laissant son fils seul, désemparé par ces réactions paternelles qu'il n'aurait jamais crues possibles; et désolé.

Dans les premiers jours de février 1771, la diligence tangue sous les rafales de pluie. Les chevaux se cabrent contre le vent, maintenus avec peine par le cocher aveuglé par la bourrasque. Dans la cabine, les voyageurs sont malmenés par les secousses. Personne ne parle. Les éclairs qui déchirent le ciel dévoilent des visages angoissés. Une femme se tamponne la bouche avec son mouchoir. Un homme cossu, peut-être un notaire, lit nerveusement un livre à l'envers.

Soudain, un choc violent les projette les uns contre les autres et la portière du côté de Wolfgang s'ouvre sur le vide. La boue gicle dans la cabine. Wolfgang s'arc-boute pour ne pas être éjecté, se cramponne à la portière... Déjà Léopold se jette sur lui, le ceinturant théâtralement. Esbroufe tragique, geste d'un héroïsme spectaculaire mais inutile car Wolfgang avec sa souplesse d'adolescent se rattrape fort bien tout seul. Enfin, la portière de la diligence se referme lourdement... sur la jambe de Léopold qui hurle de douleur. Voici le sauveteur passé dans le camp des victimes...

Après sept jours de route, la voiture arrive à Venise. C'est Mardi gras. Le 10 février, les Mozart descendent chez le négociant Giovanni Wider, un ami de Lorenz Haguenauer, le commerçant salzbourgeois, qui leur loue leur appartement.

Sans avoir eu le temps de visiter la perle de la lagune, le royaume-république des armateurs, ils sont reçus par le comte Durazzo, ambassadeur impérial à Venise. Chez lui, ils rencontrent l'abbé Giovanni Ortès, célèbre écrivain politique dont la passion pour l'opéra est sans limite. Son grand ami Hasse lui a parlé des succès de Wolfgang en Europe du Nord, et de la concurrence acharnée dont il a été la victime à Vienne. L'influence de Giovanni, à Venise, facilite l'accès de Wolfgang et de son père, aux cercles musicaux les plus exigeants.

Dans la galerie d'hiver du palais du comte Durazzo, quatre pupitres et trois chaises dorées sont disposés en cercle. Wolfgang dispose les parties du quatuor sur chaque pupitre. Il est pressé. L'altiste, un gros monsieur très digne, arrive, suivi du violoncelliste — l'abbé Giovanni Ortès lui-même, qui fait l'honneur au jeune Mozart de jouer un de ses quatuors. On sort les instruments.

Léopold fait alors son apparition, solennellement assis sur un fauteuil porté par deux valets, la jambe bandée, séquelle du voyage... Et il gémit ostensiblement, grimace de douleur.

— Doucement... mais doucement, brutes ! Bonjour, l'abbé ! Bonjour, Di Nardo !

Les valets le déposent à sa place de premier violon. Tout le monde s'installe.

— Souffrez-vous encore beaucoup, monsieur Mozart ? s'enquiert l'abbé.

— Beaucoup. J'ai très mal dormi, merci, répond-il avec un curieux regard à son fils. Mais le devoir avant tout. Rien ne m'empêchera de jouer au concert de mon fils, demain. Maintenant, répétons.

Puis, regardant Wolfgang en face, il ajoute d'un ton sec :

— Tu as copié toutes les parties ?

— Oui, papa. S'il te plaît, je voudrais bien commencer par l'adagio. C'est le seul endroit un peu difficile...

— Tu as l'air bien pressé ? s'inquiète Léopold, soupçonneux.

— J'ai rendez-vous avec Thomas Linley, papa. Et il n'est là que pour la journée.

Il a dit cela à voix basse, comme s'il n'osait l'avouer, et le visage de son père s'est aussitôt fermé.

— Répétons.

Le chant de l'adagio s'élève. C'est admirable, incroyable d'inspiration, de profondeur, de nouveauté. Wolfgang a acquis une maturité suffisante pour puiser dans la diversité des styles qu'il a abordés et en assembler les éléments les plus appropriés à sa véritable expression. Dans ce quatuor en *sol* majeur, la joie sereine du presto s'oppose à l'inquiétude de l'adagio. En choisissant le ton de *mi* mineur pour son adagio, il montre bien qu'il veut rompre avec le goût général.

Il est proprement inimaginable que l'adolescent qui tient le deuxième violon ait écrit cela. Mozart le compositeur, s'est détaché de la chrysalide que représentait Wolfgang, l'enfant virtuose. Une mutation vient d'avoir lieu en lui, c'est évident. Surtout pour Léopold et ses deux partenaires... Car cette nouveauté s'exprime par un matériel sonore qui les abasourdit : modulations, sauts harmoniques à laisser pantois... Tous les trois jouent, le nez dans la partition manuscrite, éprouvant le sentiment que les portées sont truffées de fausses notes... Ils se regardent, stupéfaits, jusqu'à ce que Léopold, n'y tenant plus, s'arrête. Hors de lui, il se lève à demi de son fauteuil de douleur et d'une voix vibrante d'indignation :

— Qu'est-ce que ça veut dire ? Qu'est-ce que c'est que cette musique de sauvage ? Mais les gens ne tiendront pas cinq minutes, ils vont se lever et s'enfuir ! Tu es devenu fou ?...

Wolfgang, l'archet en main, écoute tristement son père :

— Mais, papa...

— Je vous assure, monsieur... tente l'abbé, plus sensible aux nouveaux sons, cette œuvre est très... Certes, il y a des passages surprenants...

— Surprenants ? Vous appelez ça surprenant ? crie Léopold. Je reconnais bien là votre charité chrétienne, l'abbé. Ça miaule, ça grince, ça crie, ça frotte ! Les rapports de tonalité sont aberrants, incompréhensibles. Et c'est pour ça que j'ai sacrifié ma vie ? Pour que mon fils se laisse monter la tête par des Martini, des Corilla, un galopin comme ce Thomas Linley ? Sans moi, tu n'es rien, Wolfgang. Rien, m'entends-tu ? Ce que tu as écrit est injouable. Injouable !

D'une pâleur cireuse, Wolfgang tient tête à son père, pour la première fois de sa vie.

— Nous venons de le jouer. C'est donc qu'on peut le faire.

— On t'a appris à répondre, maintenant, je vois, s'écrie Léopold, blême, crispé. Tu vas aller m'écrire un autre adagio. Immédiatement.

— Un autre ? Pour demain ?

— S'il le faut, tu y passeras la nuit. Je fais bien l'effort, moi, de jouer à ton concert malgré ma jambe. Monte dans ta chambre, hurle-t-il et comme Wolfgang ne bouge pas. il répète, martelant ses mots : Monte dans ta chambre !

Les deux hommes — car Wolfgang est un homme aujourd'hui — s'affrontent devant l'abbé et l'alto. Et Wolfgang sait bien qu'au fond, son père ne veut qu'une chose : lui faire rater son rendez-vous avec Linley. C'est pourquoi il reste là et toise son père :

— Bien. Mais je verrai Thomas quand même.

Puis il tourne les talons et disparaît, sans saluer personne.

Quelques heures plus tard, à la tombée de la nuit, il peut enfin courir à travers le dédale de ruelles populeuses et de canaux enjambés par des ponts, vers l'hôtel où séjourne Thomas Linley. Il y arrive, le cœur battant, s'adresse au serviteur noir, habillé à la turque :

— J'ai rendez-vous avec Thomas Linley.

— Oui, monsieur, il a laissé quelque chose pour vous...

Et avec un regard désolé, il lui tend une lettre.

Wolfgang l'ouvre et lit :

« Je ne peux vous attendre plus longtemps. Vous souvient-il du sonnet que la Corilla avait écrit pour nous ?

Depuis que le destin t'a séparé de moi,

Je ne sais que te suivre par la pensée.

Joie et rire se changent en peine,

Mais mon désespoir t'espère encore...

Je vous aime.

Thomas. »

Wolfgang replie lentement le précieux billet à l'écriture si légère. Désorienté, il ne voit plus rien, ne remarque pas le serviteur qui referme le portail sans bruit pour ne pas le troubler.

Il longe machinalement l'embarcadère où sont amarrées des gondoles, et fixe longuement un couple enlacé dans l'une d'elles. La révolte gronde en lui. Il décide de laisser libre cours à sa mélancolie et de traîner dans les ruelles. Rien que pour inquiéter son père.

Il croise l'Arsenal aux murs lisses, traverse le ténébreux ghetto, évite la poussière d'église ocre des placettes, longe les célèbres Hospitali, ces couvents de jeunes filles pauvres à qui le célèbre prêtre rouge Antonio Vivaldi, donnait une éducation musicale très poussée.

Il finit par rentrer, malheureux. Dans sa tête, roulent les mesures trop fortes de son quatuor, sur lesquelles il essaie désespérément d'accorder ce poème de la Corilla que Thomas lui a rappelé, en guise d'adieu.

Dans l'escalier, il entend le violon de son père qui répète le concert du lendemain. Comme il le rejoint au salon, il constate avec stupeur qu'il est debout et qu'il a tout à fait oublié qu'il y a quelques heures à peine, sa jambe blessée l'empêchait de bouger...

— Votre jambe a cessé de vous faire souffrir ? demande-t-il, ironique.

— Oui, tout d'un coup. Brusquement, j'ai eu comme un mieux.

— Vous m'en voyez très heureux.

— Tu as vu ton Linley ?

— Nous avons pu passer trois heures ensemble, ment-il, pour le défier. Trois heures merveilleuses. Nous nous sommes promenés dans tout Venise, dans les ruelles, sous les portiques, devant les canaux. C'est un garçon extraordinaire. Il reste en Italie encore trois semaines. Nous pourrons nous revoir.

— Ça, ça m'étonnerait. Demain, après le concert, nous partons pour Mestre où nous prenons la diligence d'Innsbruck. — Et glacial, Léopold annonce : — J'ai déjà fait retenir les places. Car pendant que tu flânais dans tes gondoles, j'ai reçu une lettre de Salzbourg.

Le moment est venu de donner le coup de grâce à son fils :

— Notre prince-archevêque est mort. Nous devons rentrer pour nous présenter à notre nouveau maître.

L'archevêque Sigismond von Schrattenbach a été dignement enterré, ne laissant que des regrets. Et l'élection de son successeur ne s'est pas faite sans difficulté. Finalement, c'est Jérome François de Paule, comte de Colloredo, qui est élu prince-archevêque de Salzbourg le 14 mars 1772. Quand Léopold et Wolfgang se présentent à lui, ce même mois, ils se trouvent devant un prélat rigide, sévère, orgueilleux, tout le contraire de l'archevêque Sigismond, si simple, tolérant et généreux.

Wolfgang ne s'en plaint pas : cette élection lui donne l'occasion d'écrire un opéra de circonstance, le Songe de Scipion, qui est donné avec succès en 1773 pour l'intronisation du nouvel archevêque. De plus, il obtient la charge de chef d'orchestre de la cour, avec cent cinquante florins par an. C'est une somme modeste, mais qui va lui permettre de vivre quatre longues années dans la principauté, sans dépendre de son père. Il va repartir pour l'Italie où son opéra Lucio Silla obtiendra un triomphe, mais aussi où il ne sera pas engagé dans l'une de ces cours qui l'admirent tant.

Il a le bonheur de retrouver le père Martini qui, dans une de ses critiques, lui confirme que la voie qu'il a choisie — celle de la nouveauté — est la bonne : « J'ai écouté le motet du début jusqu'à la fin, avec beaucoup de plaisir, et je vous dis, en toute sincérité, que ce qui me plaît particulièrement dans cette œuvre, c'est tout ce que réclame la musique moderne : une bonne harmonie, une modulation étudiée, un mouvement moderato des violons... »

La personnalité de Wolfgang s'affirme toujours plus, de concert en concert. Le frêle adolescent est devenu un jeune homme alerte, ironique et volontiers frondeur.

Ce matin de 1777, les fenêtres de l'appartement des Mozart sont grandes ouvertes sur le jeune soleil du printemps. C'est l'heure du petit déjeuner. Léopold, vieilli, — il approche de la soixantaine — mange en compagnie de Nannerl dont l'élégance fait oublier quelle petite fille revêche elle a été. Léopold lit son courrier, tout en savourant un œuf mollet et Nannerl, une tartine à la main, s'enquiert des nouvelles :

— Maman va bien ?

— Oui, oui, elle a l'air très contente. Sa cure lui réussit, elle rentre dimanche.

Wolfgang fait irruption dans la cuisine. Très à l'aise, il finit de mettre sa veste de velours. Son élégance de jeune artiste de vingt ans frise la préciosité. Il n'est pas grand et son visage plutôt ingrat, est mangé par des yeux superbes, d'une extraordinaire vivacité.

— Thrésel ? Bonjour, père. Avez-vous bien dormi ? Salut, ma reine. Puis-je présenter mes hommages du matin à la sultane de Trébizonde ?

Pliant le genou devant Nannerl, il fait le clown, se relève en une seconde, beurre une tartine...

— Vous ne savez pas où est passée Thrésel ?

— A la messe, répond Léopold tout en lisant. Qu'est-ce que tu lui veux ?

En ce moment, Thrésel est agenouillée sur les dalles froides de l'une des chapelles latérales de la cathédrale de Salzbourg. Elle prie, se relève, va embrasser le pied, patiné par les pieux baisers, d'une Vierge à l'enfant. Elle y appuie ses lèvres avec une ostentation provocatrice. C'est que les tendances modernistes du nouvel archevêque, qui tente de se mettre à l'unisson de l'Empereur — lequel est fortement tenté de séculariser les biens de l'Église pour mieux la dominer — brusquent des fidèles très attachés à leurs pratiques religieuses. Un desservant affolé, ordonne à Thrésel de s'arrêter. Comme elle s'obstine, un prêtre arrive qui lui chuchote :

— Thrésel, je vous ai déjà dit que ces superstitions étaient maintenant interdites.

— Superstitions ! La Sainte Vierge, c'est une superstition, maintenant !

— Pas la Sainte Vierge, mais ces pratiques...

— Tant pis. Il y a soixante ans que je le fais. Je ne vais pas changer parce qu'on a un archevêque qui ne croit plus à rien !

Et sans attendre la réponse du prêtre, elle file et rentre à la maison.

— Ma chemise de batiste ! On ne retrouve rien, dans cette maison ! s'impatiente Wolfgang à l'instant où la vieille femme ouvre la porte.

— Où vas-tu ce matin, si élégant ? ironise Nannerl.

— Chez la comtesse Lodron. J'ai une répétition de mon concerto à trois claviers.

— Tu n'oublies pas que ce soir, tu m'accompagnes chez madame Robinig von Rottenfeld ? Elle a son tarot.

— Comment pourrais-je oublier le tarot de madame Robinig ? s'exclame son frère en mettant ses souliers.

Il avise Thrésel, visiblement hors d'elle.

— Eh bien, Thrésel, qu'est-ce qu'il y a ?

— Il y a qu'on m'empêche d'embrasser le pied de la Sainte Vierge, à présent ! Un archevêque, ce comte de Colloredo ? A Noël, il n'a plus voulu de crèche. Aux Rameaux, il a interdit les ânes dans la procession. Maintenant, il paraît qu'il veut obliger les capucins à porter des souliers comme tout le monde...

— Qu'est-ce que vous voulez... commente Léopold sans conviction. Notre archevêque donne dans les idées nouvelles.

— Vous savez ce qu'on raconte ? Que dans son bureau, il y a les portraits de deux diables, Walter et Rosso...

Nannerl pouffe de rire :

— Thrésel, qu'est-ce que tu racontes ?

— C'est vrai, dit Wolfgang. Sauf qu'il s'agit de Voltaire et de Rousseau... Thrésel, qu'est-ce que tu as fait de ma chemise en batiste ?

Thrésel, qui commence à débarrasser la table, se rebiffe :

— Vous vous en passerez ! Elle est au lavage. A faire le joli cœur, vous en changez tous les jours ! Je ne peux plus suivre...

— Wolfgang... viens... appelle Léopold au moment où son fils sort.

Et il l'entraîne dans le couloir, une lettre à la main. Il la lui montre discrètement et baisse la voix car il a toujours le même goût du secret.

— Une missive de Mannheim. Des nouvelles. Il y a des chances...

— Des chances de quoi, père ?

— Tu sais bien. Le deuxième Kapellmeister est malade depuis quatre mois, et il a soixante-douze ans. Il va falloir que le prince électeur le remplace...

Wolfgang est partagé entre la lassitude et le rire.

— Et il irait songer à moi ? A moi, Mozart ? Vous êtes très gentil, père, mais vous vous faites des idées, et toutes vos lettres n'y feront rien. A Mannheim, vous pensez bien que le vieux va s'accrocher. Et moi, dans vingt ans, je serai toujours ici, Konzertmeister...

— Mais non, je t'assure.

— Laissez-moi donc à mes sérénades et à ma musiquette d'église salzbourgeoise, répond Wolfgang. Je plais, c'est l'essentiel, non ? Les longues oreilles sont contentes. Alors ? — Il prend son chapeau à la patère. — Et de ce pas, je vais faire ma musiquette chez les comtesses. Et avec plaisir, je vous jure. Avec plaisir...

Léopold le regarde, vaguement inquiet : est-il sincère ? veut-il le provoquer ? Avant de sortir, Wolfgang se retourne et ajoute :

— Enfin, vous savez bien que le Colloredo ne me laissera jamais partir. Il vous a déjà refusé deux tournées de concerts. Mettez-levous bien dans la tête : le Grand Mufti ne m'aime pas, et nous n'avons rien de bon à attendre de lui.

Léopold ne trouve rien à répondre et change de sujet :

— As-tu écrit l'antienne ? J'en ai besoin pour le service du jour.

— Je n'ai pas eu le temps. Vous n'avez qu'à jouer celle de l'année dernière. L'archevêque n'y verra que du feu. De toute façon, il n'y connaît rien.

Et il referme — un peu trop fort — la porte derrière lui.

Dans le salon qui donne de plain-pied dans le parc de l'hôtel Lodron, Wolfgang donne une leçon de musique à Sophie, la plus jeune des deux filles de la comtesse. Sophie a quinze ans — et des difficultés avec un passage, mais son professeur s'en soucie peu : il ne quitte pas des yeux sa sœur aînée qui prend le thé dans le parc avec sa mère et ses amies.

Le soleil pénètre par la grande porte-fenêtre ouverte.

— Monsieur Wolfgang, votre trait en tierces aux deux mains, je n'y arrive pas. J'ai un problème à la basse...

— Jouez des deux mains à l'unisson, Sophie, c'est plus facile, dit-il sans la regarder.

— Ma main gauche ne marche pas bien, monsieur Wolfgang !...

— Alors gardez la main droite seule. Votre main droite va parfaitement...

De la pelouse, la sœur aînée, vêtue de blanc, resplendissante, l'appelle :

— Monsieur Mozart ! Le thé est servi !

Wolfgang traverse la pelouse. Le voici près de la table couverte de porcelaines de Saxe et de coupes débordantes de fruits. Il baise la main de la comtesse Antonia Von Lodron — parente de Colloredo qu'elle déteste — et de sa fille aînée.

Des laquais gantés de blanc servent le thé avec cérémonie, suivant les règles d'un rituel compliqué : l'atmosphère est fort éloignée du laisser-aller bourgeois qui règne chez les Mozart.

La comtesse invite Wolfgang à s'asseoir.

— Alors, mon petit Wolfgang... ces progrès ?

110

— Considérables, madame la comtesse, considérables... répond-il un peu trop sérieux pour être honnête.

— Vous mentez déjà comme un vrai petit marquis ! Mais je vois bien que pour cette idiote, je me suis fait des illusions. Avouez-le... cette pauvre Sophie est tout à fait incapable de jouer votre concerto ?

Il a une mimique aussi polie qu'éloquente mais son regard est irrésistiblement attiré par la sœur aînée de son élève.

— Et si vous réduisiez vos trois clavecins à deux ? poursuit la comtesse. Marie-Caroline et moi, je crois que nous pourrons nous en tirer. Même avec vos traquenards... Et comme en ce moment, mon cher cousin Colloredo ne vous surcharge pas de travail...

Il n'hésite pas un instant :

— A vos ordres, madame la comtesse. Ce sera prêt quand vous voudrez.

— Vous êtes l'obligeance même, mon petit Wolfgang... assure-t-elle, rêveuse. Savez-vous le distique qu'on a fait sur notre archevêque ?... « Notre prince Colloredo... ne croit ni à gloria ni au credo. » C'est drôle, non ? Vous devriez en faire une chanson !

Dans son désir de lui plaire, il saisit cette perfidie au vol :

— A la seconde, madame la comtesse, à la seconde ! Sur un thème pareil !

Et il se lance dans une de ses improvisations dont il a le secret, chantant à lui tout seul un petit canon à trois voix, avec vocalise en cascade pour finir. Tout le monde s'amuse autour de la table. Wolfgang a réussi à unir le comique à la distinction et les dames rient, juste ce qu'il faut, sans plus...

— Je donne une réception, ce soir, reprend la comtesse. Pourquoi ne viendriez-vous pas ? J'ai un petit orchestre. Vous pourriez nous interpréter votre ravissante sérénade nocturne.

Le visage de Wolfgang retrouve son sérieux.

— C'est que j'ai promis à ma sœur de l'accompagner au tarot de madame Robinig.

— Robinig ? Qu'est-ce que c'est, Robinig ?

— Fers et métaux, vous savez bien, maman, dit la fille aînée, méprisante.

— Je vois mon petit Wolfgang, soupire la mère. Vous

m'étonnerez toujours. Entre une soirée chez moi et le « tarot Robinig », il n'y a vraiment que vous à Salzbourg pour hésiter ! Eh bien, amenez-la votre sœur ! Nous serons ravies, enchantées. Quel âge a-t-elle ?

— Vingt-quatre ans, madame la comtesse.

— Il a une sœur de vingt-quatre ans et il ne nous le disait pas ! Décidez-la. Ce ne sont pas les cavaliers qui vont manquer ! Je suis sûre qu'elle est aussi bien élevée que vous, mon petit Wolfgang... n'est-ce pas ? ajoute-t-elle avec un sourire qui ne cache pas tout à fait sa crainte du contraire.

Le soir même, aux chandelles, le petit ensemble de chambre de la comtesse Lodron exécute péniblement une sérénade de Wolfgang Mozart. L'assemblée est enchantée et personne, sauf Mozart et sa sœur qui se tient discrètement dans le fond du salon, ne s'aperçoit de la lamentable interprétation de ces instrumentistes de province.

Au violon Mozart supporte mal ce massacre mais il apprécie encore moins le complot mondain qui se trame dans la salle. Nannerl, rouge d'émotion, semble ravie d'être là bien qu'elle n'ait ni l'aisance ni l'élégance des autres femmes. Et un cousin des Lodron lui fait une cour grossière. Il lui parle à l'oreille dans un numéro de don Juan volontairement excessif sous les regards complices et moqueurs de la galerie. L'innocente Nannerl, transportée, joue involontairement le rôle de la bergère roturière que les princes de comédie — et sans doute les vrais — se permettent de séduire sans vergogne.

Au premier rang, sous l'aile de leur mère, les demoiselles Lodron pouffent...

Cette nuit-là, Wolfgang et Nannerl rentrés à la maison, tout le monde dort chez les Mozart. Pourtant, Léopold est réveillé par un bruit de sanglots étouffés... Intrigué, il se lève et se dirige — en culotte et bas — vers la chambre de sa fille d'où viennent ces sanglots. Il pousse la porte et entre. Dans l'obscurité, Nannerl pleure doucement... Il s'assied au bord du lit.

— Qu'est-ce qu'il y a ? Qu'est-ce qui t'arrive ? demande-t-il à voix basse.

— C'est Wolfgang...

— Wolfgang ? Quoi, Wolfgang ?

— Si tu savais ce qu'il m'a dit... Si tu savais... Il est si méchant...

Mais elle pleure trop pour pouvoir en dire plus et Léopold, accablé de fatigue et par ce nouveau souci, va cette fois, vers la chambre de Wolfgang.

Celui-ci est en train d'écrire à la lueur d'une bougie. En chemise, col ouvert, il a l'air très las. Son père entre et referme la porte d'un geste sec.

— Qu'est-ce que tu as fait à ta sœur ? Elle est là à pleurer toutes les larmes de son corps...

Wolfgang pose sa plume.

— J'ai voulu lui faire comprendre, c'est tout. Qu'elle voie les choses comme elles sont. La voilà la tête à l'envers, parce que chez les Lodron, un neveu de la comtesse lui a fait la cour ! Il fallait voir comment. Il se moquait d'elle, c'était visible. C'est tout leur plaisir, à ces jeunes nobles, de séduire les petites bourgeoises pour ensuite, entre eux, se raconter leurs misérables histoires. Et ma sœur qui donnait dans le panneau ! On n'a pas idée de tomber amoureuse tout le temps comme ça... Vous devriez la raisonner, père.

Démonté, Léopold se laisse tomber sur une chaise, face à son fils.

— Mais, ces Lodron, je pensais que tu te sentais bien chez eux, qu'ils te considéraient presque comme un des leurs...

Wolfgang plaque sa plume sur le bureau. Lucide et froid, il rétorque :

— Presque ! Voilà le mot. Presque. Et pour nous, ce sera toujours presque. Ils ont besoin de nous, parce que toute la journée, à ne rien faire, ils s'ennuient. Ils s'ennuient à crever. Alors, nous sommes là, pour les amuser... Un peu... Pas même beaucoup. En réalité, ils nous méprisent.

Devant tant de froideur, Léopold se tait. Wolfgang se lève et très maître de lui, s'allonge sur son lit, les mains croisées derrière la tête.

— Tiens, ce soir, ma sérénade... Vous auriez dû entendre comme ils l'ont massacrée. Dieu sait qu'elle n'est pas difficile, pourtant... Oh ! ce Salzbourg ! Ce Salzbourg, père ! Quand je pense que nous n'étions pas contents de Schrattenbach... Colloredo est cent fois pire ! Vous l'avez entendu, le mois dernier ?

Mozart singe le ton précieux et l'accent italien du prélat, avec une ironie qui trahit une vraie rancune :

— « Monsieur le Konzertmeister, votre concerto pour hautbois, est-ce que c'est seulement de la musique ? Vous devriez retourner prendre des leçons chez les Italiens. Eux, au moins, ils savent écrire ! » L'imbécile !

La parodie est amère. Léopold se tait. Puis, avec une sorte de timidité, il dit :

— J'en suis sûr, Wolfgang. Il faut repartir. Partout, nous avons été mieux qu'ici.

Wolfgang tourne la tête vers son père, incrédule :

— Repartir ? Ensemble ?

Léopold ne répond pas à cette drôle de question. Il biaise :

— Qu'est-ce qu'on risque à demander encore ? Je vais écrire une fois de plus à Colloredo pour demander un congé.

Wolfgang dévisage son père un long moment, puis il hausse les épaules, ferme les yeux.

— Si vous voulez...

L'immense cabinet du prince-archevêque de Salzbourg n'a pas changé depuis la mort du regretté prédécesseur de Colloredo : toujours la même galerie de portraits austères, le même vide majestueux. Le même laquais de service. Seule innovation : de chaque côté du grand crucifix décharné, deux bustes en marbre trop blanc trônent sur la grande cheminée d'albâtre — rictus grimaçant à gauche, rayonnante bonhomie philosophique à droite. Voltaire et Rousseau font ici les sceptiques larrons d'un bien étrange calvaire...

Plus saint-sulpicien encore que le crucifix, Colloredo parade derrière le fameux bureau. Il a quarante-cinq ans, un visage en lame de couteau, froid et sec. Une ou deux fois, ses yeux scrutent Léopold, debout, en livrée, devant le bureau, tandis qu'il est occupé à signer les documents que lui tend un petit secrétaire chafouin. Chaque gémissement de plume est ponctué du bruit mou du cachet apposé après chaque paraphe.

Le prince-archevêque Colloredo rejette une lettre d'un plissement de narine :

— A refaire. Plus dure.

Léopold tremble, transpire, le regard rivé sur les deux bustes qui trahissent la pensée du maître de céans.

Le secrétaire finit par se retirer et tire discrètement une petite porte dans le mur, derrière le prince-archevêque qui se lève dans sa robe pourpre. Il est très grand.

— Monsieur le Vice-Kapellmeister, savez-vous que votre fils commence à m'échauffer les oreilles ? Je le trouve arrogant, indiscipliné, et négligent dans son service. Si je l'ai nommé Konzertmeister, c'est pour l'avoir à ma disposition. Pour écrire la musique telle que je l'entends et pas ces choses à l'allemande que je n'aime pas. C'est tout, et ça suffit...

Il arpente le tapis d'Orient.

— Si encore il travaillait sérieusement ! Croyez-vous que je n'aie pas remarqué que l'autre jour vous m'avez donné une musique qui avait déjà servi ? Et vous le saviez. Vous êtes complice. Me prenez-vous pour un imbécile ?

Léopold se casse en deux :

— Votre Grandeur...

— Je ne crois pas vous avoir permis de parler. Ce jeune sot s'imagine qu'en se faisant quelques relations en ville, il peut me braver. Chez ces petits nobles qui n'existent que par moi. Que par moi ! Croyez-vous que je ne sache pas tout ce qui se passe ici, tout ce qui se dit contre moi ? Toutes les plaisanteries que se permet votre galopin ? Et c'est avec ces références-là que vous avez le front de me demander un congé ? Pour qui me prenez-vous ? Dans son extrême mansuétude, mon prédécesseur vous avait autorisé à vous absenter de Salzbourg pour un total de six ans et huit mois... j'ai fait vérifier.

— Dont une partie sans traitement... précise Léopold respectueusement.

— Vraiment ? Très intéressante remarque. Quant à moi, je me suis laissé surprendre une fois. Vous m'avez extorqué un séjour à

Munich où mon Konzertmeister a commis quoi ?... Un opéra bouffe ! Au lieu de se consacrer au service de ma chapelle ! Une fois suffit. Monsieur le Vice-Kapellmeister, je ne vous retiens pas.

— Mais... Votre Grandeur...

— Quoi encore ?

— Ma requête...

Des yeux, Léopold désigne sa lettre, ouverte sur le bureau. Colloredo la saisit et, posément, la déchire.

Le repas des laquais est bien morose, ce jour-là, dans cette salle des gardes qui n'a pas changé depuis dix ans. Les peintures sont simplement un peu ternies et les dîneurs ont un peu vieilli.

Conversations à voix basse, rires hypocrites : manifestement, Mozart père et fils sont visés. Le secrétaire de Colloredo est au centre du groupe. Wolfgang a l'air absent; il est en livrée rouge et or tout comme son père qui, catastrophé par la semonce de l'archevêque, se contient pour ne pas exploser.

Baader, le secrétaire de Son Excellence, profite de l'appui de son public pour enfoncer fielleusement Wolfgang.

— Alors, ce cher maestro voulait partir pour rendre visite à ses amis ? Ses intimes, le roi de France, le roi d'Angleterre. Qui sait ? peut-être le tsar ou le roi d'Espagne ?...

Il y a dans le ton de Baader, beaucoup plus que du persiflage — de la haine. On y sent des années de rancune accumulée. Soudain, Léopold n'en peut plus — il explose :

— Jaloux ! Vous êtes tout simplement jaloux ! Mon fils n'a pas besoin d'aller chez les rois et les empereurs. Il s'y est déjà rendu. Voilà qui ne vous arrivera jamais, à vous ! Vous allez rester ici toute votre vie, dans ce Salzbourg de misère où personne ne comprend rien à rien !

La phrase à peine prononcée, il se rend compte que pour une fois, il a trahi sa pensée véritable. Le silence s'est fait autour de lui. Wolfgang, bouche bée, a un regard surpris pour ce père qu'il ne reconnaît plus : où est passée sa légendaire prudence ? Le gros maître d'hôtel, gêné d'un tel éclat, a soudain l'air d'un ange gardien, avec sa face rubiconde :

— Allons, messieurs, allons ! Nous sommes entre gens sensés ! Vous n'allez pas vous battre ?

— Sûrement pas, susurre Baader, ravi.

Et dans un froissement de dentelles, le secrétaire sort de la salle. Il est clair que les paroles de Léopold vont être rapportées sans retard au prince-archevêque.

Père et fils rentrent à la maison. Il fait nuit. Léopold soliloque, plein de regret d'avoir été l'instigateur de ce scandale. Pour couper court à cette contrition de laquais, Wolfgang, très calme, annonce d'une voix décidée :

— Père, je vais donner ma démission.

Ces mots achèvent Léopold. Il s'arrête un instant, muet de saisissement.

— Vous m'entendez ? Ma démission ! Ça n'est plus possible.

— Wolfgang, bredouille son père, est-ce que tu te rends compte que... ? Je sais ce que tu éprouves... mais... Comment allons-nous faire ?

— Ça ne peut être pire. Je rentre et je lui écris.

Wolfgang presse le pas. Pour la première fois, il a parlé d'un ton sans réplique. Léopold le rattrape.

— Bon, tu as raison. Il n'y a peut-être rien d'autre à faire. Mais... ta lettre de démission, c'est moi qui vais la rédiger. Ce sont des choses que tu ignores. Je te connais, tu brusquerais tout.

— Parce que vous espérez encore sauver quelque chose ?...

Ils continuent silencieusement leur chemin jusqu'à l'appartement familial.

Dans l'intimité de la chambre conjugale, Anna-Maria, couchée, ses lunettes sur le nez, lit une grosse bible fatiguée, reliée de cuir. Léopold, préoccupé, bourrelé de remords, rédige la lettre de démission de son fils. Finalement, il lève la tête et regarde sa femme.

— Écoute ça... « Que Votre Grandeur Sérénissime me permette de lui demander très respectueusement mon congé. Votre Grandeur ne prendra pas en mauvaise part ma très humble prière, puisqu'elle a daigné me déclarer, il y a trois ans, lorsque je sollicitais la permission d'aller à Vienne, que je n'avais rien à espérer auprès d'elle et que je ferais mieux de chercher fortune ailleurs... » Qu'est-ce que tu en penses ?

— Tu crois que Wolfgang peut écrire ça ? Il a l'air de faire des reproches à l'archevêque..

— Tu trouves ?

Léopold, angoissé, relit la lettre et conclut :

— Non, non, c'est très habile, au contraire. C'est l'archevêque qui, le premier, a parlé de démission. Il croira que l'idée vient de lui.

Retirant ses lunettes, madame Mozart s'abrite prudemment derrière la paix du ménage :

— Tu sais mieux que moi.

— Je me demande vraiment ce qui m'a pris de me mettre en colère. Je n'ai pas su me retenir. Je dois vieillir.

Il enfile son bonnet de nuit, s'allonge près de sa femme sans dire un mot. L'angoisse grave de profondes rides sur son front. Elle le regarde en silence, un instant, puis ferme les yeux à son tour.

Quelques jours plus tard, Léopold fait irruption dans la salle de séjour le visage blême, le nez pincé, une lettre à la main. Il reste un moment sur le seuil et il est si défait que Wolfgang lève sa plume, et que sa mère et Thrésel arrêtent leurs travaux. Il est évident que quelque chose de grave vient d'arriver.

— Doux Jésus, qu'est-ce qu'il y a ? s'écrie Thrésel en joignant les mains.

Les dents serrées, Léopold va vers Wolfgang et pose la lettre ouverte devant lui, sur la table, d'une main tremblante.

— Lis !... Lis donc !

Wolfgang se lève, prend la feuille de papier, la retourne.

— Mais c'est... c'est la lettre de démission !

— Exactement. Renvoyée par Colloredo. Avec une petite note de sa main...

— Il refuse ?

— Lis toi-même !

118

Wolfgang cherche la note de Colloredo, la trouve dans un coin du feuillet et lit tout haut :

— « Nous autorisons le père et le fils, selon l'Évangile, à chercher fortune ailleurs. » Qu'est-ce que ça veut dire ?

Léopold, pâle comme un suaire, explose avec une extrême violence, dans une de ses fameuses colères.

— Ne fais pas l'imbécile. Tu comprends parfaitement. Ça veut dire que nous sommes foutus à la porte ! Pas seulement toi, mais moi aussi ! Colloredo nous met dehors tous les deux !

Madame Mozart s'effondre, en larmes :

— Seigneur mon Dieu !

— Congédiés ! Renvoyés ! Jetés à la rue ! Déshonorés ! Voilà où nous ont menés tes lubies.

— Père, je... tente Wolfgang mais Léopold l'arrête, théâtral.

— Comment oses-tu me parler ! Tu nous assassines et tu veux répondre ! Il a raison, Colloredo, il a parfaitement raison. Un petit musicien qui ose discuter ! Quand on a un prince aussi bon que le nôtre, on plie, entends-tu ? On plie ! Mais monsieur se permet de critiquer, de se moquer ! Et tout haut, en plus !...

Madame Mozart, Nannerl qui vient d'entrer, et la bonne Thrésel pleurent et gémissent, se tamponnant le visage de leurs mouchoirs de lin. Léopold poursuit en marchant nerveusement.

— Tout ce que nous avons bâti, tout ce que j'ai mis trente ans à mettre debout, tout cela s'écroule en un instant ! Par ta faute ! Trente ans à me rompre l'échine, à supporter, à endurer pour assurer nos vieux jours, à ta mère et à moi. Et voilà tout balayé ! Anéanti ! Tu voulais notre mort, eh bien, tu l'as. Tu es content ?

Il fonce vers la porte, arrêté une seconde par sa femme, éperdue :

— Où vas-tu Léopold ?

Il se retourne, regarde Wolfgang dans les yeux.

— Chez l'archevêque. Essayer de sauver ce qui peut être sauvé, me jeter à ses pieds.

— Père, père, dites-lui tout ce que vous voulez, mais je vous en supplie : ne rampez pas.

Déjà Léopold est dans l'escalier qu'il dévale quatre à quatre — il court chez le prince-archevêque.

Jamais le cérémonial de l'étiquette princière ne lui a paru aussi long. Quand il entre dans le cabinet de travail de Colloredo, celui-ci est devant la fenêtre, tournant ostensiblement le dos à son Kapellmeister.

Léopold, tricorne à la main, se tient respectueusement debout à bonne distance, et prend la parole, s'humiliant, s'abaissant de toute sa science de laquais :

— Je supplie Votre Grandeur de prendre en considération trente longues années de bons et loyaux services... Je supplie Votre Grandeur de considérer que, pendant toutes ces années, je n'ai encouru aucun blâme, aucun reproche.

— Sauf vos absences, précise Colloredo, glacial, en se retournant.

— Si j'ai sollicité... si j'ai humblement sollicité un congé, c'était bien pour marquer à quel point je me déclarais soumis à la volonté de Votre Grandeur. Et ces tournées n'étaient pour nous qu'une façon de porter partout la gloire de Votre Grandeur, de rendre plus éclatante la renommée de la chapelle musicale de Salzbourg...

Le prince-archevêque semble s'adoucir devant tant de suavité :

— De ce Salzbourg où, paraît-il, personne ne comprend rien à rien ?...

Un silence trop long, infini, s'installe — rompu par la voix blanche de Léopold.

— Je supplie Votre Grandeur Sérénissime de bien vouloir me pardonner.

Colloredo fait maintenant durer le plaisir.

— Bien. Je prends acte de vos excuses. Je vous garde...

Léopold esquisse un geste de reconnaissance mais l'archevêque, d'un signe de la main, coupe court aux effusions de son Vice-Kapellmeister.

— Mais votre fils... je le congédie. Sa lettre était d'une rare insolence. Dans mon extrême bonté, je veux bien considérer que je ne l'ai pas reçue, qu'elle n'a même pas été écrite. Mais à la porte ! A mon service, monsieur le Vice-Kapellmeister, il n'y a pas deux solutions : ou on obéit, ou on est congédié. Allez.

Léopold sort à reculons, multipliant les courbettes.

C'est décidé. Wolfgang part. Sans son père, mais accompagné de sa mère, qui, à cinquante-sept ans, prend les risques d'un grand périple — elle qui n'a pas voyagé depuis dix ans — pour veiller sur son fils.

Ce 23 septembre 1777, elle reprend la route pour la première fois depuis leur triste visite à la famille impériale en deuil, dix ans auparavant. Léopold l'escorte, portant une grande sacoche de cuir, tandis qu'en manteau et chapeau, des paquets sur les bras, elle descend rapidement l'escalier. Thrésel suit le couple, un colis à chaque main, une larme à chaque paupière.

Dans la rue, l'effervescence des grands départs est à son comble. Autour de la voiture, Léopold s'agite :

— Je veux trois lettres par semaine ! Avec tous les détails, tu m'entends, tous ! Ici, je t'ai mis l'itinéraire et toutes les adresses des gens à qui tu pourras avoir recours.

Il désigne à sa femme, trop angoissée pour répondre, une trousse à ses initiales.

— ... l'argent et les lettres de change, bien entendu. Ne dépense pas trop. Si vous allez jusqu'à Paris, il ne faut pas vous préoccuper, Grimm vous attend...

Madame Mozart prend soudain son mari à part sous la porte cochère :

— J'ai peur, tu sais, j'ai si peur, avoue-t-elle. Crois-tu vraiment que ce soit la bonne solution ?

Nannerl et Thrésel vont et viennent parmi les bagages, tout près, et le couple Mozart parle bas.

— Wolfgang ne peut plus rester et moi, je ne peux pas partir... On ne va pas laisser Wolfgang s'en aller tout seul. Tu sais comment il est.

— Il m'écoutera, tu crois ?

— Mais oui, sûrement, dit-il d'une voix mal assurée car en réalité, il n'en sait rien.

La vive lumière de ce matin de septembre éclaire cruellement le visage d'Anna-Maria. Les rides creusent son visage, ses yeux sont soulignés de cernes accusés, ses cheveux grisonnent. Léopold la regarde. Il sait qu'il ne vaut guère mieux. Un soupçon d'angoisse le parcourt : n'ont-ils pas trop vite vieilli, usés par la route, les concerts, les veilles ?... Il étreint sa femme qui lui glisse à l'oreille :

— Léopold, je pars si loin. C'est notre première vraie séparation...

— C'est pour notre fils, Anna-Maria... Allons, viens maintenant.

Tout est en place. Le cocher fait claquer son fouet. Wolfgang monte à côté de sa mère, s'assied, claque la portière. Il a l'air ravi. Elle pleure.

— Surtout, ne perds pas ton temps ! s'affole Léopold en regardant son fils.

— Père, vous me connaissez !

L'angoisse de Léopold se traduit par une dernière algarade.

— Oui, je te connais. Je ne te connais que trop. Toujours prêt à faire confiance à n'importe qui ! Je t'en prie, méfie-toi. Ne crois pas aux bonnes paroles. Les actes ! Il n'y a que les actes qui comptent.

— Les actes, répète Wolfgang, déjà ailleurs.

La voiture commence à rouler. Léopold la suit, élevant la voix.

— Et surtout, sois poli. Un peu de flatterie, ça arrange bien des choses. Dès que tu seras à Mannheim, demande une audience au prince électeur pour la place dont je t'ai parlé. Et tiens-moi au courant. Écris, écris ! Très souvent !

— J'écrirai ! crie Wolfgang. A toi aussi, Nannerl, ma sultane !

— Ne vous inquiétez pas, madame, je veillerai à tout... hurle Thrésel.

— Et moi, je veillerai sur maman ! lui répond le voyageur.

La berline est au bout de la rue, le pas des chevaux s'accélère, le bruit couvre les adieux de Nannerl, de son père et de la vieille servante. Et soudain, affolé, Léopold s'écrie :

— Attendez, attendez ! Je n'ai pas donné ma bénédiction, attendez !

Il fait quelques pas pour rattraper la voiture, mais son cri se perd dans le fracas. Il s'arrête, baisse le bras. Nannerl, en larmes, s'approche de lui et le prend par la taille, le serre.

Tout d'un coup, Léopold — si triste — a l'air vieux.

III

ORAGE ET PASSIONS

C'est par une splendide vallée qu'on arrive à Augsbourg, l'antique cité des financiers bavarois Fugger et Walser, ces dynasties de banquiers qui prêtèrent à fond perdu quatre millions de ducats aux Habsbourg — à Augsbourg, encore fière d'avoir accordé la liberté du culte aux protestants et de s'être liguée contre le Roi Soleil après la révocation de l'Édit de Nantes.

Dans la diligence qui roule vers Augsbourg, Wolfgang chantonne les premières mesures du rondo final (à la française) du concerto pour violon qu'il vient d'achever. Sous ses yeux, la campagne bavaroise défile. Heureux d'être loin de Salzbourg, il retrouve toute sa joie de vivre et sa verve des grandes occasions. Il se rejette en arrière, sur la banquette, et fait face à sa mère :

— Ah, maman, ma petite maman ! Tu vas voir Augsbourg ! Mannheim ! Et au bout, Paris ! Sacristi ! Mille tonnerres ! Fini, le Grand Mufti ! N-i-ni, fini ! Au diable l'archevêque. En enfer, le Colloredo !

— Wolfgang ! Si on t'entendait !

— Qui peut m'entendre ? Les arbres ? Les arbres ne parlent pas. Ils ne donnent pas de conseils, les arbres. Ils sont libres, les arbres. Salut, les arbres !

Il se penche à la portière, regarde sa mère à nouveau.

— Ne te penche pas, Wolfgang, tu me fais peur ! A Augsbourg, tâche de faire bonne impression. Ton oncle est un homme sérieux.

— Plus sérieux que mon père ? demande-t-il, incrédule.

— Ce n'est pas un artiste, lui. Il est imprimeur.

Il se met aussitôt à imiter gravement le balancement compliqué d'une presse à imprimer et madame Mozart se déride enfin.

— Wolfgang, voyons !

— Et la fille du frère de mon père, elle est aussi sérieuse que mon père et que le frère de mon père ?

— Ta cousine ?... Sûrement !

Quelques heures après l'arrivée d'Anna-Maria et de son fils, tout le monde dort chez Frantz Mozart, à Augsbourg. Dans le corridor obscur du premier étage, une porte s'entrouvre et une jeune fille de seize ans — son visage pas vraiment beau éclairé par la flamme de la bougie qu'elle tient —, entre dans la chambre de Wolfgang. Elle est en chemise de nuit, un bonnet de nuit sur la tête. Ses joues sont rouges d'une excitation contenue, son œil très vif. C'est **Bäsle**, la « cousinette d'Augsbourg » qui vient retrouver, sur la pointe des pieds, son cousin Wolfgang, pieds nus, en vêtement de nuit, lui aussi.

Elle est déjà contre lui, sourit — elle a l'air d'un chat.

— Bonsoir, cousin !

— Bonsoir... dit-il, stupéfait.

— Tu avais l'air de tellement t'ennuyer, ce soir. J'ai pensé que je pourrais un peu te consoler. Si tu veux, je m'en vais.

— Non, non, Bäsle, reste...

Elle se promène dans la chambre, aguichante.

— Tu sais, le pied qui était sur le tien, sous la table, pendant le dîner... c'était le mien.

S'arrêtant de marcher, elle s'assied sur le lit.

— Viens donc t'asseoir à côté de moi...

Wolfgang s'exécute. Et tout de suite, la tête de Bäsle est contre son cou, son index monte et caresse la peau du jeune homme, dans l'échancrure de la chemise.

— C'est doux, ta peau.

Il frémit. Il a compris. Commence alors le jeu complice de la sensualité réciproque de deux êtres jeunes qui se plaisent, que le désir rapproche. Bäsle est d'une simplicité désarmante, qui pousse Wolfgang au paroxysme de l'excitation; cette nuit est celle de sa

126

première grande expérience sensuelle. Il prend très vite des initiatives avec un si profond plaisir du geste qu'il en excuse la maladresse.

Nus, ils se livrent l'un à l'autre — impudiques et pudiques à la fois, avant de basculer dans le rire.

Le lendemain matin, la maisonnée prend le petit déjeuner dans la cuisine. L'oncle Mozart, sinistre, trempe sa tartine dans son bol. Madame Mozart, assise en face de lui, ne quitte pas des yeux Wolfgang et Bäsle qui dévorent d'un bel appétit.

— Où mets-tu tout ça, Wolfgang ? Cinq tartines ! s'exclame la jeune fille, admirative.

— J'avais un creux terrible ! répond-il en riant. D'ailleurs, je trouve tout bon ici. Tout me plaît !

Il rit encore et s'aperçoit que son oncle le regarde.

— C'est vrai, mon oncle. Si vous saviez l'affection que je vous porte, c'est à ne pas croire !

Brusquement, une dernière bouchée à peine avalée, il se lève.

— Tu sors ? s'étonne sa mère.

— Je vais chez Stein.

— Chez qui ?

— Stein. Le facteur de pianos-forte. Papa m'a bien recommandé d'y aller. Ce sont les meilleurs pianos-forte du monde. Il paraît qu'ils font une demi-octave de plus que les autres ! Une demi-octave, tu te rends compte ? Tu viens, Bäsle ?

Comme l'oncle fronce le sourcil, il ajoute :

— ... avec votre permission, mon oncle.

— Père, sans moi, Wolfgang ne trouvera jamais, explique Bäsle avec cette même effronterie qui l'a fait entrer chez son cousin, la veille.

L'oncle acquiesce du regard, toujours muet, et les jeunes gens s'en vont. Frantz Mozart lève alors les yeux vers sa belle-sœur. « Quelle éducation a donc reçue ce garçon ? » semble-t-il dire. Et Anna-Maria tente un pauvre petit sourire...

Bäsle et Wolfgang remontent la Maximilianstrasse, bordée de riches maisons et d'hôtels particuliers édifiés par la bourgeoisie d'Augsbourg pendant la Renaissance, au temps de sa splendeur. Ils s'éclaboussent en riant aux trois fontaines de bronze magnifique ment décorées, passent devant l'Hôtel de Ville, vaste bâtisse au fronton orné d'une pomme de pin et encadré de deux tours que les édiles viennent de faire agrémenter de bulbes baroques. Juste après la porte rouge, ils arrivent, tout essoufflés, devant un grand hangar tout en bois de chêne et qui abrite une dizaine de pianos-forte.

Wolfgang court de l'un à l'autre, émerveillé par le génie de Bartholomé Cristofori dont l'invention bouleverse le monde des clavecinistes, offrant des possibilités nouvelles. Au lieu d'être griffée par le bec de plume d'un sautereau comme dans le clavecin, la corde est frappée par un petit marteau lié au clavier de l'instrument par un système de ressorts. La sonorité reste légère, mais la voie est ouverte au sentiment de l'interprète : l'intensité du son, en effet, varie ainsi en fonction de la pression exercée par les doigts.

Ce jour-là, Wolfgang fait connaissance avec l'instrument qui l'accompagnera jusqu'à la fin de sa vie. Il s'assied et joue une mélodie, ébloui de pouvoir en contrôler toutes les nuances.

— Écoutez ! Mais écoutez ! Un miracle ! Tout est juste. Tout devient juste On a l'impression qu'il n'est même plus nécessaire de jouer !

— Ça, j'aimerais bien voir ! dit Bäsle, sceptique.

— Et ça ! Et ça ! s'écrie le jeune homme allant d'un piano à un autre. Ah, monsieur Stein, quand je pense à nos coucous de Salzbourg !

Le vieux Stein s'essuie les mains sur son tablier de cuir.

— Mes instruments ont l'air de vous plaire, monsieur Mozart ?

— S'ils me plaisent ? Ce sont des bijoux ! Des miracles ! Des violons ! Des harpes !

— Non, ce sont des pianos-forte, dit Stein en souriant, faussement modeste, qui permettent de jouer aussi bien piano que forte.

— Joue-moi quelque chose ! implore Bäsle.

Wolfgang s'assied et improvise sur un thème de chanson populaire. Elle se serre contre lui. Il a une main sur le clavier et l'autre, plus habile encore, sur le genou de sa cousine. Profitant enfin de l'inattention de Stein, il embrasse furtivement la jeune fille et le concert se termine en câlineries.

En dépit de tout, il faut partir pour Mannheim. Dans la chaise de poste qui l'y mène avec sa mère, Wolfgang se repose, les yeux fermés, la tête contre le dossier du siège. Madame Mozart le considère, à la fois timide, un peu gênée et fière aussi.
— Tu n'es pas un peu triste ?
Il ouvre les yeux.
— Moi, pourquoi ?
— De quitter... Augsbourg.
— Mais Augsbourg, c'est sinistre, on étouffe là-dedans. Et l'oncle Frantz, quel bonnet de nuit ! Mannheim, c'est autre chose ! Là, le prince électeur aime vraiment la musique. Il paraît que, rien que pour son orchestre, il dépense deux cent mille florins par an. Et que c'est peut-être le meilleur orchestre du monde. Tu comprends, maintenant ?
— Et... la petite cousine, tu ne la regrettes pas ?
— Elle est gentille, dit-il avec une moue.
— Rien de plus ?
— Si. Elle est bête.
Madame Mozart lève les yeux au ciel.

Le théâtre de Mannheim, flambant neuf, se dresse au bord de l'allée circulaire très animée, qui a remplacé les murailles de la vieille ville.
A l'intérieur, un somptueux escalier d'honneur mène à une salle rococo aux balcons ornés de lambris et de stucs. La cinquantaine assise, plein de vie et d'humour, Cannabich, le chef d'orchestre, presse ses musiciens.
— Allons, pressons ! Nous sommes déjà en retard ! Pressons... Warschauer ? appelle-t-il en suivant de l'œil le violoncelliste portant son énorme caisse, qui vient juste d'arriver.

— Oui, monsieur Cannabich ?

— Dix minutes de retard ! Un de ces jours, vous allez vous retrouver au tableau de service et vous vous demanderez pourquoi !

Warschauer rit. Visiblement, Cannabich est un chef indulgent. Le violoncelliste le suit sur la scène encombrée de chaises, et demande :

— Qu'est-ce que nous répétons, aujourd'hui ?

— La symphonie de Stamitz. Deuxième et troisième mouvements. Mais on commence par le concerto de Mozart.

Warschauer le regarde.

— Pour Wendling ?

— Évidemment, pour Wendling.

— Encore ! Dans cet orchestre, il n'y en a que pour les flûtistes !

— Plaignez-vous, s'écrie Wendling. Vous êtes huit violoncelles ! Trouvez-moi un autre orchestre en Europe qui ait huit violoncelles !

Warschauer, énervé par cette argumentation, défend sa corporation.

— Oui, mais ça fait de la gloire à partager en huit. Moi, je n'ai jamais mon nom dans la gazette. Wendling...

Mozart arrive en courant, une toute jeune fille à son bras; elle n'a sûrement pas plus de quinze ans et tous deux rient.

— On débauche ma fille, à présent ? plaisante Cannabich.

La demoiselle ne perd pas son aplomb :

— Papa, Wolfgang vient de faire mon portrait ! En musique ! Regarde...

Rouge d'excitation, elle tend les feuillets à son père qui fixe Mozart. Un Mozart qui a beaucoup changé. Bäsle lui a décidément fait du bien.

— Un adagio de sonate... dit-il en souriant à la jeune Rose Cannabich.

— Et c'est ressemblant ? ironise Wendling.

Rose tire son père par la manche.

— Viens, je vais te montrer.

— Ah non, pas maintenant ! J'ai répétition d'orchestre. On verra ça ce soir. Allez, rentre à la maison.

Se retournant avec familiarité vers Wolfgang et Wendling :
— Et nous, au travail !

Pendant que l'orchestre répète, Mozart grimpe quatre à quatre les marches de l'escalier de bois qui mène aux cintres. Penché sur le gouffre de la scène, accoudé au garde-fou de passerelle, il écoute passionnément l'orchestre qui en bas, joue son concerto pour flûte en *sol* majeur.

Soudain, un cintrier émerge de l'ombre.

— Qu'est-ce que vous faites là, monsieur Mozart ? demande-t-il, bourru.

— Magnifique ! C'est d'ici qu'on devrait toujours écouter la musique... murmure Wolfgang.

— Pour placer le public, ça ne serait pas commode...

— Ici, le son monte, comprenez-vous. On entend tout à la perfection. Écoutez ! Écoutez comme les premiers violons jouent bien ensemble. Et ces pizzicati ! Et les violoncelles, ce moelleux...

Tout à son plaisir extrême, Mozart s'agite sur l'étroite passerelle et le cintrier le retient de la main.

— Attention... Si vous dégringolez dessus, ce ne sera plus un orchestre du tout !

Pendant ce temps, Anna-Maria Mozart, confinée dans la chambre du moins cher des hôtels de Mannheim, grelotte devant un petit feu. Assise à la table, un fichu sur les épaules, elle écrit à son mari, contemplant souvent son portrait en miniature posé devant elle, à côté de celui de Nannerl.

Lorsque sa mère occupe la seule table qu'ils aient à leur disposition, Wolfgang travaille sur le lit, comme ce soir où il se lève pour venir prendre de l'encre, et bougonne :

— Tu devrais faire allumer du feu.

— Tu sais ce qu'ils osent demander pour un peu de bois ?

— Ce n'est pas une raison. Au moins une flambée !

— Ça n'en vaut pas la peine. Tu vas sortir.

— Et toi ?

— Moi, je n'ai pas froid. Depuis Salzbourg, nous avons déjà dépensé sept cents florins, Wolfgang ! Ton père n'est pas content.

Il sèche son manuscrit au sable puis marche dans la pièce, les mains dans les poches, dans une attitude qui rappelle curieusement son père.

— Écoute, maman ! Ça n'est pas en nous privant de feu que nous pourrons rester ici plus longtemps... Je sais bien que tu n'as pas envie de repartir, mais...

Il balaie la pièce d'un geste découragé du bras et tout de suite anxieuse, elle demande :

— Le prince a quand même parlé de te donner un emploi ?

— Et depuis, il n'en parle plus. Une bonne âme a dû lui faire remarquer que ce serait un affront à Colloredo ! Tous ces princes se tiennent entre eux...

— Il te fait donner des leçons à ses enfants...

— Oui. Et quand je réclame le montant, on me répond que l'honneur doit me suffire. Et comme ce sont des enfants illégitimes, en même temps, on me recommande la discrétion. Alors, où est l'honneur ? Non, mère. Je nous donne encore huit jours. Si, d'ici là, je n'ai pas quelque chose de positif, une réponse claire, nous partons pour Paris.

En quittant Mannheim, Anna-Maria craint de voir s'anéantir les projets de Léopold.

— Mais tes élèves, tes commandes ? Le concerto pour monsieur De Jean ? dit-elle en montrant les feuillets que Wolfgang tient maintenant à la main.

— Pauvre maman ! Tu veux la vérité ? Il m'avait promis deux cents gulden, De Jean...

— Oui, deux cents gulden...

Sortant une bourse de sa poche, il la pose à côté de la lettre de sa mère.

— Quatre-vingt-seize gulden... pour solde de tout compte. Tiens, écris donc ça à papa. Il comprendra, lui... Bon, je file chez le copiste. Et ne t'inquiète pas. Cannabich m'en a trouvé un qui n'est pas cher.

Il met son chapeau, se dirige vers la porte.

— Tu ne vas pas encore dîner dehors ce soir ? demande-t-elle, faiblement.

— J'ai promis à Wendling...

Se retournant, il la regarde et voit brusquement ce qu'elle est devenue : une vieille dame très digne et très seule dans une chambre sans feu :

— Non, non. Je rentre souper. Mais, maman, s'il te plaît, prépare quelque chose de bon. Comme tu sais faire. Et du feu surtout, du feu ! lui dit-il avec gentillesse.

Il marche vite, passe sur le pont qui enjambe le Neckar vers les vieux quartiers derrière la Messplatz, et arrive tout essoufflé devant un immeuble ancien. Là, il gravit trois étages d'un escalier en colimaçon et frappe à la porte de l'appartement de Fridolin Weber, homme à tout faire de l'art lyrique, chanteur à ses heures, souffleur et copiste pour arrondir ses fins de mois.

On le fait entrer dans un salon minable, en désordre, plutôt bohème. Des vêtements traînent. Sur la table du déjeuner, le couvert n'a pas encore été desservi — restes de nourriture et bouteilles vides, papier jauni qui se décolle des murs, rideaux décousus par endroits... les Weber sont pauvres.

Une grande femme d'une cinquantaine d'années, solide, l'œil vif, accueille Wolfgang qui reste debout au milieu de la pièce, son paquet de feuilles sous le bras.

Une petite fille de dix ans, assise sur un sofa, le dévisage franchement tandis qu'une autre, plus âgée, l'observe à la dérobée.

— Non, non, monsieur, assure madame Weber. Vous ne dérangez pas. Je vais chercher mon mari. Il est à peine rentré du théâtre et il est débordé. Josépha !

Une troisième fille, pas laide, un peu sèche, qui doit avoir vingt ans, apparaît sur le seuil de la porte et regarde le jeune homme d'un air intéressé.

— Toi, à la cuisine ! lui ordonne sa mère. Pardonnez-moi. J'ai des plats sur le feu.

— Je vous en prie.

— Asseyez-vous, mon mari arrive tout de suite.

Josépha disparaît avec regret tandis que madame Weber fait

main basse sur les vêtements qui traînent et que Wolfgang s'installe sur le sofa. Elle quitte la pièce.

La petite fille qui n'a cessé de le dévisager lui lance :

— Mon papa, il est toujours en retard.

L'aînée, pour se donner du courage, élève la voix :

— Sophie, tais-toi. Tu embêtes le monsieur !

Wolfgang, ne sachant que répondre, meuble le silence :

— Mais non, mademoiselle, elle est très gentille, Sophie.

— Tu vois, Constance, je ne dérange pas monsieur... triomphe Sophie avec un sourire épanoui.

Une porte s'ouvre; c'est Fridolin qui arrive en passant à la hâte, un gilet sur sa chemise. Il ne porte pas de perruque et émerge visiblement d'une sieste. Il est vieux avant l'âge.

— Bonjour, monsieur, vous désirez ?

Wolfgang se lève, montre son paquet de feuilles.

— C'est monsieur Cannabich qui m'a parlé de vous. Il paraît que vous travaillez très vite. Il me faudrait toutes les parties d'orchestre d'ici quatre jours...

Monsieur Weber prend les feuilles, désarçonné par le ton professionnel et presque méprisant du jeune homme, qui ajoute :

— C'est un concerto.

Mais monsieur Weber ne pense qu'à une chose : faire monter les prix.

— Quatre jours ? Comme vous y allez ! Ça fait quatre nuits à passer, ça !

— Alors, je m'adresse ailleurs ? dit Wolfgang qui grâce à son père, connaît les ficelles du métier.

Surpris devant tant de décision alliée à tant de jeunesse, Fridolin Weber change d'avis.

— Attendez ! Attendez ! A qui ai-je l'honneur ?

— Wolfgang Mozart.

— Monsieur Mozart ? Le célèbre monsieur Mozart ?

A ce nom, le visage du vieux Weber a changé. Oubliant ses besoins d'argent, sa situation médiocre, tout... il s'exalte et crie :

— Madame Weber ! Madame Weber ! Sais-tu qui nous rend visite ?...

Madame Weber et la languissante Josépha apparaissent aussitôt à la porte de la cuisine.

— ... Monsieur Mozart ! Le célèbre, l'illustre Mozart ! Très honoré, maître, très honoré !

On dirait qu'il est prêt à faire une révérence mais Wolfgang, qui déteste les coups d'encensoir, coupe court aux effusions :

— Alors, vous prenez le travail ou non ?

— Ce n'est plus du travail, c'est du plaisir ! Et pour le prix, nous nous arrangerons toujours. Soyez tranquille. Ce n'est pas moi qui vous enverrai les huissiers.

Et il rit, serrant les feuillets contre lui, quand une voix s'élève de la pièce voisine, comme pour participer à tant d'allégresse. On vocalise. La voix est celle d'une coloratura; sa beauté et son étendue extraordinaires envoûtent Wolfgang sur-le-champ. Il est subjugué, comme il l'a été autrefois par madame de Tessé, à Paris, comme il le sera toujours par une certaine couleur de voix de femme. Il est debout, immobile, et une sorte de tremblement intérieur le fait chavirer. Bouleversé, il écoute.

— C'est ma fille... Aloysia... murmure Weber.

Wolfgang lui fait signe de se taire mais le copiste est si fier qu'il ne voit rien et poursuit :

— Ma deuxième. Elles sont toutes douées, mais elle surtout... n'est-ce pas ?

Wolfgang écoute intensément. Madame Weber, derrière lui, fait signe à Sophie d'aller chercher sa sœur dans la pièce voisine. La petite fille s'y précipite, ouvre la porte et la voix s'interrompt aussitôt.

— Aloysia, il y a maman qui te veut ! Tout de suite !

Wolfgang, désolé que le charme soit rompu, commence .

— Mais pourquoi...

Et regardant vers la porte, il en a un coup au cœur : Aloysia Weber a dix-sept ans et elle est aussi belle que sa voix. La lèvre gourmande, le port fier avec quelque chose de juvénile, d'ambigu — mi-femme, mi-enfant. Son regard clair plonge dans celui de Wolfgang. Le père jubile de cette rencontre.

— Aloysia viens... que je te présente à monsieur Mozart.

Elle approche, un peu craintive, du jeune compositeur et sa timidité exacerbe encore son extrême féminité.

— Bonjour, mademoiselle... votre voix... Vous avez une voix... parvient-il à articuler puis il se tait et ne sait plus que la regarder.

Il rougit, embarrassé.

Madame Weber, en marieuse experte, jauge instantanément la situation et en profite :

— Monsieur Mozart. Voulez-vous nous faire l'honneur de rester souper avec nous ?...

Son mari trouve qu'elle exagère mais le coup d'œil impératif qu'elle lui lance, le met au pas.

— ... A la fortune du pot, bien entendu, poursuit-elle, affable. Mais comme on dit... « un invité à la maison, Dieu à la maison » !...

Wolfgang pense à sa mère qui l'attend dans leur modeste chambre, qui a préparé ce bon repas qu'il lui a demandé et il balbutie :

— C'est que... Non, non... Avec joie... avec bonheur, madame...

Madame Weber a gagné : elle le fait savoir à Fridolin d'un regard triomphant mais furtif.

Le 23 janvier 1778, Wolfgang décide de partir pour un court séjour à Kircheim-Boland chez la princesse d'Orange, sœur de Guillaume V qui règne sur les Pays-Bas. C'est qu'à Mannheim, privée de son souverain Karl-Theodor, la vie musicale est beaucoup moins animée. Et il espère glaner ces quelques louis d'or qui lui seront si utiles pour son prochain départ vers Paris.

Son sac de voyage à la main, il descend l'escalier de leur hôtel quand sa mère le rappelle :

— Wolfgang ! Prends ce cache-nez, tu n'es pas assez couvert.

— Maman, c'est chez la princesse d'Orange que je vais, pas au pôle Nord !

— On les connaît, ces princesses. Elles font chauffer leur salon et t'envoient dormir dans une chambre sans feu...

Wolfgang enroule le cache-nez autour de son cou.

— Regarde, ça m'engonce...

— En voyage, on n'a pas besoin d'être élégant.

Le voici dans la rue; il se retourne une dernière fois pour saluer sa mère et saute dans une berline où l'attendent Aloysia et son père qui la chaperonne. Wolfgang n'a pas avoué à sa mère qu'il veut être élégant et séduire... même en voyage. Mais le cache-nez a disparu lorsqu'il monte dans la cabine et s'installe aux côtés de sa bien-aimée. Désespérément amoureux, il ne la quitte pas des yeux tandis que Fridolin Weber somnole en face d'eux avec, il faut bien le dire, beaucoup d'à-propos. Juste avant d'arriver à destination, la berline fait une halte. Il fait très beau. La campagne est couverte de givre. Emmitouflés dans de chauds vêtements, Wolfgang et Aloysia se dirigent, seuls, vers une petite église de village.

— Nous allons être en retard... s'inquiète-t-elle.

Elle marche très vite, évitant de le regarder, jusqu'à ce qu'il la prenne par le bras pour la faire ralentir :

— Aloysia ! Mais nous avons largement le temps d'être à la grand-messe, voyons !... Et moi qui me faisais une telle joie ! Être enfin seul avec vous... Quand vous avez eu cette idée, j'osais espérer...

Elle s'arrête subitement.

— Mais, Wolfgang, pour moi, Dieu n'est pas un prétexte. J'ai besoin de me retrouver dans sa paix, comprenez-vous ? Avant le concert de demain.

Elle a les mains qui tremblent. Est-ce de froid ? ou d'autre chose ?... Il y a en elle une inquiétude profonde qui ne manque pas de frapper Wolfgang. Il lui prend ses mains entre les siennes.

— Qu'est-ce qu'il y a, Aloysia, dites-le moi... A moi, vous pouvez...

Retirant ses mains, elle les fourre dans son manchon et déclare :

— Je vous en veux.

Ils se remettent à marcher et il avance, consterné.

— Vous m'en voulez ?

— Oui. Vous dites trop de bien de moi à tout le monde. Tous ces gens devant qui je dois chanter, ils s'attendent à des merveilles. Ma voix n'est pas belle, Wolfgang ! Ils vont être déçus... et vous aussi.

Elle est sincère, au bord des larmes. Wolfgang ne comprend pas encore qu'il ne s'agit pas là de coquetterie, mais d'un des accès de ce caractère tourmenté.

— Il faut avoir confiance ! s'écrie-t-il.

— Je n'ai encore rien réussi. A Mannheim, personne ne fait attention à moi. Je n'y arriverai jamais, jamais !

Il la prend par les épaules, la tourne vers lui et la serre dans ses bras. Éperdu d'amour, il a la certitude de pouvoir l'aider et cela lui donne une force joyeuse.

— Aloysia, je vous l'ai déjà dit. Ce qui ne va pas, c'est votre système de chant. Votre voix est merveilleuse. Elle a la chose la plus rare, la couleur. Ce qui vous manque, c'est l'expression. On ne peut atteindre la perfection de la note que si on y ajoute l'expression. Il faut aussi être une actrice...

— Oui, oui, promet-elle.

Il lui parle comme à une enfant, avec cette assurance très paternelle qu'il a apprise de Léopold, et Aloysia boit ses paroles.

— Je vous aiderai, je vous apprendrai, assure-t-il.

— Mais nous n'avons pas d'argent...

— Qui parle d'argent ? Je perds mon temps à donner des leçons qui m'ennuient à mourir. Pour une fois, j'y prendrai plaisir... Alors, c'est oui ?

— C'est oui.

Elle l'a dit en un murmure. Transporté, il l'étreint.

— Merci, lui dit-il du fond du cœur.

Elle repart, aussi soudainement euphorique qu'elle a sombré dans le désespoir quelques instants auparavant. Vive et gaie, elle court dans la neige.

— Je suis heureuse ! Heureuse !...

Elle lui fait face, brusquement.

— ... mais promettez-moi d'être indulgent.

Et déjà, elle est repartie, poursuivie par Wolfgang qui, fou de joie, lui crie en riant :

— Au contraire ! Je vous rendrai la vie impossible ! Je serai terrible ! Je ferai de vous la première prima donna d'Europe !

Il! l'a rattrapée. Elle s'abat contre sa poitrine et reprend son souffle.

— Aloysia... annonce-t-il tendrement, je vous ai apporté un cadeau d'anniversaire.

— Mais... mon anniversaire n'est que dans six mois.

— Non. C'est le mien. Aujourd'hui, j'ai vingt-deux ans. Tenez...

Il s'écarte un peu, sort un petit rouleau de sa poche et le lui tend — c'est un feuillet de musique.

— Un aria... *Non so d'onde viene...* Vous le chanterez demain, à la soirée de la princesse.

Aloysia déplie le feuillet et lit. Son visage s'illumine. Elle n'a aucune peine à apprécier la grandeur du cadeau... Une partition de celui que son père appelle un génie.

— C'est très beau... mais je n'y arriverai jamais.

Elle a parlé si bas que Wolfgang s'est approché à la toucher pour l'entendre.

— Si, affirme-t-il, sûr de lui.

Il lui sourit tandis qu'elle lève les yeux vers lui, convaincue parce qu'il l'est, toute défense abolie à cet instant. Il la prend dans ses bras et l'embrasse avec passion.

Dans les salons de la princesse d'Orange, Mozart est au clavecin. Aloysia, très droite, chante à la lumière des candélabres. En réalité, ils s'offrent ce concert l'un à l'autre. La musique les unit plus fortement que tout. Ce soir, Wolfgang atteint un sommet. Libre et heureux, il est un homme.

De retour à Mannheim, fier de son succès et des louis d'or qu'il vient de gagner, il confie ses projets à sa mère, et tous deux s'affrontent alors comme cela ne leur est encore jamais arrivé.

— Quoi, Paris ? s'écrie-t-il. Mais au diable, Paris ! Quand la chance s'offre, il faut savoir la prendre au collet. Et c'est en Italie que je dois aller ! C'est là-bas que je suis connu, apprécié, attendu ! Et avec Aloysia, c'est gagné d'avance. Elle a une voix extraordinaire, merveilleuse ! Tout ce qu'ils aiment là-bas... Je vais lui écrire un opéra.

Madame Mozart s'affole tout à fait :

— Tu veux partir pour l'Italie avec cette jeune fille ? Vous deux ?

— Mais non, bien entendu ! dit-il en riant. Je ne suis pas fou. Tout est arrangé. Nous emmenons son père, tu sais, mon copiste. Il sera un excellent imprésario. Et Josépha, la sœur aînée, fait très bien la cuisine. Autant d'économisé... Je donnerai des concerts, des leçons...

— Des concerts qui nous feront vivre tous les cinq ?

Avec une candeur désarmante, il donne alors le coup de grâce.

— Pourquoi tous les cinq ? Mais, maman, tu n'as qu'une envie, c'est retourner à Salzbourg. Cette tournée en Italie arrange tout. Te voilà contente, j'espère !

Wolfgang est réellement inconscient de l'énormité de ce qu'il vient de dire. Accusant le coup, Anna-Maria se reprend très vite.

— Mais ces gens, tu les connais à peine, voyons ! Comment peux-tu songer à t'embarquer dans cette aventure avec eux ?

Alors il s'agenouille devant sa mère, prêt à tout pour voir son désir se réaliser. Lui prenant les mains, il parle avec plus de calme :

— On n'a pas besoin de connaître les gens depuis cent ans pour les apprécier. J'aime tant cette famille... vraiment, je voudrais faire son bonheur. Tu devrais les voir. Quels braves gens. Chrétiens. Honnêtes. Des principes. Ils ont eu des malheurs, on les a même persécutés, mais c'est parce qu'ils sont incapables d'intrigues. Et Aloysia...

— Tu es fou. Complètement fou...

— Je n'ai jamais été plus raisonnable. De Mannheim il n'y a rien à attendre. Ni de Paris.

— Mais à Paris, il y a monsieur Grimm. Il est devenu quelqu'un de très important...

— Et en Italie, il y a le public. Mon public. C'est plus solide. D'ailleurs, j'ai tout écrit à papa. Tu verras qu'il sera enchanté, qu'il m'approuvera.

Désemparée, elle se tait. Wolfgang se lève, prend sur la table sa lettre cachetée qu'il montre à sa mère, esquissant un geste pour en faire sauter le cachet :

— Veux-tu y ajouter quelque chose ?

— Non, dit-elle.

— Alors veux-tu la mettre à la poste ? Moi, je n'ai pas le temps. Je suis pressé.

— Pressé d'aller retrouver Aloysia ?

— Tu vois comme tu me connais, répond-t-il avec une ingénuité inouïe. Tu devines toujours tout. Maman, je t'adore.

Il embrasse sa mère et sort. Restée seule, Anna-Maria hésite. Puis elle se décide... décachète la lettre, s'installe à la table et se met à écrire à Léopold les folies de leur fils.

A peine a-t-elle commencé sa lettre, que Wolfgang réapparaît brusquement.

— Je suis tellement heureux que j'ai oublié d'emporter mes partitions. Heureusement, je m'en suis aperçu à temps...

Il regarde sa mère, brusquement soupçonneux en voyant son air embarrassé et sa main levée pour dissimuler ce qu'elle écrit. Il lui arrache la lettre et la lit.

« Wolfgang est devenu fou. Il est tombé entre les mains de ces Weber. Ce ne sont que des intrigants qui cherchent à l'exploiter. Je me suis informée : le père est un incapable qu'on emploie par pitié pour des travaux de copie et pour faire le souffleur. Ils lui ont jeté leur fille dans les bras... »

Ivre de colère, il lève les yeux sur sa mère.

— Comment as-tu osé ? Alors, tu es contre moi ? Encore et toujours contre moi ? Et tu t'es informée. Derrière mon dos ! Tu m'espionnes ?

— Je devais éclairer ton père, répond-elle d'un ton ferme.

— En lui racontant des mensonges ?

— Quels mensonges ? Tout est vrai.

— Rien n'est vrai. Pas un mot. Très bien. Envoie-la, ta lettre. Notre lettre. Avec ton misérable post-scriptum. Tu verras que papa sera de mon côté, qu'il m'approuve. Oui, qu'il m'approuve. Va, va, cours à la poste !

Il sort en claquant la porte.

Quelques jours plus tard, aux messageries de Mannheim où règne une activité intense, Wolfgang décachète la lettre qu'il vient de recevoir de Salzbourg, et où son père lui donne la réponse tant attendue. Dans le fracas des roues et des sabots sur les pavés de la cour, parmi les cris et les hennissements, il lit et peu à peu, son visage se fige.

« Mon cher fils, ta lettre du quatre m'a frappé de stupeur et de crainte. Ton projet d'entreprendre une tournée avec monsieur Weber et ses deux filles m'a pratiquement fait perdre la raison. Comment peux-tu même imaginer de traîner par le monde avec des étrangers. Comment peux-tu oublier ta réputation, tes vieux parents, ta chère sœur ! C'est abominable. Ta lettre est un tissu d'insanités. Quel imprésario italien ne se moquerait pas si on lui amenait comme prima donna une jeunesse de dix-sept ans qui n'est jamais montée sur les planches ? Va à Paris ! Recherche l'appui des grands. Voilà où sont la gloire et le succès ! Cette cochonnerie m'a déjà coûté plusieurs nuits sans sommeil. Je veux savoir, au florin près, ce qui vous reste comme argent. Rappelle-toi comme j'étais misérable le matin de ton départ. J'avais fait tes bagages jusqu'à deux heures de la nuit et à six heures, j'étais de nouveau debout... Donc, à Paris sans délai ! Maman t'accompagnera pour que vous présentiez mieux. »

Wolfgang rentre à l'auberge, fou de colère. Seul au milieu de la pièce, il enlève son tricorne qu'il jette rageusement sur le sol. Petit à petit, la rancœur de dix ans de soumission à son père, l'envahit, irrépressible.

Il devient fou. Fou de douleur bafouée et de haine. Oui, de haine. Et il se laisse gagner par la violence. Lui qui a la réputation d'être « un monstre d'obéissance », explose. A la limite de la crise d'hystérie, il laisse parler son corps, ses bras, ses poings. Sans rien casser, sans rien détruire, sans un mot. Finalement, il se retrouve au bord du lit, les poings crispés sur le montant.

S'asseyant sur la chaise, devant la table, il se trouve face à la miniature de son père qu'il regarde intensément, en lutte avec lui-même. La porte s'ouvre : sa mère rentre. Il se lève immédiatement, prend son chapeau, se dirige vers elle, blême.

— Qu'est-ce qu'il y a ?... s'affole-t-elle.

Il se précipite dans l'escalier, sans un mot.

Il court chez les Weber où tout le monde est à table. Dès que Wolfgang a annoncé la nouvelle, l'atmosphère devient si tendue

que personne n'ose plus parler ni bouger. C'est madame Weber qui
brise le silence :

— Sophie, Constance, dehors !

— Mais maman...

— Dehors ! hurle-t-elle.

Elles sortent à regret, mais restent à l'écoute derrière la porte
entrebâillée.

— Alors, votre père dit non ?

Wolfgang temporise :

— Il faut le comprendre, il a déjà fait beaucoup de sacrifices... Il
est couvert de dettes. Ma sœur en est réduite à donner des leçons.
On compte sur moi. Enfin, mon père voudrait...

Aloysia lui arrache les mots qui tardent à venir :

— Il voudrait quoi ? demande-t-elle froidement.

— Que j'aille d'abord à Paris.

— Quand ?

— Demain. Il a déjà tout organisé de Salzbourg.

— Et vous acceptez ? dit sa bien-aimée d'une voix glaciale.

Wolfgang la regarde, au désespoir.

— Mais je reviendrai, Aloysia, je reviendrai très vite. Je vous le
jure !

Il est trop tard. Elle s'est levée et quitte la pièce. Comme il veut
la suivre, madame Weber s'interpose, se montrant enfin sous son
vrai jour : une mégère...

— Ah non, ça suffit, la comédie a assez duré ! Regardez-vous
donc dans un miroir : le grand Mozart, le maestro qui allait lancer
notre Aloysia ! Mais papa siffle et le petit chien retourne à sa niche.
Notre Aloysia n'est pas assez bien pour vous, peut-être ! Qu'est-ce
qu'il en dit, votre père, dans sa lettre ? Montrez-la si vous osez !
Allons, montrez ! Non, voilà, vous n'osez pas. Dieu sait quelles
saletés... Voulez-vous que je vous dise ? Vous êtes une lavette, une
lavette, monsieur Mozart. Vous me faites pitié !...

Désolé, monsieur Weber tente d'intervenir.

— ... Ah non ! Toi ne t'en mêle pas ! Tu ne vaux pas mieux !
crie-t-elle.

Elle sort en claquant la porte et Wolfgang, désespéré, s'assied sur
le sofa. Monsieur Weber s'approche et tous deux restent silencieux

un moment. Le père d'Aloysia essaie enfin de justifier sa femme, d'une voix douce et très triste.

— Il faut la comprendre, vous aussi. Elle n'a pas une vie facile. Quatre filles. L'aînée qui devrait déjà être mariée et qu'on n'arrive pas à caser. Moi qui suis un raté...

Wolfgang relève la tête et rencontre le regard du copiste — un regard résigné mais lucide et où brille en dépit de tout, un certain humour.

— Et je voudrais vous dire également... poursuit monsieur Weber, Aloysia n'aurait pas été la femme qu'il vous faut... Si, si... croyez-moi, elle vous aurait déçu. Elle a une belle voix, mais elle ne sera jamais une bonne actrice. Je sais bien ce qui lui manque. Comme femme et comme actrice... Ce qui lui manque, c'est un peu de cœur.

— Mais je l'aime ! s'écrie Wolfgang.

— Oui, oui, je sais. On aime. Et on se trompe...

Il se lève. Le jeune homme l'imite et s'apprête à prendre congé quand Weber prend, sur un meuble, un paquet assez lourd, mal enveloppé d'une vieille feuille de musique.

— Attendez... Tenez, prenez-le vite. Je ne voudrais pas que ma femme le voie. C'est un souvenir pour vous. Les œuvres de Molière. Je vous ai mis une petite dédicace en italien. J'étais loin de penser que les choses tourneraient comme ça... Mais qu'avez-vous, monsieur Mozart ?

Debout devant le petit homme, son paquet sous le bras, Wolfgang pleure, bouleversé. Il sanglote, brisé par l'émotion, malade de chagrin et de fureur contre lui-même. Mais vaincu.

A la mi-mars 1778, Mozart et Anna-Maria arrivent à Paris après presque dix jours de voyage. Ici, personne ne les attend et ils s'installent rue du Gros-Chenêt à l'auberge des Quatre Fils Aymon.

Paris a bien changé depuis le précédent séjour de la famille Mozart. Louis XVI règne depuis quatre ans dans un climat d'euphorie qui ne durera guère mais qui, malgré sa faiblesse politique, fait plus que jamais de Paris la capitale mondiale des arts et des lettres. Un million et demi d'habitants, beaucoup venus de la province et même de l'étranger, attirés par les manufactures pour le petit peuple, par les « Lumières » — Voltaire, Rousseau, Diderot et d'Alembert, Marivaux, Beaumarchais — pour les esprits éclairés qui se retouvent au tout nouveau café Procope. Paris, centre intellectuel de l'Europe, que Voltaire traite de « grande basse-cour composée de coqs d'Inde qui font la roue et de perroquets qui répètent des paroles sans les entendre »...

Dans le monde de la musique française, Rameau, un des plus purs génies et de la musique et de la France, est sinon oublié, en tout cas complètement délaissé. Le succès va à Piccinni, à Gluck et à Cambini. La Cour et la ville sont partagées. Marie-Antoinette est une gluckiste fervente. Dans cette querelle, Rousseau lui-même a pris un parti, le sien, avec le *Devin du Village,* un opéra comique sans intérêt.

L'hôtel de Chabot, derrière la place Royale toute de brique et pierre, bâtie par Louis XIII, brille de tous les feux du faste culturel qui en rayonne. Une belle façade classique donne sur un jardin à la française. A droite de la cour d'honneur, d'anciennes écuries abritent un semblant de ferme, trahissant les premiers pas vers le « retour à la nature ». Des pur-sang retenus avec peine s'abreuvent dans ce décor mi-antique mi-bergerie, tellement apprécié à la cour.

Un bel escalier droit mène aux appartements de la duchesse de Chabot, dont les salons, ornés de tapisseries d'Aubusson, sont décorés d'animaux exotiques que Christophe Huet a ramenés de ses nombreux voyages dans les Indes françaises.

Au fond, dans un petit salon intime aux délicates boiseries et tentures, une aimable société se pâme autour du chevalet de la duchesse qui peint avec grâce. Perruque invraisemblable dite à la Belle Poule, les joues outrageusement poudrées, elle converse avec ses hôtes sur les mille cancans de Paris, écoutant distraitement ce que le majordome lui dit à l'oreille. Le serviteur insiste, lui glisse un nom : la duchesse hausse le sourcil :

— Mozart ?... Ah, oui, oui, je vois. Faites attendre. Je suis en pleine inspiration.

Les courtisans de la belle duchesse, assis autour d'une grande table, dessinent, les doigts tachés par les pastels — c'est la rage parisienne du moment.

— Vous me disiez que la princesse ?... poursuit madame de Chabot.

— Jamais je ne l'ai vue si bien habillée. Elle qui est toujours fagotée. Imaginez la plus belle, la plus légère étoffe de soie, une couleur admirable, un ton.. un ton prune tout à fait nouveau... minaude la vicomtesse de Chelin.

— Comment trouvez-vous mon petit paysage ? demande la maîtresse de maison, montrant son œuvre.

— Délicieux. On s'y croirait.

Dans le salon voisin, aussi glacial que grand, orné d'une fresque mythologique sans âme, Mozart fait le pied de grue. Il fait si froid qu'il se frotte les mains, les bras pour essayer de se réchauffer. En désespoir de cause, il s'assied sur le coin d'un fauteuil, son tricorne sur les genoux. Il attend. Enfin, le majordome apparaît et lui fait signe avec onction d'entrer au salon où madame la duchesse reçoit.

— Bonjour, monsieur Mozart, fait-elle sans lever le nez de son chef-d'œuvre et lui tendant sa main à baiser.

— Mes hommages les plus respectueux, madame la duchesse...

A peine a-t-il pris sa main qu'elle la retire.

— Mon Dieu, vous avez les doigts gelés !

— C'est que, dans votre antichambre, madame la duchesse... Et j'y suis depuis près d'une heure.

— Ne vous excusez pas. Vous vous réchaufferez en jouant. Installez-vous au piano-forte. Grimm m'a parlé de vous avec un enthousiasme que je lui ai rarement vu. Que pensez-vous de mon piano-forte ? Il est amusant, n'est-ce pas ? Je le tiens de mon beau-père. Nous vous écoutons.

Elle le plante là, va se rasseoir devant son carton à dessin et reprend, indifférente, son papotage. Wolfgang, démonté par la sécheresse de l'accueil, finit par s'asseoir devant le piano, essaie le clavier, tente un trait qu'il accroche, tant ses doigts sont gelés. De loin, la duchesse interrompt son babil :

— Eh bien, monsieur Mozart ?

— Il manque deux notes, madame la duchesse.

— Oui, il paraît, constate-t-elle et impérative : J'imagine

qu'avec un talent comme le vôtre, ça n'a aucune importance.

Elle se replonge dans son dessin. Après un moment, il se met à jouer mais personne ne songe à l'écouter : on apporte des plateaux de petits fours, on sert le thé. Des bribes de la conversation générale parviennent à Wolfgang, de plus en plus irrité.

— Non, ce n'est pas croyable, Morhange... s'écrie la vicomtesse.

C'est un jeune fardé d'environ dix-huit ans qui répond :

— D'honneur ! Son Altesse Royale qui pourtant n'avait rien bu... enfin, presque rien...

Un brouhaha de rires incrédules couvre la musique et dès que l'assemblée se calme un peu, madame de Chabot reprend, criant presque :

— Qui ça ? Le comte d'Artois ?

— Lui-même, révèle Morhange. En plein bal, il a été donner du poing dans le masque d'une dame qui le taquinait. Et qui croyez-vous que c'était ? Sa propre cousine, Madame de Bourbon...

On rit de plus belle.

— Vous imaginez l'esclandre !

Crispé, Mozart joue d'une façon de plus en plus saccadée. Il retient mal sa colère et quand madame de Chabot l'apostrophe, il s'arrête, à bout.

— Monsieur Mozart... C'est bien vous qui donnez des leçons à ma jeune cousine Guisnes ?

— En effet. madame la duchesse. Je dois même y aller en sortant d'ici.

— Vous lui direz mille choses de ma part.

Wolfgang, les mains en arrêt au-dessus du clavier ne sait plus s'il va continuer à jouer ou non. Dans un dernier élan, il attaque le mouvement final. Paris est bien ingrat envers l'ancien petit virtuose et la disgrâce bien cruelle quand s'y mêle l'esprit français.

L'accueil à l'hôtel de Guisnes n'est guère plus chaleureux. Derrière la façade au haut fronton sculpté surmonté d'un beau balcon, dans l'escalier à la splendide rampe en fer forgé qui serpente sur trois étages, Wolfgang discute avec le secrétaire du duc de Guisnes. véritable tête à claques qui l'écoute. méprisant :

— Monseigneur et mademoiselle sont à la campagne pour une semaine...

— Comment ? J'avais rendez-vous pour ma leçon de composition.

— Désolé.

— On aurait pu me prévenir !

— Monseigneur n'y aura plus pensé, lance le secrétaire, insolent.

Wolfgang hésite, commence à redescendre l'escalier de marbre, se ravise :

— Monsieur...

— Oui ?

— Monseigneur a-t-il laissé le montant de mes leçons ? demande-t-il avec gêne comme toujours, dès qu'il s'agit d'argent.

— Certainement. Monseigneur a bien voulu ne pas l'oublier.

Wolfgang remonte et avec un air dégoûté, le secrétaire tire trois louis d'or de son gousset et les lui tend du bout des doigts.

— Trois louis.

— Mais vingt-quatre leçons font sept louis !

— Sept louis, vraiment ? Il ne reste à monsieur qu'à faire des représentations à monseigneur, lorsque celui-ci sera de retour...

Humilié, Wolfgang regarde les trois louis, ne peut se résoudre à les prendre et tourne les talons, le rouge aux joues.

Il retourne à l'auberge des Quatre Fils Aymon aussi vite que le lui permettent les embarras de Paris. Il tourne trois fois autour de la place des Victoires sans trouver sa rue, bien forcé d'admirer la rigueur des façades de Mansart qui entourent la statue de Louis XIV sculptée par Desjardin. Il sourit aux quatre captifs qui garnissent le piédestal de l'œuvre figurant les pays vaincus par le roi Soleil. Espagne, Hollande, Prusse, Autriche... Autriche ! Quels arrogants, ces Français qui veulent mettre sa patrie à genoux et dédaignent sa musique...

Recru de fatigue, il monte l'escalier qui mène au petit appartement qu'il occupe avec sa mère. Il parvient, essoufflé, au quatrième étage où la volée d'escalier est encore plus misérable — plus de tapis, des carreaux froids et sales, plus de rampe sculptée mais une simple main courante de bois. Il traverse le palier mal éclairé et sort sa clé de sa poche. Au grincement de la serrure se mêle le couinement d'une vielle à roue qui provient d'une chambre en face. Mozart se cabre : il déteste cette musique.

Il pousse la porte du logement, qu'il partage avec sa mère : une pièce où un mauvais piano-forte prend presque toute la place et une espèce de cagibi où tiennent tout juste deux lits étroits séparés par un paravent. Madame Mozart est sur le seuil de la minuscule cuisine. Elle a l'air las, essuie ses mains noueuses dans son tablier de gros lin. Sur une chaise, près de la table, Wendling, l'ami flûtiste de Mannheim, attend Mozart.

— Ah, tiens, Wendling ! Bonsoir.

Il tire la porte derrière lui, enlève son chapeau et embrasse sa mère.

— Vous restez dîner ? Maman, tu lui as demandé, j'espère ?

— Vous m'excuserez, dit le flûtiste, apparemment frappé par leur misère. Je pars demain à la première heure et mes bagages ne sont pas encore faits.

— Vous repartez pour Mannheim ? Vous en avez de la chance, avoue Wolfgang d'une voix qui trahit ses regrets de ne pouvoir en faire autant.

— Ça a marché aujourd'hui ? risque Anna-Maria, soucieuse.

— Comment veux-tu que quelque chose marche dans ce pays où tout va de travers ? Tu ne sors jamais, toi. Tu ne peux pas savoir. On dirait que tout s'est figé, durci. Dans la rue, les gens sont devenus hargneux, méchants. Tu leur demandes un renseignement. Ils te répondent comme s'ils allaient te mordre... Tu te rappelles à Vienne, notre gentille petite Marie-Antoinette ? Ici, maintenant, j'ai l'impression que si les gens la tenaient, ils la pendraient au premier réverbère.

— Wolfgang ! Qu'est-ce que tu racontes ? Une reine !

— Vous n'êtes resté que six semaines, Wendling, vous ne pouvez pas vous rendre compte. Dans les salons, c'est encore pis. « C'est merveilleux ! C'est étonnant ! » me dit-on, mais ça s'arrête là. C'est comme si je n'existais pas. Ou comme si j'étais encore le petit prodige de sept ans. « Le petit Mozart ! le divin petit Mozart ! » Non, madame, maintenant je suis Wolfgang Amadeus Mozart, compositeur allemand.

— Les Français ont leurs problèmes... dit Wendling, conciliant.

— Excusez-moi, reconnaît Wolfgang qui s'est assis. Je me suis laissé emporter. Tout ce que je demande maintenant, c'est de pouvoir enfin m'échapper de Paris.

Le silence est rompu par Wendling.

— Je suis allé au Concert spirituel, aujourd'hui. J'ai vu le fameux Le Gros. Il est prêt à faire jouer votre symphonie. Il me l'a dit.

— Comment voulez-vous que je le croie ? Le mois dernier, j'avais écrit une « Concertante » pour lui. L'a-t-il fait jouer ?

— Non, mais...

— Il me l'avait promis ! Juré ! Elle est restée en manuscrit. Même pas copiée...

— Je crois qu'il le regrette sincèrement. Vous devriez aller le voir, l'encourage obstinément Wendling.

Mozart ne se laisse pas fléchir :

— Pour qu'il me soûle d'éloges de Gossec[*] et de Cambini[*] ? Ces faiseurs de ritournelles ! Merci bien.

— C'est à vous de décider... dit le flûtiste après un regard complice à Anna-Maria.

— Voulez-vous me faire un plaisir, Wendling ? Avant de partir ? Faisons un peu de musique, comme à Mannheim... Vous avez votre flûte ?

— Bien sûr.

Wolfgang s'installe au piano, l'ouvre et attend que sa mère ait quitté la pièce pour prendre un petit paquet sous la pile de ses partitions, et le tendre à Wendling d'un air mystérieux.

— Pouvez-vous ramener ces quelques feuilles à Mannheim ? Il y a là-dedans une lettre et un aria... confie-t-il à voix basse pour que sa mère n'entende pas.

— Vous avez décidément laissé la moitié de vous-même là-bas... répond Wendling en prenant le paquet, puis il hésite un instant et

---

[*] François Joseph Gossec, compositeur français, protégé de Rameau, qui réorganisa le Concert spirituel (1773) et fut nommé directeur de l'Opéra (1782). Giovanni Giuseppe Cambini, compositeur italien établi à Paris en 1770 et dont les opéras eurent un grand succès. Il laissa également, 144 quatuors et 60 symphonies...

avoue : — Je vous dois la vérité, Wolfgang. Je crois qu'on ne vous a pas attendu. Aloysia a été engagée à Munich... Et vous savez, quand on engage une cantatrice...

Il a un sourire entendu : l'allusion est claire. Wolfgang ne bouge pas mais quand, tout à coup, le grincement aigrelet de la vielle traverse à nouveau la cloison, il fonce sur la porte, et va frapper chez le voisin.

C'est un géant à la carrure impressionnante qui lui ouvre, sa vielle à la main.

— Qu'est-ce que c'est ?

Il parle avec l'accent chantant du peuple de Paris. Derrière lui, assise sur le lit, une jeune fille, presque une enfant, regarde Wolfgang avec hostilité.

— Je travaille, moi, déclare-t-il, agressif. Qu'on cesse ce bruit à l'instant. C'est horrible !

L'homme avance d'un pas, se penche vers Mozart et l'attrape au collet :

— Dites-donc, bourgeois, moi, c'est avec ce bruit-là que ,e gagne ma vie. Alors il faut que je répète. Je joue dans les bals de barrière autour de Paris, pas chez les princesses. Si vous n'aimez pas la contredanse, bouchez-vous les oreilles !

Sur le lit, la jeune fille se passe la main dans les cheveux et rappelle son homme :

— Laisse. Qu'est-ce que tu veux qu'ils comprennent, ces gens-là ? Ferme la porte !

L'homme rentre et claque sa porte au nez de Wolfgang qui fait de même. Calmé, il va jouer, avec Wendling, le dernier mouvement de sa symphonie concertante pour flûte et harpe, que le duc de Guisnes a mis quatre mois à lui payer, alors qu'il s'était échiné à retravailler un concerto composé à Mannheim, afin de le rendre accessible à la technicité moyenne de son noble mécène qui se pique de musique.

Mozart tient la partie de harpe et la réduction d'orchestre au piano-forte, avec une espèce de violence désespérée.

Et puis Wendling s'en va et mère et fils se préparent pour la nuit. Wolfgang se déshabille, se glisse dans les draps. De l'autre côté du paravent, Anna-Maria se brosse les cheveux à la lueur dansante d'une chandelle.

— Et Grimm ? demande-t-elle soudain.

— Grimm est comme tous ces Parisiens, explique Wolfgang d'un ton las. La seule chose qui l'intéresse, c'est de savoir si c'est Piccinni qui va l'emporter sur Gluck ou le contraire. Je m'en fous, moi, de leurs querelles. Je n'ai pas envie de prendre parti.

Assise sur son lit, madame Mozart change de sujet :

— Tu n'as même pas ouvert la lettre de ton père...

— Je sais déjà tout ce qu'il y a dedans, maman. Toujours les mêmes conseils, les mêmes jérémiades. Tiens, veux-tu que je te la lise ? Les yeux fermés ?

Il ferme les yeux et récite :

— ... Tu ne m'écoutes pas... Mes conseils sont peine perdue... Va voir Grimm... Quand tu écris, pense au goût des Français... Pense aux dettes que j'ai faites pour toi...

Son ton se durcit peu à peu. D'un coup, il bondit hors du lit et en chemise, va vers la table :

— ... tu veux que je vérifie ?

Il y prend la lettre, fait sauter le cachet et revient à son lit. L'ombre de sa mère, à travers le paravent, s'étire en un mouvement de fatigue de tout le corps. Elle sait que Wolfgang a raison. Il lit :

— ... « Je suis couvert de dettes. Je n'ai même pas de quoi m'acheter une nouvelle robe de chambre, et la mienne est si trouée que je dois me cacher quand on sonne... Tu négliges ta mère qui a tout abandonné pour toi, pour ta carrière, et qui en souffre... »

Brutalement, il prend conscience de la vie dure de sa mère, et se tait un moment avant d'appeler :

— Maman ?

Madame Mozart ne répond rien. Elle est toujours assise sur son lit, immobile. Wolfgang hésite, contourne le paravent et la découvre, les cheveux dénoués, qui pleure sans qu'un son sorte de sa bouche et ces pleurs silencieux ajoutent encore au pathétique de ce désespoir solitaire. Bouleversé, il se jette à genoux.

— Maman ! C'est vrai ? Tu es malheureuse avec moi ? Est-ce que je te laisse trop souvent seule ?

Madame Mozart fait lentement non de la tête mais sur ses joues ridées, les larmes coulent toujours. Spectacle insupportable pour Wolfgang qui tente de la rassurer.

— Je vais aller avoir Le Gros demain, maman, je te le jure. Je vais être plus souple, je vais écouter mon père. Ma symphonie est tout à fait dans le goût des Parisiens... Et puis, il y a ce projet d'opéra... Dis quelque chose, maman, s'il te plaît !...

— Je suis si fatiguée, Wolferl, si fatiguée... Toi, tu sors, tu vas, tu viens... Moi, il y a des jours où je crains de perdre l'usage de la parole.

Se redressant, elle dit à voix très basse, le visage ruisselant des larmes qui ne cessent de couler :

— J'aimerais tant revoir ton père et Nannerl...

Face au Louvre, dans les jardins du Palais Royal chamboulé par de gigantesques travaux, Mozart et Le Gros sont attablés à la terrasse d'un café. Devant eux, une imposante façade surmontée de statues allégoriques, prend forme ainsi que deux ailes bordées de galeries. Une foule de petits commerces se presse déjà dans les boutiques dont le plâtre n'est pas encore sec. Les attractions abondent pour tenter les Parisiens curieux qui affluent : ombres chinoises, figures de cire, automates, etc. Entre les arbres fraîchement plantés, le chapiteau de toile rayée bleu et blanc d'un cirque dont l'affiche promet des écuyères, de la pantomime, de la danse... Aux terrasses des limonadiers, on discute des idées nouvelles entre gens de bonne compagnie, on joue aux échecs. Mozart et Le Gros, eux, mangent des glaces en prenant le soleil.

Le Gros, personnage peu sympathique qui porte bien son nom, est un monsieur important dans le milieu musical parisien. Ne dirige-t-il pas les très courus et très recherchés Concerts spirituels ? Fondés quarante ans auparavant par Philidor, ils sont la première organisation permanente qui présente des séries de concerts sur abonnement dans un but commercial. Ces concerts ont lieu les jours de fêtes religieuses, jours où les concerts français et italiens, sont interdits parce que profanes. Très prisés du public, les Concerts spirituels constituent pour les musiciens une occasion inespérée de jouer pour leur propre compte, échappant à la tutelle d'un quelconque mécène. Mozart ne peut qu'être séduit par ces concerts qui fournissent une précieuse tribune à la musique nouvelle vocale, instrumentale, religieuse du profane, et aux meilleurs interprètes de Paris.

Pour l'instant, il se protège du soleil avec la main car son compagnon accapare le parasol et parle sans quitter des yeux la partie d'échecs qui se joue à la table voisine.

— A Paris, mon cher Mozart, le premier coup d'archet est capital. On a vu des opéras tomber sur un premier coup d'archet. Notre public est comme ça : inflexible. C'est pourquoi je trouve votre premier mouvement remarquable. Vous avez tout à fait compris. Nous allons au succès.

— Merci, murmure Wolfgang.

— Tout au plus... si vous le permettez, une toute petite remarque...

— Je vous en prie, monsieur Le Gros.

— Le deuxième mouvement est bien, tout à fait bien, je dirais même merveilleux, mais... peut-être est-il un peu... comment dire ?

— Je module trop ?

Coupant net son élan de goinfre, Le Gros s'essuie la bouche avant de confirmer :

— Exactement ! Et puis... ça n'est peut-être pas tout à fait assez...

— Dansant ?

— Voilà ! Vous avez vraiment le sens du mot juste, confirme-t-il, soulagé et la bouche pleine à nouveau.

— Je vais vous arranger ça, monsieur Le Gros. Dans une semaine, vous aurez un autre andante.

— Vraiment, vous pourriez ? Moi qui n'osais pas vous le suggérer... Vous êtes très obligeant, cher Mozart !

Celui-ci, impavide, se maîtrise jusqu'au bout :

— Non, mais je commence à avoir l'habitude, avec les Français.

Et il le gratifie d'un large sourire presque soumis, à la façon de Léopold, si bien que le directeur des Concerts spirituels, interrompant sa dégustation de friandises, se demande un instant si cet

154

Autrichien ne se moque pas de lui. Mais il oublie aussitôt cette impression peu flatteuse pour lui.

Le concert a lieu dans les délais prévus : la Symphonie en *ré* rencontre un grand succès. Mozart a tremblé jusqu'au bout car Le Gros a égaré le manuscrit... Mais les Parisiens finissent par entendre cette symphonie aux Concerts spirituels, et lui font un véritable triomphe. Ils iront même jusqu'à la baptiser « Symphonie parisienne »... Le soir de ce succès, les dernières mains serrées, Wolfgang loue un carrosse pour foncer chez lui annoncer la bonne nouvelle à sa mère.

Le voici dans l'escalier, sur le palier, devant la porte... Au moment de tirer la clé de son gousset, il s'aperçoit que le battant de la porte est entrouvert... Ce qui est étrange car Anna-Maria a l'habitude de se claquemurer dans cette ville qui lui fait peur. Inquiet, il pousse la porte qui lui résiste. L'angoisse le saisit et le cœur battant, il pousse plus fort et entend alors glisser une masse inerte sur le sol : c'est le corps de sa mère qu'il découvre dans une pose incongrue ce qui ajoute encore à l'horreur de la situation.

— Maman, maman ! hurle Wolfgang, saisi de panique.

Il tombe à genoux et, l'oreille sur son cœur, constate sa respiration saccadée et irrégulière. La prenant sous les bras, il la traîne vers le lit, la hisse dessus avec peine.

— Maman, tu m'entends ? Mais... dis quelque chose, s'il te plaît... Maman ! Je t'en supplie !

Comme elle ne répond pas, les yeux clos, inerte, il perd la tête, incapable d'affronter une telle épreuve. Et il se précipite dans l'escalier, descend un étage pour demander du secours, frappe à la première porte qu'il trouve et un vieil homme apparaît, mal réveillé, méfiant.

— A l'aide ! A l'aide ! S'il vous plaît, il y a une malade... Monsieur, s'il vous plaît, ma mère, là-haut, elle s'est évanouie...

L'homme veut refermer le battant et se met à crier :

— Il n'y a personne !

— Monsieur, je vous en prie... supplie Wolfgang, un pied dans l'entrebâillement de la porte.

— Mais puisque je vous dis qu'il n'y a personne...

Pendant qu'il parlemente désespérément, il a juste le temps de voir son voisin de palier, le joueur de vielle, qui dévale l'escalier à toute vitesse. Le vieil homme profite de cette seconde d'inatttention pour claquer sa porte et Wolfgang, se penchant sur la rampe, voit disparaître celui qui fait danser aux barrières...

Affolé, il remonte l'escalier, court rejoindre sa mère... Dès qu'il entre, il voit que la jeune voisine, la femme du joueur de vielle, est là. Elle a dégrafé le corsage d'Anna-Maria et lui masse la poitrine. La malade délire et son visage a une vilaine couleur brique. Se tournant vers lui, la jeune femme dit calmement :

— Aidez-moi à la déshabiller et à la coucher. Elle est trop lourde pour moi. Pierre-Marie est parti chercher un médecin.

Bouleversé par tant de générosité de la part de ces voisins qu'il a si grossièrement traités, il se précipite, l'aide avec des gestes maladroits en balbutiant :

— Merci... Si je m'attendais... Merci...

Mais continuant à masser madame Mozart, la voisine hausse les épaules. Wolfgang ne sait pas encore qu'il ne trouvera aide et solidarité que chez ses voisins, gens de ce petit peuple de Paris qui sait ce que c'est que le malheur et la misère. A ce moment, il espère encore que Grimm va compatir, lui apporter une aide financière. Et quelques jours plus tard, il va voir l'illustre musicien, son compatriote.

Le baron Melchior Grimm est toujours tiré à quatre épingles. Il ne souffre pas le négligé. A peine vieilli, très pénétré de son importance, il reçoit Mozart en bougonnant, ne lui offre pas même de s'asseoir pour bien lui montrer que cette visite l'importune.

— Ah, c'est vous, mon petit Mozart ! Qu'est-ce qui vous amène ?

— Monsieur Grimm... voilà.... comme ma symphonie doit être réglée... j'avais pensé que...

— Ah, oui. Le Gros m'a dit. Il paraît que vous avez enfin compris. Quel succès vous avez remporté... J'étais dans la salle. Bravo. Et alors ?

Devant le silence de Wolfgang, il ne cache pas son agacement et subitement, son visage s'illumine :

— Vous voulez que je vous fasse un peu de publicité ? Soyez

tranquille, vous en aurez ! Quoi, ce n'est pas ça ?... Écoutez, Mozart, je suis pressé. Venez-en au fait.

Les mots se bousculent dans la bouche de Mozart :

— Ma mère est tombée malade. Il y a six jours déjà et...

— C'est la saison. Rien de grave, je suis sûr.

— Le médecin parle de typhus intestinal.

— On en guérit. On guérit de tout maintenant. Je vais faire porter un mot à mon médecin personnel, le docteur Mercier.

— Maman ne veut se faire soigner que par un médecin allemand. Ce n'est pas ça le plus grave. Justement, pour les remèdes, je suis... J'ai besoin d'argent.

Grimm lève les yeux au ciel et Wolfgang souffre tant il se sent honteux.

— Ah, je vois ! Mozart, Mozart, mon jeune ami, vous n'avez jamais su gérer votre budget. Votre père me l'écrivait encore dernièrement. Heureusement, je suis là !

Sur ces mots, il tire à regret des pièces de son gousset et les compte sur la table, comme chez l'épicier.

— Un, deux, trois louis... trois louis, ça ira ?

Le 3 juillet 1778. Il fait nuit et Wolfgang écrit à la table, à la lueur d'une bougie. L'inspiration ne vient pas. A côté de lui, chichement éclairée par une veilleuse, sa mère est couchée. Elle a beaucoup maigri et elle s'agite. Elle articule vaguement des paroles indistinctes. Wolfgang se lève, se dirige vers elle, se penche sur son visage. Ses cheveux sont serrés dans un bonnet et ses yeux grands ouverts dans son visage émacié. Elle regarde son fils sans le reconnaître et murmure :

— Mon chéri, mon chéri...

Elle est en nage. Wolfgang prend son mouchoir pour éponger son front quand elle s'agrippe à lui de toutes ses forces.

— Tiens-moi, tiens-moi fort, je tombe... je tombe... je ne vois plus que du noir...

Wolfgang l'entoure de ses bras. Lui aussi transpire, à bout de forces.

— Je suis là, maman, je suis là. Il ne peut rien t'arriver, dit-il tout bas.

Et il colle sa joue contre celle de sa mère, brûlante. Elle pose sa main sur l'épaule de son fils :

— Léopold... Léopold ! Je veux être heureuse ! Je veux, avec toi... toute notre vie ! Tu es si beau, Léopold, si beau !...

Elle se débat.

— Maman, c'est moi, Wolfgang, ton fils !...

Elle roule de droite à gauche, perd son bonnet et ses cheveux se répandent sur ses épaules. Épouvanté, Wolfgang sanglote tandis qu'elle se met à crier, violente :

— J'ai peur de cette musique, Léopold ! Tu vis pour elle. Aime-moi autant qu'elle ! Autant qu'elle !

Les bras crispés autour d'elle, il est horrifié d'être pour la première fois de sa vie, si près de sa mère et si loin à la fois.

Soudain quelqu'un les sépare, et force madame Mozart à reposer sa tête sur l'oreiller. C'est Pierre-Marie, l'homme à la vielle, qui lui secoue affectueusement l'épaule :

— Allez vous reposer, je vais la veiller...

Mais comment pourrait-il se reposer ? Il s'assied à sa table de travail et luttant contre la confusion de son esprit, tente de composer. Et il finit par sombrer dans le sommeil, la tête entre les bras, le nez sur l'écritoire.

La nuit est bien avancée quand on le réveille brusquement. La jeune voisine, debout devant lui, lui fait signe, aussi peu bavarde qu'à son habitude. Il la regarde, comprend immédiatement, se lève, évite la lumière et soulève le rideau du lit.

Sa mère repose, le visage calme, les mains croisées sur le drap. Elle est morte.

L'homme à la vielle s'efface pour laisser Wolfgang à sa douleur. Muet, il contemple celle qu'il a tant négligée avant de la retrouver sereine, si proche de lui mais partie à jamais. Tout un pan de sa vie bascule dans le passé.

L'enterrement a lieu rue de Gros-Chenêt, la rue même de l'auberge où les paroissiens de Saint-Eustache accompagnent leurs morts à leur dernier séjour, dans ce cimetière où repose la dépouille de Molière, qui y fut inhumé de nuit, à la sortie de la

Comédie française. Un prêtre allemand, requis pour la circonstance, officie devant Wolfgang, tête nue, Grimm en habit noir, Pierre-Marie et sa femme. Et c'est tout. Personne d'autre n'assiste à la descente dans la fosse du cercueil d'Anna-Maria Mozart, en ce jour ensoleillé.

A la grille, après la cérémonie, Wolfgang se répand en remerciements à l'égard du baron Grimm qui monte déjà dans sa berline.

— Merci de l'aide que vous m'avez apportée, monsieur le baron...

Le valet claque la porte. Grimm s'assoit. Penché à la portière, il parle à Wolfgang, sur un ton paternel :

— Ces quelques louis ? Quinze, je crois. N'y pensez pas trop ! Mon petit Wolfgang, voulez-vous un conseil ? Vous n'êtes pas fait pour Paris. Ici, il faut ruser, s'insinuer... flatter, ne se mettre personne à dos. Je vous aurais voulu moitié moins de talent et deux fois plus de savoir-faire. D'hypocrisie... C'est en ami que je vous parle... Rentrez à Salzbourg. C'est là qu'est votre place.

Grimm ne lui a pas avoué qu'il vient d'écrire à Léopold en lui demandant de rappeler son fils qui n'a aucun espoir à Paris.

Quelques jours plus tard, alors que Wolfgang séjourne chez madame d'Épinay et le baron Grimm, il reçoit une lettre de son père qui lui apprend — toujours finaud — qu'à Salzbourg, où l'évêque est prêt à lui commander un opéra, la chanteuse Marie-Madeleine Lipp, femme de Michel Haydn, envisage de se retirer et qu'elle pourrait fort bien être remplacée par Aloysia Weber...

Le 26 septembre 1778, Mozart reprend la route de Salzbourg, avec dans ses malles, quelques-unes de ses plus belles sonates.

Un voyage est alors une véritable aventure. Il en est ainsi pour Wolfgang, seul pour la première fois de sa vie. Grimm lui a retenu une place dans une voiture trop lente à son goût. A Nancy, incapable de supporter plus longtemps le rythme du voyage, il poursuit sa route dans la berline légère d'un riche marchand allemand. Ils s'arrêtent à Strasbourg, au relais des messageries de la Cour du Corbeau, face au palais des évêques de Rohan. Mozart n'a pas un regard pour la cathédrale : enfant du style baroque, il déteste le gothique. De Strasbourg, il dit peu de chose : « Ici, tout est très pauvre. » Il y reste un mois, assez longtemps pour recevoir trois lettres de Léopold qui lui annonce qu'Aloysia Weber, sa bien-aimée, vient de recevoir un engagement ferme à Munich à l'opéra allemand, où elle est mieux appointée que lui.

Et il vole de ville en ville, de succès en succès mais pressé de retrouver Aloysia à Munich. Il est dans la capitale bavaroise à Noël, et y retrouve les Weber, enfin sortis de la misère.

La belle Aloysia ne l'a pas attendu : elle s'est fiancée à un acteur, Joseph Lange, sans un regret pour Wolfgang, qui en éprouve une souffrance profonde mais passagère. Sa cousine Maria Tecla arrive à temps d'Augsbourg pour le consoler et ayant composé une ariette qu'il intitule : *Je dédaigne une jeune fille qui me méprise,* c'est avec elle qu'il rejoint Salzbourg en janvier 1779.

La Getreidegasse n'a pas changé. A la porte du domicile familial, Léopold l'accueille, vieilli et tout de noir vêtu. Blême, le patriarche Mozart pleure pour la première fois. La mort d'Anna-Maria l'a profondément meurtri.

— Wolfgang ! Mon fils... Enfin, te voilà revenu !...

Léopold ne cesse de l'embrasser.

— Père....

— Viens, viens !

Il l'entraîne à l'intérieur de la maison. Les commissionnaires les suivent, indifférents, avec les bagages, tandis qu'ils gravissent les marches de l'escalier de l'enfance de Wolfgang sans desserrer leur accolade. Et voici Nannerl, là, sur le palier... Dans sa longue robe noire, embellie par la maturité, elle fixe en silence son frère qui va vers elle, les bras ouverts. Au lieu de s'y jeter, elle le regarde durement, remonte vers l'appartement et claque la porte. Wolfgang, stupéfait, se tourne vers son père très embarrassé.

— Elle t'en veut... Il faut la comprendre...

— Elle m'en veut ?

— A cause de maman. C'est ce voyage à Paris qui l'a tuée. Si elle n'avait pas été obligée de partir avec toi... Je ne veux pas ajouter à ta peine, mais tu es bien un peu responsable de la mort de ta pauvre mère...

Ainsi, derrière ses larmes, c'est là ce que pense sincèrement Léopold... Wolfgang est resté sans voix. Il se détourne et monte l'escalier, cherchant au passage le regard de Thrésel qui lui fait un léger sourire.

Et le retour de l'enfant prodigue est fêté par un repas funèbre...

Seul le bruit des cuillères trouble le silence. L'ambiance est sinistre. Léopold ne desserre pas les dents, Nannerl non plus. Thrésel dessert la table avec des gestes timides. Finalement, n'en pouvant plus, Wolfgang se lève.

— Reste ! s'écrie Léopold.

— Père, j'ai voyagé toute la nuit...

— Reste. Thrésel, laissez-nous, vous desservirez plus tard.

Thrésel s'éclipse. Wolfgang se rassied de mauvaise grâce pour écouter une tirade que son père a dû remâcher des jours et des jours dans sa tête :

— Je tiens à mettre les choses au point. J'ai fait nos comptes. Tout est là.

Il désigne du doigt un carnet posé à côté de son assiette, l'ouvre, chausse ses lunettes.

— Tu es parti avec trois cents florins que j'ai empruntés à Haguenauer. A quoi s'ajoutent deux cents florins pour couvrir tes frasques de Mannheim...

— Mais, père...

— Tais-toi. J'ai fait face à tes dépenses de Paris par une lettre de change de cent dix florins. Plus huit louis d'or, soit quatre-vingt-huit florins, plus, du mois dernier, cent soixante-cinq florins...

— Cent soixante-cinq florins du mois dernier ?

— Quinze louis d'or, au cours du change, que tu as empruntés à monsieur Grimm et qu'il va falloir que je rembourse. Il m'a écrit. Tu supposais qu'il allait t'en faire cadeau peut-être ?

Wolfgang, conscient de l'inutilité de toute réponse, se tait.

— Or... après quatorze mois d'absence, tu ramènes cent soixante-cinq florins et douze kreutzer. En somme, pour te permettre de courir après tes chimères, je me suis endetté de huit cent soixante-trois florins. Je te fais grâce des kreutzer.

— Père, ce voyage à Paris, c'est vous qui l'avez voulu, rappelle Wolfgang, d'un ton aussi froid que celui de son père.

— Pour gagner de l'argent. Pas pour en emprunter. Pas pour nous ruiner. A cause de toi, ta sœur est sans dot. Nannerl, figée à sa place, semble décidée à ne pas participer au débat.

— Si un mari se présentait, que pourrais-je lui dire ? Quand je pense qu'à mon âge, en plus de mon service à la Cour, j'ai dû me résoudre à ouvrir un magasin de piano-forte ! Moi ! Je ne veux pas mourir en ne laissant que des dettes, et ta sœur dans la misère. Il va falloir s'y mettre, mon garçon. Et rembourser. A trois, nous pouvons y arriver. A condition de travailler.

Wolfgang ne peut supporter ce réquisitoire :

— Je n'ai pas cessé de travailler.

— Quand je dis travailler, c'est prendre un emploi. Heureusement, l'archevêque veut bien te pardonner.

— L'archevêque ! Jamais !

— Assez ! Assez ! tonne Léopold. Tu entends. Tu devrais me remercier à deux genoux. Nous avons une chance : notre cher vieux Adlgasser vient de mourir. Tu vas écrire immédiatement pour solliciter son poste d'organiste à la Cour.

— Père...

Léopold lui tend l'écritoire.

— Je dicte. « Votre Grandeur Sérénissime... ...Très noble et digne prince du Saint Empire romain... Très gracieux prince et souverain de ce pays... Monseigneur... Votre Grandeur Sérénissime m'a fait la suprême faveur de daigner me prendre à son service après la mort de Cajetan Adlgasser. Je la prie donc très humblement de bien vouloir me nommer par décret son organiste de la Cour. En ceci comme en toutes autres faveurs et grâces, je me recommande avec la plus profonde soumission comme de Votre Grandeur Sérénissime, mon très gracieux souverain et seigneur, le très humble et obéissant... Wolfgang Amadeus Mozart. »

Et c'est ainsi que Wolfgang devient organiste à la Cour et à la cathédrale avec le titre de Konzertmeister, et non de Kapellmeister comme l'aurait souhaité Léopold. Avec quatre cent cinquante florins d'appointement et, comme consolation, la vague assurance que l'archevêque le laissera voyager au cas où il recevrait des commandes étrangères.

Dans la chapelle archiépiscopale de Salzbourg, Colloredo dit la messe, assisté d'un chanoine et de deux enfants de chœur dans cette extraordinaire profusion d'ors et de stucs.

L'authentique piété du prince-archevêque étonne lorsqu'on pense aux opinions libérales qu'il affiche jusque sur les murs de son bureau. Il se relève, se retourne à l'instant même où l'orgue attaque, soutenu par un trio à cordes.

A l'orgue, Wolfgang, en livrée, fulmine. Il surveille la première note du *Laudate Dominum* que chante la femme de Michel Haydn, éclatante de sensualité dans sa toilette d'un bleu criard. Ce *Laudate Dominum* que Mozart a composé pour la circonstance.

Après la cérémonie, il ira à la brasserie noyer son ennui dans les chopes de bière. Bercé par le brouhaha des propos de table qui l'entourent, il va quitter sa table solitaire pour rejoindre celle d'un ivrogne qu'il connaît bien : Michel Haydn qui, comme lui, cherche ici un paradis que ne leur offre pas le prince-évêque.

— Ah c'est toi, Mozart ? Tu prends quelque chose ?

Wolfgang s'assied. Il vient d'avoir vingt-quatre ans. Sa maturité nouvelle impressionne Haydn.

— Nous n'avons pas le temps, Michel, lui dit-il. Allez, viens. Nous avons promis à Schikaneder d'aller à la dernière de son spectacle, ce soir.

Haydn se lève en titubant.

— ... se fout de moi, Schikaneder. Tout le monde se fout de moi... même ma femme ! Même la serveuse se fout de moi...

Il donne une tape sur les fesses généreuses de la serveuse qui passe devant lui, portant quatre chopes à chaque main :

— Mais oui, monsieur Haydn, sortez donc prendre l'air avec votre ami.

Wolfgang l'entraîne et bientôt, des coulisses du mesquin petit théâtre de Salzbourg, tous deux contemplent l'assistance composée de ces notabilités qu'un rien éblouit. Avec des outrances qui les flattent, Schikaneder déclame la tirade finale d'*Hamlet*, la pièce de Shakespeare que l'on vient de redécouvrir.

— « Ah, je meurs, Horatio. Le poison se rend maître de mon esprit. Mais je prophétise l'élection de Fortinbras. Fais-lui connaître les événements qui m'ont requis. Le reste est silence. »

L'acteur, dans son costume clinquant, tombe lourdement sur la scène, tandis qu'Horatio donne la réplique finale :

— « Bonne nuit, doux prince. Que le chant des cohortes d'anges te conduise vers le repos. »

Le rideau tombe sous les applaudissements clairsemés et brefs des Salzbourgeois. La pièce n'a pas passé la rampe ce soir.

Derrière le rideau, on souffle déjà les bougies de scène. Sept ou huit comédiens sortent du plateau. Le dernier, la vedette du spectacle, descend dans son fabuleux costume de plumes bigarrées qui habillent bien le personnage excessif et tonitruant qu'il est : c'est Schikaneder.

— Ah, les cochons ! Ils sont durs, ce soir. Un seul rappel. Enfin, ça n'est encore rien. La semaine dernière, ils m'ont sifflé. Siffler Shakespeare !... Bonjour, Wolfgang, ça va ? Salut, Haydn.

Wolfgang salue respectueusement, ébloui devant tant d'artifices :

— Bonsoir, monsieur Schikaneder.

Les machinistes remballent déjà les décors. On se déshabille dans la coulisse : les actrices elles-mêmes se changent sans aucune gêne.

— Allez, les petites, leur crie Schikaneder. Pressons. Dans une demi-heure, il faut être en route. On répète demain à deux heures à Traunstein...

Il ôte sa coiffure de plumes, avise un acteur en costume or et noir :

— ... Toi, Ignaz, dans le spectre, ce soir, tu n'y étais pas.

L'acteur se récrie :

— Moi, je n'y étais pas ?

— Non, tu jouais dans tes bottes. Déjà que c'est un passage difficile. Si je m'écoutais, je le couperais.

Schikaneder continue à pérorer tout en se changeant, aidé par l'habilleuse.

164

— Couper dans Shakespeare ? s'étonne Wolfgang.

— Au théâtre, je ne connais que ça ! Tiens, j'ai lu le texte que tu m'as passé. L'opéra allemand que tu écris... Comment appelles-tu ça, déjà ?

— Zaïde.

— Voilà, prends-le, il est sur la table. Qui t'a torché ça ?

Wolfgang prend le manuscrit :

— Un vieil ami, Schachtner...

— Aucun talent. Trop long. Au théâtre, la première règle, c'est de l'action, toujours de l'action. La deuxième règle : couper, toujours couper. Ce qui est coupé n'est jamais sifflé.

Wolfgang et Haydn suivent l'acteur jusque dans la rue où ils le laissent rejoindre sa troupe qui embarque dans une grosse patache surchargée de matériel et sur laquelle brillent fièrement les lettres : « Tournées Emmanuel Schikaneder ». Le maître des tournées lève les yeux vers le ciel :

— Bon, il y a de la lune, on va pouvoir rouler toute la nuit. Tout le monde y est ? Manque personne ?... Merci à tous les deux, dit-il à ses amis, vous nous avez facilité la vie à Salzbourg.

— O toi, Salzbourg, capitale des plaisirs...

Il rit et Wolfgang lui lance :

— Vous allez nous manquer !

— Pas d'attendrissement. Le théâtre est une famille. On se retrouve toujours.

Et tirant Wolfgang à part, il lui confie :

— En tout cas, ta musique, petit, excellente ! C'est le livret qui ne vaut rien.

Dernier clin d'œil, dernière accolade. Schikaneder ne veut pas manquer sa sortie. Il escalade le marchepied, claque la portière et crie :

— Pressons !

La patache s'ébranle, s'éloigne... Mozart reste seul au milieu de la rue maintenant déserte. Haydn le rejoint.

— Tu n'as qu'une envie, c'est de partir avec eux...

Wolfgang hoche la tête : c'est vrai qu'il en a envie et Haydn, désignant la partition que Mozart tient sous son bras, ajoute :

— Tu es déçu, pour ton Zaïde ?

— Non. Schikaneder a raison. Il ne faut pas continuer ce qui est mal commencé. J'arrête. D'ailleurs, pour ce que j'ai envie de travailler...

Ils se mettent à marcher tristement dans la ville endormie, traînant leur désarroi dans une promenade sans but. Les bourgeois dorment paisiblement derrière les volets clos, les enseignes des commerçants grincent dans la nuit; ils suivent la rigole qui serpente au milieu des pavés, charriant les eaux sales. Ils ne disent rien et peu à peu, Haydn retrouve ses esprits. Comme ils passent près d'une fontaine, il s'en approche, plonge son visage dans l'eau et rejoint Mozart en s'essuyant avec un immense mouchoir :

— C'est honteux, ce que je bois. Je me tue ? Bon, je me tue. Qu'est-ce qu'on peut faire d'autre dans un trou pareil ?

Wolfgang marche en silence.

— Toi, au moins, continue son ami, tu es un musicien. Un vrai. Un grand. Tandis que moi...

— Arrête, Michel, arrête !

Mais Haydn s'obstine

— Un grand, Wolfgang ! Je ne sais pas comment tu fais. Tes harmonies, je les connais toutes, tes thèmes sont presque les miens. Mais maintenant, quand tu écris, ça me prend à la gorge, et ça ne me lâche plus. Non, je ne suis pas soûl. Pas jaloux, non plus. De mon frère, oui, j'ai été jaloux. Pas de toi. Ta symphonie concertante, c'est la plus belle musique au monde !

Wolfgang hausse les épaules mais Haydn l'arrête au moment où il veut le rassurer :

— Écoute !

Il se met à siffler le début du deuxième mouvement de la symphonie concertante pour violon et alto. En contemplant cette bouche arrondie qui chante sa musique, Mozart ne peut s'empêcher de sourire et il enchaîne derrière son ami la partie d'alto. Bras dessus, bras dessous, ils vont ainsi jusqu'à ce que Haydn s'arrête brusquement et prenne Mozart par le col de son habit.

— Fous le camp, Wolfgang ! Il y a un moment où la chance s'arrête. Où on ne peut plus partir. Fous le camp !

Un jour comme les autres, tout semble tranquille, Getreide-gasse. Nannerl donne une leçon à une jeune fille qui fait de monotones exercices rythmés par le bruit sec du crayon sur le bois de l'instrument. Le visage de l'aînée des Mozart se dessèche de jour en jour. Elle commence à ressembler à son père.

Soudain, Léopold fait irruption dans la pièce, en manteau. Affolé, essoufflé, il interrompt la leçon :

— Tu ne sais pas où est ton frère ?

— Non, il a dit à Thrésel qu'il rentrait déjeuner.

Le père est rassuré. Il s'avise tout à coup de la présence de l'élève :

— Ah bon, je préfère... Bonjour, mademoiselle Schaefer.

Déjà, il est dans l'autre pièce où il fait les cent pas. L'élève veut reprendre son exercice, mais l'inquiétude du père a gagné sa fille.

— Excusez-moi un instant... dit-elle.

Nannerl passe dans la salle à manger où Léopold tourne en rond et ferme doucement la porte :

— Qu'est-ce qu'il y a, papa ?

Il s'assied, le visage crispé :

— Il y a que l'archevêque veut absolument voir Wolfgang cet après-midi au palais. Il est furieux ! Qu'est-ce que ton frère a encore pu faire ? Je ne serai donc jamais tranquille !

— Il n'a sûrement rien fait, assure Nannerl calmement. Depuis qu'il est revenu, on ne peut rien lui reprocher. Il est ponctuel, modeste, docile...

— Tu le défends à présent ?

— Je dis ce qui est juste. Mais tu t'inquiètes trop, papa. C'est mauvais pour ta santé.

Le prince-archevêque Colloredo a mis ses gants pourpres et enfilé l'anneau pastoral par-dessus. Maintenant, suivi de ses valets et de son secrétaire, il descend à vive allure, l'escalier du palais archiépiscopal. Mozart est derrière eux, dans sa livrée de laquais, mal fagoté. Il dépasse l'abbé secrétaire pour arriver à la hauteur de son maître.

— En retard, comme d'habitude. Si vous croyez que j'ai le temps de vous attendre !

— Je travaillais pour Votre Grandeur.

Devant cette insolence, l'archevêque s'arrête. Tout le monde en fait autant, ce qui entraîne une légère bousculade.

— Bon. Je vous accorde six semaines, pas un jour pas une heure de plus !

— Je suis aux ordres de Votre Grandeur, mais... Votre Grandeur, six semaines... pour quoi faire ?

— La cour de Bavière vous réclame. On vous y apprécie, paraît-il. Je me demande bien pourquoi ! L'abbé Kleinmayer vous donnera les détails, moi je n'ai pas le temps. Il s'agit d'un opéra.

Il se tourne vers son secrétaire :

— Quoi, déjà ?

L'abbé répond, d'un ton solennel :

— Idoménée, Re di Creta...

— Le sujet est convenable, au moins ? s'inquiète Colloredo.

L'abbé écarte les bras en signe d'ignorance. Colloredo reprend sa descente, imité par tout le monde. Wolfgang est aussi stupéfait que ravi et il s'écrie :

— Je connais, Votre Grandeur, je connais ! Il s'agit d'un roi qui, pour échapper à une tempête, fait vœu à Neptune de sacrifier le premier homme qu'il rencontrera sur le rivage. Or, cet homme, c'est son fils !

— Je vois, encore une bêtise, déclare l'archevêque. Vous avez de la chance que je sois de bonne humeur et que j'aie besoin de bons rapports avec la cour de Bavière !

Il s'engouffre dans son carrosse; les portières claquent aussitôt et passant par la portière son auguste tête :

— Ah, monsieur le Konzertmeister ! Je compte bien que vous ferez honneur à ma chapelle ! D'ailleurs, l'abbé Varesco, mon chapelain, y veillera. Le livret sera écrit par lui.

— Votre Grandeur, est-ce que Varesco est bien l'homme...

Le carrosse a déjà démarré. Il disparaît dans un nuage de poussière à l'angle du porche d'entrée du palais.

La réaction de Mozart est fondée : travailler avec Varesco, librettiste aussi médiocre qu'imbu de lui-même, relève du défi.

Les séances de travail commencent pourtant, dans le salon des Mozart; l'atmosphère est tendue.

Assis à la table, Wolfgang s'énerve tandis que Varesco déambule dans la pièce, et feuillets en main, déclame le livret d'Idoménée avec une emphase grandiloquente :

— *Tutte nel cor vi sento*
Furie del crudo averno,
Lunge a si gran tormento
Amor, mercè, pietà.
Qui mi rubo quel core
Quel che ha tradito il mio,
Provin' dal mio furore,
Vendetta e crudeltà.

Wolfgang fait la moue. Ce texte insipide ne lui convient pas et Varesco ne peut l'ignorer.

— Alors, Monsieur Mozart, votre avis ? dit-il avec un sourire engageant.

Son avis, Wolfgang le confie à son père, quelques jours plus tard, dans la chapelle épiscopale. Au buffet d'orgue, il ramasse ses partitions, range son matériel comme tout organiste sur le « départ » :

— Non, son texte n'est pas très mauvais. Il est assez mauvais, c'est tout.

Son père, qui l'aide à ranger de son mieux, s'inquiète :

— Tais-toi, il peut nous entendre !

— Non, il est à la campagne. Il paraît qu'il y est mieux pour se recueillir et travailler. Pour ce qu'il en ramène... il pourrait aussi bien rester en ville. C'est long, ça traîne... Il faut couper, couper !

Il mime de deux doigts, les ciseaux en action.

— Couper dans le texte de Varesco ? s'indigne Léopold.

— Évidemment !

— Tu le lui as dit ?

— Bien sûr.

— Et il accepte ?

— Jusqu'ici, oui. Il m'a même recommencé tout un morceau.

— Eh bien ! Comment t'y prends-tu ?

— Seulement demain, continue Wolfgang, je pars pour Munich.

Alors, s'il y a encore des changements dans le livret, c'est toi qui devras les lui expliquer, avec mes instructions.

— Moi ? A Varesco ? s'écrie Léopold, terrorisé.

Tout en fouillant dans sa sacoche, Wolfgang réplique :

— Oui, tu n'auras qu'à lui dire que ce qui est coupé n'est jamais sifflé.

— Mais...

— Qui veux-tu qui le fasse ? Nannerl ?

C'est pourtant Nannerl qui, quelques jours plus tard, essuie la première tempête... Vociférant dans le salon des Mozart, Varesco, une lettre à la main, laisse exploser sa colère.

— Non, mais, regardez-moi ce qu'il ose me demander ! Des répliques plus superbes les unes que les autres ! Et il coupe ! Il veut des modifications ! Qu'est-ce qu'il se croit ? Et cette rage de tailler dans les apartés ! Sous prétexte que ça ralentit l'action...

— Mais, monsieur l'abbé... commence-t-elle.

— Dans un opéra, mademoiselle, les apartés, c'est ce qu'il y a de mieux. Le grand Métastase l'a dit. Votre frère en sait peut-être plus que Métastase ? Et d'abord, où est votre père ? Je veux lui parler ! Tout de suite !

— Il est à la boutique.

— Très bien. J'y vais de ce pas.

La bonne Thrésel s'interpose.

— Laissez-le donc tranquille, cet homme ! Un abbé comme vous, est-ce que ça devrait s'occuper d'opéra, avec tous ces païens ?

— Oh vous ! s'écrie Varesco, exaspéré.

Et sans autre commentaire, il court à la boutique où Léopold, plus obséquieux que jamais, vend un piano-forte à une grosse bourgeoise et sa fille. Varesco entre et de loin, par signes, fait comprendre à Léopold qu'il doit absolument lui parler. S'excusant auprès de ses clientes, celui-ci s'empresse de le rejoindre et l'entraîne dans son bureau.

Là, à l'abri de toute oreille indiscrète, Varesco se laisse aller à sa fureur, brandissant toujours sa lettre :

— Écoutez, ça ne peut pas continuer !

Léopold sait déjà de quoi il s'agit. Il sort lui aussi une lettre décachetée qu'il montre tristement à l'abbé.

— Wolfgang... n'est-ce pas ?

— J'espère qu'il regrette !

— Pas exactement. Il n'a pas attendu votre réponse. Les coupures sont faites, avoue-t-il.

Varesco blêmit.

— Sans mon accord ! Je n'accepte pas ! Je m'oppose ! Il faut...

— Je crains que ce ne soit définitif. Les répétitions avec orchestre ont déjà commencé...

Léopold prend l'air faussement contrit, baisse les yeux. Quant à Varesco, il reprend son souffle, prêt à éclater de fureur mais à l'instant où il ouvre la bouche, la porte s'ouvre et Schachtner, décomposé, apparaît.

— L'impératrice, s'écrie-t-il, hors d'haleine, l'impératrice... Elle est morte ! Il y a deuil dans tout l'Empire... L'archevêque est déjà parti pour Vienne.

Ils se taisent, pétrifiés par la nouvelle et c'est Léopold qui brise le silence.

— Ils vont fermer les théâtres... Idoménée n'aura jamais lieu... murmure-t-il, catastrophé.

Quand le chat n'est pas là, les souris dansent — c'est connu. Tant que l'archevêque est à Vienne pour assister aux funérailles et se présenter au nouvel empereur, Wolfgang peut faire durer son séjour munichois. Léopold, Nannerl et quelques amis vont en profiter pour le rejoindre, assister aux répétitions de l'opéra de l'enfant du pays et même profiter du carnaval.

Le soir de la couturière, dernière répétition générale avant la première, la fièvre règne dans les coulisses mais dans la salle, deux spectateurs seulement attendent : Mozart et un assistant.

Le théâtre de la Résidence ducale est charmant par son style rococo et son aménagement ingénieux. Les loges des quatre étages diffèrent toutes par leur forme et leur décoration. Celle du prince électeur, où Mozart est installé, l'emporte sur les autres par la richesse exubérante des tentures, des marbres et des stucs. L'ensemble est très harmonieux : l'or, le rouge et l'ivoire s'y marient avec bonheur, ajoutant à la beauté du décor antique.

Bientôt, le silence se fait en coulisses. Machinistes et accessoiristes s'immobilisent et les chanteurs et figurants, maquillés, perruqués, s'apprêtent à entrer en scène.

On frappe les trois coups. Un castrat apparaît et commence à chanter d'une voix chevrotante.

Tandis que Mozart et son compagnon écoutent, assis dans l'ombre, Léopold et Nannerl, en habits de voyage, entrent sans bruit dans le théâtre, introduits par un régisseur. Celui-ci retire deux housses blanches des fauteuils du parterre et les fait asseoir en murmurant :

— C'est la dernière répétition...

— Oui, oui, la couturière... chuchote Léopold.

— Je vais prévenir monsieur Mozart.

Mais Wolfgang est déjà là, embrassant les siens sans quitter le chanteur de l'œil — un œil loin d'être enthousiaste.

— Alors bien arrivés ? Bien logés ? Vous voyez, père, vous aviez tort de vous inquiéter ! On passe demain. Le deuil de la Cour est terminé depuis deux jours.

Sans attendre de réponse, il va vers les acteurs et leur parle d'un ton que son père et sa sœur ne lui connaissaient pas encore — un ton décidé, heureux et sans réplique. Il n'a plus le même comportement. Il est un autre...

— Mes enfants, je vais être obligé de recommencer pour votre camarade. Non seulement il joue comme une savate, mais en plus, il chante faux. Je coupe la répétition de votre quintette. Celui-là au moins, il va bien.

Piqués dans leur orgueil, les musiciens réagissent en silence. Un vieux ténor qui fait partie de la troupe fixe parle avec autorité :

— Il va bien, il va bien... c'est vous qui le dites ! Je préférerais qu'on coupe tout à fait. Je ne passe pas, Wolfgang, dit-il en montrant sa gorge.

— Mais si, mon vieux Raaf, vous y arriverez très bien ! Allez !

Léopold n'en revient pas. Il n'imaginait pas que son fils pût faire preuve de tant de maîtrise. Quand Wolfgang vient s'asseoir près de lui, il se pousse un peu, visiblement impressionné, déférent. Nannerl, elle, enfouie dans sa cape de voyage, prend l'air absent.

— Ça marche ? demande Léopold, presque timide.

— Très bien. Le prince est content. Il vient à presque chaque répétition.

— Et les chanteurs ? La soprano ?

Si Wolfgang ne fait rien pour mettre son père à l'aise, celui-ci a trouvé là une question un rien perfide.

— La femme de Wendling ? Elle est parfaite.

— Tu n'aurais pas préféré ton Aloysia Weber ? insiste Léopold avec un drôle de sourire.

— Il ne s'agit pas d'Aloysia, père. Elle est sous contrat à Vienne. Parlons d'autre chose, coupe Wolfgang.

Le soir de la générale, la salle est comble. Sur scène, la foule des chanteurs et des chœurs se prépare pour le tableau final. Le peuple de Crète, les prisonniers troyens et les prêtres de Neptune en costumes antiques de fantaisie se préparent à acclamer Idamente, successeur d'Idoménée. Dans le décor féerique du théâtre de la Résidence, cette accession au trône est célébrée avec une débauche de danses et un vrai délire des chœurs. Et quand le rideau tombe, le public applaudit frénétiquement Mozart et ses interprètes qui saluent.

Un peu plus tard, la dernière housse jetée sur le dernier fauteuil, les artistes prennent possession de la scène... Une surprise attend Mozart. On a dressé là des tréteaux chargés de bouteilles, de victuailles et de chandeliers pour fêter le succès de la première, le carnaval et surtout, le vingt-cinquième anniversaire de Wolfgang.

La fête commence et très vite bat son plein, se déchaîne — on mange, on boit, on rit en habits de ville, costumes de scène ou déguisements extravagants de carnaval et presque tout le monde est masqué, bien entendu.

Ivre de son succès — et ivre tout court — Wolfgang fait une cour effrénée à une plantureuse cantatrice qui doit avoir dans les vingt-cinq ans, elle aussi. Il la tient par la taille et elle rit sans cesse d'un rire extraordinairement gai et communicatif. Se souvenant soudain de la présence — timide — de Léopold et Nannerl, il va vers eux, entraînant la jeune femme par la main.

— Josépha, permettez-moi... mon père, ma sœur... Père, voici madame Duschek, prima donna de l'Opéra de Prague...

Léopold s'incline, embarrassé :

— Madame...

— Ah ! monsieur, votre fils a du génie... mais lui, au moins, c'est un génie gai !

Elle éclate de rire, et Wolfgang aussi. A ce moment, un remue-ménage se fait dans l'assistance qui pousse un « ah » d'admiration... Deux machinistes apportent une immense pièce montée décorée de vingt-cinq bougies. Curieuse, Josépha quitte Wolfgang qui ne peut empêcher de laisser éclater sa joie.

— Ah, père ! C'est trop beau ! Le même jour, le triomphe de mon opéra, mon anniversaire et le carnaval ! Tous les dieux se sont donné rendez-vous !

Léopold reste impassible :

— Ne bois pas trop.

— C'est la fête, père.

— A tes frais.

Wolfgang en vacille, pâlit.

— Le prince a donné une grosse somme. Je peux bien me permettre.

— Mozart ! Mozart ! scandent les invités et la femme de Wendling vient le chercher et l'amène au centre de la scène, devant le gâteau. On lui met un verre de champagne dans la main et jubilant, son ivresse lui donne toutes les audaces :

— Amis, chanteurs, musiciens, spectateurs, à tous ! Merci ! Merci ! Son Altesse a dit de notre opéra qu'il était... attendez...

Il cherche... la main sur les yeux...

— Génial ! Non, nouveau ! Beau ! Extraordinaire ! crient des voix.

— Non ! Ça, ce sont les autres... Ah, je me souviens : il a dit que j'avais de grandes choses dans une petite tête ! Croyez-moi, cela fait un rude plaisir !

Un rire général éclate, bientôt étouffé par un air de polka. Des couples se forment. On commence à danser et Wolfgang invite

Nannerl qui perd un instant sa mine chagrine. Pendant qu'ils tournoient, Wolfgang l'interroge :

— Qui est cet Yppold dont père a parlé ?

Nannerl joue les mystérieuses.

— C'est quelqu'un...

— Qui te fait la cour ?

— Oui.

— Tu l'aimes ?

Dans cette ambiance follement gaie, le visage de Nannerl s'assombrit.

— Oui. Mais papa ne veut pas. Il n'a pas de situation.

— Mais c'est de toi qu'il s'agit, Nannerl ! s'insurge-t-il. De ta vie. Ne fais pas comme moi. Je me suis trop souvent laissé faire. Défends-toi ! Défends ton bonheur !

Ils dansent longtemps, grisés par les vins du Tyrol. Léopold assiste à ce bal improvisé sans bouger de sa place et lorsque les invités commencent à partir, Wolfgang se dirige vers lui, ur verre à la main.

— Savez-vous ce qui arrive, père ? Les Duschek m'invitent à Prague. C'est une bonne idée, non ? Je pourrai y monter *Idoménée*.

Le rire de Josépha Duschek domine le brouhaha tandis que Léopold, sans un sourire, tire son fils en aparté :

— Attends une seconde. Je n'ai pas voulu t'en parler avant ce soir, mais...

— Quoi ?

— Tu en as pris à ton aise, avec ton congé. Les six semaines sont largement dépassées.

— Il y a eu le deuil...

— L'archevêque m'a chargé de te transmettre l'ordre de le rejoindre à Vienne pour les fêtes du couronnement de Joseph II. Toute la chapelle y est déjà. Il faut que tu partes demain.

Le mot « chapelle » ramène brutalement Wolfgang à la réalité.

— Demain ? répète-t-il, brusquement dégrisé. Puis il reste pensif un moment, regarde son père et descend dans la salle déserte, s'assied dans un fauteuil. Léopold le rejoint et s'installe près de lui.

— Prague... dit enfin Wolfgang.

— Tu penses à Prague uniquement à cause de cette femme. Essaie au moins d'avoir l'autorisation de l'archevêque ! Tu sais qui il vient de nommer comme maître des cuisines ? Comme ton patron, en somme ?

— C'est vrai. A Salzbourg, le maître des cuisines est mon patron...

— Plains-toi. C'est le jeune comte Arco. C'est ton ami, non ? Quand vous étiez petits, vous jouiez ensemble. Et tu l'as retrouvé chez les Lodron. Avec lui, tu as un allié dans la place...

Wolfgang regarde son père, et la froideur de ce regard met fin au discours de Léopold.

— Très bien, père. J'irai à Vienne. Mais là, il faudra bien que je m'explique avec l'archevêque.

— T'expliquer ? Qu'est-ce que ça veut dire, encore ?

Sans répondre, brusquement, son fils se lève et va rejoindre Josépha Duschek pour une nouvelle danse.

IV
LE PRIX DE LA LIBERTÉ

Le 16 mars 1781, à neuf heures du matin, Mozart arrive à Vienne. Il se dirige aussitôt vers une grande maison de trois étages, près de la cathédrale Saint-Étienne. C'est la maison des « chevaliers teutoniques » où séjourne l'archevêque Colloredo et sa suite. Wolfgang n'est pas revenu à Vienne depuis 1773, quand il était encore enfant prodige et ses souvenirs d'alors mettent un peu de baume sur son cœur. Il en a bien besoin car retrouver un archevêque jaloux de son talent enfin reconnu, ne le réjouit guère. Aujourd'hui conscient de sa valeur, il est prêt à fausser compagnie à son prince-archevêque à la première occasion. Il ne veut plus être ravalé au rang de valet de chambre ni devoir se tenir à la disposition de son protecteur qui lui impose, encore une fois ce matin-là, une longue attente en compagnie des simples domestiques.

Le bureau du comte Arco donne sur la cour d'honneur du palais épiscopal aux dalles en spirale. Une immense verrière laisse entrer la lumière et ce matin, le soleil du printemps.

Quand Wolfgang pénètre sans protocole dans son bureau, son vieil ami se lève. C'est un jeune homme de vingt-cinq ans, frêle et distingué, au regard vif et plein de bonté sous une sobre perruque. L'huissier rattrape le visiteur et le présente :

— Monsieur l'organiste et Konzertmeister Mozart.

Ainsi annoncé, Wolfgang ne sait plus quel ton adopter avec son camarade d'enfance, assis dans un fauteuil près de la verrière.

— Monseigneur...

— Monsieur le Konzertmeister...

Et soudain, dans le même élan de fraternité, tous deux se

sourient. Arco se lève et oubliant ces titres pompeux, serre son ami dans ses bras.

— Comment vas-tu, Wolfgang ? demande-t-il avec chaleur.

— Et toi ? Et d'abord, je te présente mes félicitations pour tes hautes fonctions !

En tutoyant Mozart, Arco ne s'attend pas à ce que celui-ci en fasse autant et il va peu à peu tenter de rétablir les distances qui s'imposent entre un aristocrate maître des cuisines et un valet musicien, même frère de jeux :

— Il faut bien faire quelque chose.

— En quelque sorte, Arco, tu es maintenant mon chef hiérarchique ?

— Ça, ça m'annonce des récriminations !

— Écoute, dit Wolfgang en se servant d'autorité un rafraîchissement, veux-tu venir voir la chambre qu'on m'a donnée pour mon séjour à Vienne ?

— Elle est dans le même palais où loge Sa Grandeur ! commente Arco avec malice.

— Sous les toits. Il y a juste la place d'un lit. Comment veut-on que je travaille là-dedans ?

— Eh bien, fais comme moi. Ne travaille pas !

— Autre chose. Je ne veux plus prendre mes repas à la table des domestiques. Quant à la livrée...

Devant la raideur du ton de son ami, Arco se braque :

— Le port de la livrée est prévu dans ton contrat. Dans toutes les Cours allemandes, c'est l'usage. Même le grand Joseph Haydn doit y sacrifier...

— Haydn, ce n'est pas moi, déclare Wolfgang.

Appuyé aux luxueuses reliures de sa bibliothèque, le jeune comte Arco réplique d'un ton sec :

— Enfin un mot juste. Quant aux repas, je te rappelle que tu peux parfaitement les prendre dehors. Il est prévu un défraiement.

— De trente kreutzer. Une misère.

— Comme pour tous les membres de la chapelle.

— De quoi dîner dans un restaurant de cocher ! Comment pourrais-je en recommander l'adresse à mes vieux amis comme, par exemple... la comtesse Thun ou le comte Kobenzl...

Arco se redresse, croise les mains derrière le dos et fixe Mozart insolemment accoudé à la cheminée.

— Nous le savons, monsieur le Konzertmeister, que vous avez des relations... A ta place, je n'en parlerais pas tellement. A mon tour de vous rappeler quelques-unes de vos obligations. Un, la livrée. Deux, l'interdiction de vous produire pour votre propre compte. Or, hier encore, vous avez pris part à une « académie » en ville. Et j'ajoute un article trois auquel on ne pense pas assez : l'interdiction de se gausser de l'archevêque et de l'appeler « grand mufti » comme vous le faites dans vos moments de gaieté.

Arco a fini par réussir à inquiéter Mozart mais il l'aime trop pour profiter de son avantage. Aussi est-ce de sa voix habituelle, douce et sincère, qu'il poursuit :

— Écoute, sois raisonnable. L'archevêque est déjà assez monté contre toi. Ce soir, tu as une belle occasion de rentrer en grâce.

— Que se passe-t-il ce soir ?

— Sa Grandeur donne une soirée musicale chez le prince Galitzine, l'ambassadeur de Russie. Au programme, divers ouvrages, dont quelques-uns d'un certain Mozart...

Rassuré, Wolfgang qui s'est laissé tomber sur une banquette, croise les jambes, se redresse.

— Ah ! Eh bien, vous pouvez compter sur moi, monseigneur.

— Voilà qui va mieux. A ce soir, monsieur le Konzertmeister... et, je te le recommande : à l'heure !

La sobre façade de l'hôtel Galitzine donne sur la Singerstrasse — la rue des Chanteurs. A l'intérieur, le grand escalier d'honneur mène à un salon brillamment éclairé où s'impatientent quelque deux cents personnes. Sur le palier, au bout d'une rangée de flambeaux portés par des valets en livrée, l'huissier en grande tenue attend l'arrivée des invités qu'il précède dans le salon pour les annoncer.

— Son Excellence le Comte Thun...

Par la porte un instant entrebâillée, deux musiciens de la chapelle de Salzbourg jettent un œil curieux sur ces invités : leur public.

Soudain, c'est un prélat qui apparaît :

— Sa Grandeur Sérénissime, monseigneur le prince-archevêque de Salzbourg...

Tandis que la porte se referme vivement sur Colloredo, les musiciens se préparent dans le vestiaire de fortune de l'hôtel, une espèce d'entresol sans fenêtre, chichement éclairé par quelques bougies. On ouvre les boîtes à violon, on chauffe les anches des hautbois, on grimpe une gamme au violoncelle. L'un enfile sa livrée, vérifie la tenue de l'autre qui, à son tour, inspecte celle de son voisin. Le hautbois cherche le *la*; l'altiste s'énerve :

— Vous n'avez pas vu ma partie d'alto pour la sérénade ?

Personne ne lui répond et les deux musiciens trop curieux, reviennent de leur poste d'espionnage dans le dos de l'huissier.

— Le vieux est là ! annonce le premier violon. Ça va être à nous. Y en a-t-il du linge ! Et de l'hermine ! On a beau dire... Vienne, c'est Vienne !

L'alto, qui cherche toujours, peste sans relever le nez :

— Il aurait pu se fendre d'une bougie supplémentaire. On ne voit rien ici !

Une porte s'entrouvre et le visage d'Arco apparaît. Il est visiblement préoccupé :

— Êtes-vous prêts ?

— Tout à fait, monsieur le comte. Sauf que notre Konzertmeister n'est pas là... répond le premier violon.

— Mozart n'est pas arrivé ? s'affole le maître des cuisines.

— Non, monsieur le comte, on ne l'a pas vu.

Arco claque la porte, craignant un scandale. Et il court vers le grand salon où les conversations vont bon train. Le Tout-Vienne est là, avide de ragots et exhibant toilettes et bijoux. Arco pénètre dans cette ruche bourdonnante — se faufilant entre les groupes, frôlant les robes soyeuses de l'aristocratie féminine — jusqu'au prince-archevêque qui est en grande conversation avec l'ambassadeur Galitzine. Renversé sur son fauteuil, Colloredo discute avec des airs de chef d'État :

— Le règne nouveau de sa Gracieuse Majesté Joseph II ne peut que renforcer nos liens avec la Russie, ce qui est, j'en suis sûr, le gage du repos de l'Europe...

Galitzine, que les conversations diplomatiques ennuient à mourir, s'évente de la main en souriant.

— L'accord des princes d'Empire à la politique de paix de notre grande impératrice la rendra certainement très heureuse... dit-il.

Tout en parlant, l'ambassadeur ne cesse de parcourir l'assistance du regard et remarquant la présence d'un homme d'une quarantaine d'années à l'air très affable, il sourit à nouveau, voyant là une occasion de se libérer de cette conversation.

— A propos, poursuit-il, que votre Altesse me permette de lui présenter monsieur von Sonnenfels, conseiller de sa majesté, et à qui l'empereur a confié la réforme du droit judiciaire.

— Monsieur... articule Colloredo, glacial.

Tant de froideur ne semble pas impressionner le conseiller de l'empereur, qui salue l'archevêque avec une courtoisie presque excessive, un rien ironique :

— Votre Altesse...

— C'est un franc-maçon, m'a-t-on dit, dit Colloredo à l'oreille de Galitzine.

— Il paraît, répond l'ambassadeur d'un air vague.

Un groupe de dames qui approche coupe court à ces confidences. L'une d'entre elles, la comtesse Thun, dévoile des formes généreuses corsetées dans une robe bleu vif, en faisant une profonde révérence devant l'archevêque.

— Votre Altesse...

— Oui, comtesse ?

— Ma cousine Rheinfels m'a écrit de Munich pour me dire le triomphe d'*Idoménée*. Votre Altesse est bien heureuse de s'être attachée un Kapellmeister de cette valeur !

Tant d'importance donnée à son laquais, irrite le prélat.

— En effet.

— Je l'ai écouté hier chez les Messmer, poursuit naïvement la comtesse. Mozart à Vienne, quel bonheur pour la musique ! Votre Altesse, demain nous avons le concert annuel de l'Œuvre pour les Veuves et les Orphelins des Musiciens de Vienne, et j'ai demandé à monsieur Mozart d'y prendre part. Bien entendu, avec la permission de Votre Altesse.

— Demain ? C'est malheureusement impossible, décide Colloredo d'un ton sec.

— Votre Altesse, insiste-t-elle, cela donnerait à notre concert un tel éclat ! Le jeune génie Mozart !

— Monsieur Mozart doit d'abord s'occuper de son service.

— Votre Altesse, il s'agit d'une œuvre de bienfaisance ! s'étonne Galitzine.

Colloredo a du mal à cacher son agacement.

— Nous verrons, répond-il avant d'appeler Arco pour demander l'ouverture du concert.

Arco, souriant malgré l'impolitesse caractérisée du ton de l'archevêque, obtempère. Il part, longe rapidement les couloirs de l'hôtel pour donner l'ordre aux musiciens de rejoindre leurs places sur scène. Ceux-ci, instruments en main, montent bientôt l'escalier raide et peu éclairé qui relie l'entresol au salon; ils grimpent en file indienne, pressés par Arco.

— Vite, vite !

— Mais Mozart n'est toujours pas là ! s'inquiète le premier violon.

— Mettez-vous déjà en place, ça le fera arriver.

Les musiciens font leur entrée et s'installent dans l'indifférence générale et le bruit des conversations ponctuées de rires et de bruits de verres entrechoqués. Anxieux de l'absence du Konzertmeister, ils s'assoient et fixent l'assistance.

Colloredo s'étonne de ne pas voir son Konzertmeister et Arco, qui l'a rejoint, tente de le rassurer quand brusquement, il se tait, l'œil fixé sur la grande porte du salon... par laquelle Mozart vient de faire son entrée.

Il est sans livrée, vêtu d'un élégant habit de cour, coiffé d'une perruque blanche et portant l'épée.

L'assemblée n'a d'yeux que pour lui.

— Eh bien ! Il en a, de l'audace ! murmure le premier violon, sur la scène.

— Prétentieux ! bougonne l'alto en le voyant saluer d'abord, très à l'aise, le prince et la princesse Galitzine.

Puis Wolfgang va vers un groupe qui s'est formé à son arrivée, s'incline devant ses admiratrices qui se récrient, traverse enfin le salon et vient rendre ses devoirs au prince-archevêque; celui-ci bout de fureur mais il est bien obligé de se contenir...

Ayant pris ses ordres auprès de Colloredo, Mozart va vers l'orchestre, comme porté par des murmures d'encouragement. Tandis qu'il gravit l'estrade, le prince-archevêque semonce Arco — mais le Konzertmeister est maintenant à sa place, à la tête de l'orchestre auquel il s'adresse.

— Messieurs, bonsoir. Nous commencerons par la sérénade.

Tandis que les invités s'installent sur des sièges, les musiciens constatent, stupéfaits, que Mozart est d'une extrême pâleur et que sa main tremble en tournant les pages de la partition. Arco, qui s'est approché pour lui dire ce qu'il pense de sa conduite, s'en rend compte lui aussi. Sa décontraction n'était donc qu'une apparence... Arco gronde tout bas :

— Vous êtes content de votre petit effet ? Parfait. Sa Grandeur Sérénissime vous donne l'ordre de quitter Vienne après-demain. Vous partirez immédiatement après ce concert de bienfaisance qu'on lui a extorqué.

Wolfgang ne dit rien. Il s'est forcé à faire cet acte de rébellion qu'il veut définitif. Avec un sourire de défi à l'archevêque de Salzbourg, il lève la main et l'orchestre attaque cette sérénade en *ré* majeur tout en contrastes et pleine de tendre inquiétude.

Le public s'abandonne à cette merveilleuse musique, jusqu'au second trio du menuet où l'on entend soudain le son prosaïque d'un... cor de postillon que le compositeur a utilisé pour jouer la mélodie même des garçons de diligence... Ainsi Mozart évoque-t-il de façon claire, le départ et la séparation et il ne fait plus de doute que ceci est une sérénade d'adieu.

C'est en musique que Wolfgang rompt avec Colloredo, le prince-archevêque, et c'est publiquement qu'il s'émancipe en cette nuit de printemps 1781.

S'il est entré par la grande porte, Mozart ressort tout de même avec ses confrères par l'entrée de service. Il passe très vite le seuil de la résidence russe, raidi dans une attitude digne qui cache mal sa peur d'entendre, derrière lui, les commentaires des musiciens sur sa mutinerie solitaire. Tête baissée, il s'esquive, s'apprêtant à passer, au coin de la ruelle, près de la masse sombre d'une voiture trop luxueuse pour stationner devant l'entrée des laquais. C'est alors que de l'intérieur du fiacre, une voix appelle :

— Monsieur Mozart ?

Wolfgang s'approche, lève les yeux sur la portière qui s'ouvre, éclairant discrètement un majordome à la tenue sobre.

— Si monsieur Mozart n'a pas disposé de sa soirée, Son Excellence, monsieur le baron von Sonnenfels, serait ravie de le recevoir.

— A cette heure-ci ? s'étonne Wolfgang tout en grimpant sur le marchepied.

Une irrésistible confiance l'attire vers cet homme qui tout à l'heure, a écouté avec tant d'intensité les improvisations qui ont clos le concert. Et puis le dégoût qu'il inspire à l'archevêque Colloredo ne peuvent que le rendre sympathique. La voiture part sans attendre.

Six hommes en habits sombres devisent agréablement dans une vaste salle aux murs entièrement tapissés de livres. On boit. L'ambiance est détendue. Et debout, près de l'entrée, le maître de maison, le baron von Sonnenfels attend, discrètement impatient, l'arrivée de son jeune invité. Le voici qui entre, étonné de se trouver dans une atmosphère si paisible, lui qui s'attendait à être donné en pâture, une fois de plus, à quelque riche mélomane.

Les hommes le scrutent, mais il ne se sent pas inspecté. Il s'assied sur le siège resté libre dans le cercle des invités, ignorant encore qu'il va découvrir ici un langage incroyablement nouveau. Le baron relance le débat, l'aiguillant habilement sur un thème qui doit mettre son hôte à l'aise :

— Non, Van Swieten. Tous les hommes sont frères. Être un homme, c'est avoir compassion et tendresse pour toute l'espèce humaine.

Van Swieten fait un effort de bonne volonté. Sa cinquantaine puritaine d'homme du Nord ne l'a pas préparé à tant de souplesse d'esprit :

— Y compris les Noirs, les Jaunes ?

— Et les Juifs, Van Swieten, répond le baron avec douceur. Lisez le philosophe Lessing.

Tout le monde rit avec bienveillance, comme si toute la férocité qui domine la vie quotidienne des humains, n'avait pas ici droit de cité.

— Je comprends que Sa Majesté vous ait confié la réforme de la justice. Votre esprit de charité... dit Stéphanie Le Jeune, fringant Viennois de quarante ans.

— Non, pas la charité, répond vivement le baron. La charité est une idée de l'Église. Moi, c'est de l'idée de justice que je veux partir ou même, mieux, de l'idée d'humanité. C'est au nom de l'humanité que, notamment, nous abolirons la torture. L'Europe est une république d'États qui se doivent d'avoir les mêmes principes. L'Empire ne peut pas être en retard sur l'Angleterre et sur la France. Sa Majesté m'y encourage et j'irai aussi loin qu'Elle voudra bien me soutenir.

Wolfgang écoute, stupéfait. Pour la première fois de sa vie, il est admis à égalité dans une société d'hommes libres et qui font du débat d'idées une source de connaissance. Il ose à peine en croire ses yeux et ses oreilles...

C'est un homme âgé, d'un calme rayonnant, qui parle maintenant. On l'écoute dans un silence respectueux.

— Il ne s'agit pas de politique, dit-il. Il s'agit d'une philosophie.

Comme le beau viennois esquisse un geste de dénégation, le vieil homme l'arrête :

— Je t'en prie, Gottlieb, ne fais pas le cynique. Vous autres, gens de théâtre, vous voulez toujours avoir l'air de ne croire à rien. Von Sonnenfels a raison. L'univers ne peut vivre que dans le progrès. La lumière s'y fera. Si le Tout n'est pas encore intelligible, il le deviendra.

— Même dans la poésie, dans la musique, von Born ?

— Partout.

En écoutant intensément la discussion, Mozart découvre qui sont ceux qui l'entourent. Von Born ! Le grand von Born, le célèbre penseur dont on dit qu'il anime les sociétés secrètes viennoises, est là, qui l'accepte comme son égal... Les murmures incrédules qui ont accueilli le dernier mot du vieil homme, font à Wolfgang l'effet d'un sacrilège.

— Là, je ne vous suis plus, réplique Van Swieten. Pour la pensée, pour la philosophie, vous avez raison. Mais pour la musique, j'ai le sentiment qu'elle ne cesse de dégénérer. Qu'avons-nous produit qui puisse se comparer à Bach ou à Hændel ?

Wolfgang sent qu'un aimable piège se trame pour l'amener à réagir. Mais il n'y arrive pas, il a la gorge sèche. Le baron Sonnenfels l'encourage :

— Voilà qui est aimable pour notre ami Mozart.

— C'est vrai. Il y a Mozart, confirme Van Swieten.

— Mozart... qui jusqu'ici, ajoute Stéphanie Le Jeune d'un ton complice, n'a rien dit. Voyons, Mozart, que pensez-vous de tout ça ?

Wolfgang ne peut plus reculer. Tous les yeux sont rivés sur lui. Après tout, l'épreuve est moins pénible que de braver le prince-archevêque et à la fin, il se risque — modestement :

— Je crois que vous oubliez Joseph Haydn... Enfin, il me semble. Quant à moi, je ne suis qu'un musicien.

— Un musicien qui a du talent vaut bien un prince qui n'en a pas... affirme von Born avec une sorte de tendresse. Êtes-vous au courant de la lettre que Sa Majesté a adressée à votre Colloredo ?

Wolfgang écarquille les yeux :

— Non.

Sonnenfels va prendre un papier sur son bureau et le lit :

— « L'empire sur lequel je règne doit être gouverné selon mes principes : les préjugés, les fanatismes, l'arbitraire et l'oppression, seront réprimés et chacun de mes sujets sera rétabli dans les libertés auxquelles il a droit. »

Stéphanie Le Jeune sourit en regardant Mozart qui est muet d'étonnement. Et il déclare :

— J'ai l'impression qu'entre Vienne et Salzbourg, la lettre a dû se perdre.

L'entrevue de Mozart et Colloredo, deux jours plus tard, s'avère beaucoup plus rude. Dans son bureau viennois, l'archevêque tempête :

— Dévergondé ! Filou ! Gredin !

Comme un diable à ressort qui surgirait d'une boîte, il se lève de son fauteuil. Mozart, devant le bureau, lui tient tête en silence.

— Comment a-t-il pu ? Comment avez-vous pu ! Insolent...

L'archevêque en chevrote d'indignation.

— ... je vous avais ordonné de partir jeudi dernier !

Wolfgang ne ressent plus aucune crainte.

— Il n'y avait plus de place dans la chaise-poste, dit-il.

— Il ment maintenant. Vous mentez !

Colloredo écume : il ne peut rien contre ce jeune homme conscient de son talent. Le voici condamné à discuter, faute de pouvoir ordonner. Wolfgang, les dents serrées, tremble lui aussi. De détermination. De volonté de se vaincre. Il sait que les instants qui vont suivre seront les plus pénibles de sa vie. Blême, il brave le prélat.

— Si je comprends bien, Votre Grandeur n'est pas entièrement satisfaite de mes services ?

— Ses services ! hurle Colloredo. Il ose parler de ses services ! Jamais je n'ai été si mal servi !

— Et jamais je n'ai eu tant de peine à servir, réplique Wolfgang, immobile, l'air absent, comme si c'était un autre lui-même qui parlait.

Colloredo reste une seconde interdit. Il n'en croit pas ses oreilles. Puis, une sauvage colère le soulève à nouveau :

— Quoi ? Qu'est-ce que vous avez dit ? Disparaissez ! Filez ! Je ne veux plus rien avoir à faire avec vous !

Wolfgang donne l'estocade finale :

— J'en ai autant au service de Votre Grandeur...

Il va droit à la porte, se retourne :

— Demain, j'aurai l'honneur de vous envoyer ma démission.

Un geste, comme une révérence insolente, et le voilà sorti. Colloredo n'a pas bougé. Un tel affront le laisse abasourdi.

Wolfgang non plus n'en revient pas. Il se retrouve dans la rue sans savoir comment il a franchi les portes, passé le bureau des chambellans et traversé les couloirs... Il est ailleurs... L'animation des ruelles lui semble une masse fluide dont il faut remonter le courant.

— Je l'ai fait ! Je l'ai fait ! murmure-t-il.

Il ne remarque même pas le porteur d'eau, qu'il bouscule, l'étal du marchand, les souliers vernis du bourgeois qu'il piétine sans gêne. On se retourne, on le prend pour un malade, un fou. Un petit groupe de badauds plus irritables, ou moins affairés que les autres, s'agglutine. De ce noyau émerge un escogriffe qui lui prend le bras et le secoue :

— Oh, monsieur, monsieur ? Ça ne va pas ? Non mais, regardez-moi ça, il tremble... Qu'est-ce qu'il a donc...

Mais le prenant subitement par les bras, Wolfgang se met à crier :

— Je l'ai fait ! Je l'ai fait !

Maintenant, il secoue l'homme tout entier, avec violence et l'autre s'inquiète vraiment :

— Mais laissez-moi ! Si vous êtes malade, allez vous coucher !

— Je l'ai fait ! hurle-t-il avant de s'éloigner en courant.

La semaine suivante, Wolfgang passe à nouveau les portes du palais archiépiscopal. Il se dirige vers le bureau du comte d'Arco, son supérieur direct, le maître des cuisines.

— Monsieur l'organiste et Konzertm... commence l'huissier en le voyant.

Mais déjà, Mozart est devant le bureau de son ami qui se lève.

— Qu'est-ce qui vous prend ?

— Il me prend qu'il y a huit jours que j'attends la réponse à ma lettre de démission !

Il a dit cela violemment, piqué au vif par le vouvoiement d'Arco.

— Pour une bonne raison : la lettre, je l'ai gardée pour moi.

— Quoi ? De quel droit ? demande Mozart, sur un ton plus calme.

— Du droit de l'amitié, Mozart, répond le comte en allant vers lui. Vous faites une bêtise, et un ami, c'est quelqu'un qui est là pour vous empêcher de faire des bêtises. Vous êtes tout ébloui par quelques compliments. Par quelques femmes du monde toujours prêtes à se pâmer pour n'importe quoi. Demain, elles se pâmeront pour un autre, et elles vous auront parfaitement oublié. Croyez-moi, rien ne vaut un emploi stable, solide, même modeste, mais sûr !

Wolfgang le regarde.

— Vous parlez comme mon père...

— Vous ne croyez pas si bien dire. Votre père, en effet, m'a écrit. Il m'a supplié de tout faire pour obtenir le pardon de Sa Grandeur.

— Comment ?

Cette nouvelle irruption de son père dans sa vie, par personne interposée, est la goutte d'eau qui fait déborder la coupe :

— ... vous, mon père, l'archevêque ! Vous vous êtes tous ligués contre moi ! Et vous vous ressemblez ! Je vous regarde, Arco, et je vous reconnais : vous êtes comme eux. Vous avez le même visage. Celui du pouvoir, de l'oppression, de la haine de la liberté, de la peur.

— Mozart, vous perdez la tête ! s'écrie Arco, déchiré entre l'amitié et sa propre sécurité au service de l'archevêque.

— Vous pouvez dire à mon père...

Arco a fait son choix. Il est soudain très calme.

— Bon, très bien ! Je la remettrai, votre lettre. Dès demain.

— Pourquoi demain ?

— Parce qu'aujourd'hui vous êtes en plein délire. Je vous laisse encore vingt-quatre heures.

— Je n'ai que faire de vos vingt-quatre heures ! crie Wolfgang.

— Enfin, Mozart, moi aussi, tout comte que je sois, j'encaisse des affronts, des avanies !

— Vous avez vos raisons pour vous laisser marcher dessus, monsieur le comte. Moi, je n'accepte pas !

Arco rougit et marche vers Wolfgang tandis que l'huissier qui, dans l'antichambre, n'a pas perdu un mot de l'altercation, la tête penchée contre l'huis, se délecte de cette bataille entre le comte et

191

le musicien. Bien mal lui en prend. La porte s'ouvre si brusquement qu'il a à peine le temps de se redresser pour voir le jeune maître des cuisines décocher au Konzertmeister un magistral coup de pied aux fesses. Projeté dans l'entrée, Mozart se retrouve par terre, devant l'huissier stupéfié.

Arco a claqué la porte.

Furieux, toujours par terre, Wolfgang regarde la haute silhouette du laquais qui se balance, gêné, d'une jambe sur l'autre. Et soudain, il se met à rire. Sa sortie du cocon salzbourgeois vaut celle d'un héros d'opéra bouffe. Il rit.

A Vienne, qu'il aborde enfin seul, Mozart sait qu'il retrouvera la plus rassurante des familles : les Weber, qui se sont installés dans la capitale autrichienne pour accompagner leur fille Aloysia dans sa carrière. Et en profiter. Cécilia Weber est veuve : son vieux copiste de Fridolin a rendu son dernier souffle. Elle loue des chambres amoureusement entretenues par ses filles, et elle a trouvé dans sa petite aisance viennoise quelque chose qui la rend presque avenante. Ayant mis son plus beau tablier, elle accueille Mozart avec joie.

— Bonjour, monsieur Mozart ! Quelle bonne surprise, on ne vous attendait que demain ! Sophie, Constance, Josefa ! Monsieur Mozart est là !... Soyez tranquille, ajoute-t-elle, votre chambre est prête, vous pourrez y coucher dès ce soir.

Les jeunes filles accourent dans un bruissement d'étoffes bien repassées. Wolfgang les détaille, heureux de retrouver les compagnes de son adolescence. La raide Sophie, la douce Constance, l'insolente Josefa. Ses yeux vont de l'une à l'autre.

— Bonjour, Sophie, bonjour mademoiselle Constance. Madame Weber, faites-moi donc plaisir : appelez-moi Wolfgang !

— D'une logeuse à son locataire, minaude-t-elle, ça ne se fait pas, voyons !

— Mais si ! J'y tiens.

Les commissionnaires arrivent, malles sur le dos. Le vestibule du long appartement transformé en pension est soudain bondé. Madame Weber reprend un ton professionnel :

— La chambre est au fond du couloir face, messieurs. Constance, montre-leur...

Constance précède les deux hommes et Cécilia en profite pour verser une larme.

— ... C'est mon pauvre mari qui aurait été heureux. Lui qui vous aimait tant !... Alors, dites-moi, cet archevêque ?

— Fini, madame Weber, fini ! Je suis libre, libre ! Ma vie commence aujourd'hui.

Madame Weber tient à retenir pour elle ce papillon tout neuf :

— Vous allez être comme chez vous, ici, en famille !... Wolfgang...

Elle rit de son audace, revient aux nouvelles des absents.

— Quel dommage qu'Aloysia n'habite plus ici. Elle est en tournée avec Lange, vous savez, son mari !

Elle surveille du coin de l'œil la réaction de Wolfgang occupé à tirer les nattes de Sophie qui lui fait des niches :

— Je sais, oui.

Un homme rond, la quarantaine joviale, s'avance vers lui, la main tendue. Madame Weber le présente :

— Un de mes locataires...

Le locataire se présente, très raide.

— Sternheim, conseiller référendaire.

Il claque les talons, à la prussienne. Mozart l'imite, par jeu, et se présente à son tour, hautain :

— Mozart, compositeur à son compte.

L'espiègle Sophie pouffe devant tant de cérémonie. Mais une autre silhouette surgit, grave et silencieuse et madame Weber change d'attitude : l'homme est le maître des lieux. La veuve explique vite, comme pour s'excuser :

— Monsieur Thorwart, expert comptable des théâtres impériaux. Un bon ami. Et depuis la mort de mon époux, le tuteur de mes chères petites.

Les deux hommes se saluent, sans chaleur, et madame Weber met fin à ce difficile face-à-face :

— Constance, vas-tu finir par conduire monsieur Mozart à sa chambre ?

C'est une chambre vaste, gaie, bien éclairée et meublée avec goût. Constance s'affaire, agile et modeste comme une souris. Elle range le linge dans les tiroirs de la commode, suspend les habits dans l'armoire. Comme Mozart remet de l'ordre dans ses chères partitions, elle lui rappelle sa présence en disant :

— Là, il faudra recoudre votre manche de chemise.

— C'est vous qui vous occupez de ça ici ? demande-t-il, émergeant de ses feuillets.

— Il le faut bien. Ma mère a pu caser Aloysia, à cause de la voix. Moi, je chante beaucoup moins bien et je ne suis pas très jolie...

Mozart dévisage la jeune fille : une jolie taille, un visage régulier, des yeux noirs agréables. Certes, il ne retrouve pas l'élan qui le portait vers Aloysia. Mais quoi ? Constance a l'air si douce...

— Permettez-moi de ne pas être de votre avis.

— Vrai ? dit-elle d'une voix changée — troublée.

Et elle le regarde bien en face. Ils se jaugent, se découvrent avec des yeux neufs.

— A table, les enfants ! appelle Cécilia. Constance ! Wolfgang !

— Voilà, maman, voilà ! répond la jeune fille.

L'existence d'un musicien libre n'est pas simple en ce XVIIIe siècle où les têtes couronnées et les nobles capricieux sont comme disait Léopold, « la main qui nourrit » l'artiste. Et en quittant Salzbourg à vingt-cinq ans, Mozart court le risque de se voir rapidement réduit au rang d'organiste de paroisse ou de musicien de bal. Et il n'a pas une commande, pas une seule recommandation en cette année 1781...

Pour tout bagage, il n'a que sa réputation et sa détermination à triompher. Pour survivre, il a la fastidieuse corvée des leçons particulières. Pour glaner des commandes, l'espoir de sonner aux bonnes portes des bons palais.

La comtesse de Thun s'intéresse à lui. Elle multiplie les auditions, fait feu de toutes ses relations. Le comte Kobenzl, vice-chancelier de l'Empire, l'accueille ainsi que le comte Rosenberg, directeur du théâtre allemand et Van Swieten, l'un des mystérieux participants de la soirée qui a eu lieu chez Sonnenfels et dont Mozart apprend qu'il est conservateur de la bibliothèque impériale. Avec le comte Rosenberg, avant beaucoup d'autres, ils s'attachent à faciliter l'installation de Mozart à Vienne, en ouvrant une souscription annuelle sur ses œuvres et concerts à venir, qui lui permettra de vivre décemment.

Wolfgang compose fébrilement. Les pièces pour piano, en particulier la sonate, deviennent son genre de prédilection. Les Viennois, comme il le fait remarquer dans les lettres qu'il persiste à envoyer à son père, raffolent du piano-forte.

Les académies ont un grand succès. Le public s'y presse. Un public varié qui marque l'accession d'une bourgeoisie aisée à une musique dont elle ne peut entretenir le compositeur autrement qu'en payant pour l'écouter.

Ce 23 novembre 1781, Mozart joue avec la lourde Josépha Aurnhammer, qui a tant de talent. Ils jouent, chacun à son piano, une sonate en *ré* majeur d'une rare virtuosité. Si l'artiste veut se vendre à son public, plutôt qu'à son prince, il doit lui prodiguer tout le spectaculaire de la virtuosité. Dans cette sonate, Mozart offre sa pâture à l'assistance, sans renoncer à son exigence musicale. Sa partenaire dialogue avec lui, interprétant une partie aussi brillante et fournie que la sienne.

C'est cette année-là que l'opéra impérial de Vienne reprend *Alceste*, le fameux opéra que Gluck a composé quinze ans auparavant et qui fascine encore par sa modernité. Pas une représentation où le spectateur averti ne s'extasie devant les innovations du maître viennois : une action lyrique ramenée à trois actes dépouillés de leurs prologues et airs inutiles, des récitatifs enfin chantants que tout l'orchestre accompagne. Il passe dans l'œuvre une simplicité et une vérité dramatique qui font honte aux fantasmagories à l'italienne des productions du moment.

Quand le rideau tombe, les dieux ont gracié Alceste, qui voulait se sacrifier pour la guérison du vieux roi. Les dieux ont vibré quand son mari Admète a décidé, par amour, de descendre aux enfers avec elle. L'étoffe pourpre retombe sur le décor de colonnades antiques, dans le plus grand silence. Et aussitôt, toute la salle est debout, bissant, trépignant... Les vivats fusent. Les portes de loges s'ouvrent en même temps, libérant des spectateurs écarlates. Deux hommes, imbus de leur importance, se rejoignent au mépris de la foule qui s'écarte respectueusement devant eux.

Zinzendorf, le redouté critique musical viennois, serre chaleureusement la main sèche de Salieri, le compositeur en vue qui récolte les plus grosses commandes.

Salieri revient à peine d'Italie où il a passé deux années à composer des opéras à succès. A Vienne, il est chez lui. N'a-t-il pas débuté avec le parrainage du grand Gluck ? De six ans l'aîné de Mozart, il possède un réel talent pour se mouvoir à l'aise dans les intrigues de la Cour. Il gagne sur le terrain de la révérence et des flatteries ce que Mozart perd à ne pas flatter les princes. Salieri, prisonnier de son temps, compose la musique de son temps. Rien d'inattendu dans ses harmonies éprouvées. Comme ses sourires à Zinzendorf, sa musique plaît uniquement parce qu'elle ne fait rien pour déplaire. Le critique, chaviré, contient mal son exaltation :

— Cette *Alceste* m'enchante, me ravit. C'est un chef-d'œuvre !

— Mais la salle est à moitié vide... grimace Salieri.

— Tiens, je n'ai pas remarqué, avoue Zinzendorf.

Et pour changer de sujet, il interpelle Rosenberg, le raffiné intendant général des théâtres impériaux. Rosenberg quitte le groupe avec lequel il conversait pour rejoindre le critique qu'il convient de ménager. Quand il aperçoit la grise mine de Salieri, il a une légère réticence. Dans quel piège Zinzendorf veut-il donc l'entraîner ?

— Mon cher comte, lui déclare ce dernier, Salieri prétend que vous ne faites pas le plein.

— Que voulez-vous ? C'est une reprise. Même de Gluck... c'est difficile.

— Je pense plutôt que ce soir, une partie du public a préféré aller écouter Mozart, dit Salieri.

Le goût de Zinzendorf pour les choses nouvelles a ses limites. Outré, il s'exclame :

— Quel public ? Quel public peut-on trouver pour ces concerts populaires en plein air ? Pourquoi pas dans les cuisines ? L'opéra est la musique d'une élite, d'une classe. Il faut pour la goûter, une formation, une oreille.

Salieri en rajoute :

— L'empereur a autorisé...

— L'empereur est trop bon. Il se laisse influencer par tous ces francs-maçons, ces Sonnenfels, ces von Born. Sans eux, Mozart ne serait rien.

— Je vous trouve sévère. Mozart est très fort.

— Allons, Salieri, sourit Zinzendorf. Vous craignez qu'il ne vous dépasse ?

Piqué au vif, le compositeur retrouve pour lui répondre, les gestes de son pays natal.

— Eh ! fait-il, les paumes en avant, à l'italienne.

— Mozart est un bon pianiste, c'est tout. Un pianiste qui a le tort de se prendre pour un compositeur. Enfin, Salieri, vous qui êtes un grand musicien, vous auriez l'idée de composer un opéra sur un livret en allemand comme veut le faire Mozart ?

Salieri hausse les sourcils pour souligner l'évidence. Zinzendorf poursuit :

— Enfin ! Un opéra en allemand, ça n'a pas de sens. L'opéra ne peut être chanté qu'en italien. Avec son *Enlèvement au sérail*, votre Mozart, tenez, passez-moi l'expression... votre Mozart va se casser la figure. Je m'étonne, Rosenberg, que vous souteniez cette entreprise.

Rosenberg, qui voulait se faire oublier, cherche la réponse la plus neutre possible.

— Je ne suis que l'intendant des théâtres de Sa Majesté, et c'est Elle qui décide.

Salieri lève son nez de fouine en direction d'un beau quadragénaire qui s'approche d'eux :

— Attention, voilà Stéphanie Le Jeune, l'auteur du livret !

Zinzendorf salue bruyamment le nouveau venu, cachant mal la haine qu'il lui voue :

— Alors, Stéphanie, toujours dans votre *Enlèvement* ? Une turquerie chantée en allemand ! Je n'ai jamais rien entendu d'aussi saugrenu !

La fin de sa phrase se perd dans un gros rire qui trébuche en quinte de toux.

— A partir du moment où on ne peut pas la faire chanter en turc, répond Stéphanie, olympien, je ne vois pas pourquoi il serait plus saugrenu de le faire en allemand plutôt qu'en italien.

— L'allemand est une langue qui ne chante pas ! Tout ça, ce sont des idées folles ! affirme encore le critique.

— Ce sont au moins des idées neuves ! s'écrie le librettiste en riant.

— Si après des siècles, elles sont encore neuves, c'est qu'elles ne sont pas bonnes !

— C'est ça, des idées patriotiques ! Des idées progressistes ! ironise Stéphanie.

Homme de théâtre, il part, estimant sa sortie réussie. Aussitôt, le cercle des trois hommes se resserre. Zinzendorf se penche vers ses acolytes, des lueurs de revanche dans les yeux :

— Vous l'avez entendu ? Il s'est trahi. Les concerts en plein air, l'opéra en allemand, tout ça procède d'un même dessein : flatter le peuple. Contre nous. Et vous allez encore me dire que la franc-maçonnerie n'est pas derrière ?

Salieri se contente d'une de ses courbettes de jésuite qui le font si apprécier à la Cour :

— Ah, moi, je ne dis rien !

Mozart s'est acharné à être admis par la meilleure société de Vienne. Les salons l'accueillent mais c'est celui de la comtesse de Thun qui le retient car on y parle idées nouvelles et raison. C'est en se hissant aussi haut que possible dans la bonne société que Wolfgang a trouvé ceux qui parlent d'égalité... Le paradoxe ne le gêne pas : ce n'est après tout que sa propre expérience, à l'envers.

Il ne se gêne pas non plus quand, chez la baronne von Waldstaetten, il se prélasse sur un grand lit, dans une chambre aux rideaux soigneusement tirés. Contre lui, une jeune fille rit à gorge déployée.

Wolfgang se soulève sur un coude, et scrute dans la pénombre le beau visage de sa conquête. Ce n'est pas une catin, non, ni une aristocrate alanguie. C'est Constance Weber qui se serre voluptueusement contre lui. Avec ses joues roses et sa natte défaite, elle n'a plus rien de la discrète ménagère des pensionnaires de l'appartement Weber. Comme elle rit !

— Je ris toujours quand je suis heureuse... Et toi, tu n'es pas heureux ?

Il secoue avec conviction sa tête ébouriffée, sourit.

— Mais si.

— Dis-le un peu mieux...

Câline, elle s'allonge contre lui qui repose sa tête sur l'oreiller et le regard qu'ils échangent en dit plus sur les heures qu'ils viennent de vivre, que n'importe quel discours.

— Je suis heureux, je suis heureux, je suis heureux ! dit-il, bouffon.

Ils s'embrassent et très vite, il se dégage, se lève et va tirer les rideaux. Le soleil inonde la pièce, cascade d'un miroir à l'autre dans la grande chambre luxueuse.

Wolfgang revient vers le lit :

— Il est temps que je parte.

— Déjà ?

— Il faut que je voie Stéphanie. J'ai du travail jusque par-dessus les oreilles. Il y a des moments où j'ai l'impression que ma tête va éclater.

— Reste encore, supplie-t-elle. Rien qu'une minute !

Il se laisse fléchir, et se glisse contre sa compagne, sous la couverture. Elle pose sa tête sur sa poitrine et il la caresse. Comme avec la cousinette d'Augsbourg, il joue.

— Wolfgang, je crois... non, je sais. Je sais que je t'aime.

— Il ne faut pas dire ces choses-là, Stanzerl ! s'écrie-t-il.

— Pourquoi, si c'est vrai ?

— Ce n'est pas une raison.

— Qu'est-ce qu'il faut dire, alors ?

Mozart évite le regard de Constance pour contempler le brocart qui recouvre les murs.

— Rien. On parle toujours trop... Et quelle idée d'avoir quitté la maison pour t'installer ici !

Elle ne répond pas tout de suite, passe sa main autour du cou de son amant, le berce un peu et de sa voix la plus tendre, explique :

— Je ne m'entendais plus du tout avec maman, Wolfgang. Alors, quand la baronne von Waldstaetten m'a proposé... Pour nous voir, c'est mieux, non ?

— Oui, mais ce n'est pas prudent !

— Toi aussi, tu as quitté la maison !

— Parce que je n'avais pas ma tranquillité pour travailler. Ce n'est pas la même chose.

En disant cela, il a retrouvé sa mine d'enfant apeuré par la menace d'une correction. Constance n'est pas dupe de son manège.

— Non, si tu es parti, c'est parce que ton père t'a écrit.

— Mon père n'a rien à voir là-dedans ! se défend-il.

— Qu'est-ce qu'il a contre les Weber, celui-là ? Déjà avec Aloysia...

On frappe à la porte; des coups précipités. La baronne appelle :

— Constance ! Constance !...

La jeune fille se lève, se drape rapidement dans la couette du lit aussi blanche que son corps, et pieds nus, va ouvrir. La baronne entre aussitôt. C'est une grosse femme de cinquante ans. Elle tremble et s'affale sur une chaise :

— C'est Sophie, votre petite sœur...

Sophie est déjà là. Son petit air malin a disparu :

— Vite, Constance, il faut que tu rentres tout de suite à la maison ! Monsieur Thorwart veut envoyer la police !

Wolfgang, très gêné, essaie de se rajuster. Il lève les yeux vers la baronne qui hoquète au seul mot de « police ».

— La police, chez moi, doux Jésus ! Vite, allez le calmer. Allez, filez tous les deux !

— Moi aussi ? dit Wolfgang.

Il s'étonne de la scène. Tout se passe si vite. Mais la baronne le presse, affolée :

— Vous aussi, bien entendu. La police ! Il ne manquerait plus que ça !

Tous — sauf la baronne — se retrouvent bientôt dans l'appartement Weber, où madame Weber et Thorwart dévisagent Mozart d'un œil sévère. Il leur fait face, assis sur une chaise basse.

Il tente de se lever mais Thorwart, encadré de ses femmes, lève une main vengeresse et le foudroie du regard.

— Non, jeune homme, c'est à moi de parler d'abord ! Vous avez été accueilli ici comme un fils ! Madame Weber, l'excellente madame Weber, vous a traité comme un de ses enfants. Et vous en avez profité pour débaucher, pour suborner sa fille, sa propre fille, monsieur. Une fleur d'innocence, une mineure ! Nous pourrions saisir la justice...

Madame Weber, malgré ses larmes, ne manque pas une syllabe de ce morceau de bravoure. Quand son protecteur a fini, elle prend le relais dans le genre pathétique :

— Misérable ! Non seulement vous avez déshonoré ma fille, mais vous l'avez affichée partout. Au théâtre, au Prater...

— Madame Weber, les promenades au Prater, c'est vous-même qui les avez suggérées, risque Wolfgang.

Eplorée, elle noie cette vérité dans un torrent de larmes.

— Pour prendre l'air. Pas pour prendre ma fille. Ma Constance ! Ma pauvre petite...

Avec un grand mouvement de manche, Thorwart achève l'accusé :

— Voyez ! Vous n'avez pas hésité à porter la honte et le désespoir jusqu'au sein de cette famille chrétienne. Mesurez-vous le dommage que vous lui avez causé ? Cela me donne le droit, monsieur, de vous demander : quelles sont vos intentions ?

Wolfgang comprend enfin les raisons de cette mise en scène mais sa surprise est si grande qu'il ne peut que bredouiller :

— Mes intentions... Monsieur Thorwart... j'ai pour mademoiselle Constance la plus haute estime...

— Il y avait peut-être d'autres moyens de la lui prouver, déclare le tuteur, impitoyable.

Wolfgang patauge .

— Je voulais dire... la plus grande affection...

— Voilà qui va mieux.

— Mais pour l'instant, je suis en pleine répétition. *L'Enlèvement au sérail* doit passer bientôt. Je suis très pris par mon travail...

Madame Weber émerge du chœur familial et se dresse devant

Mozart, comme si elle hésitait encore une seconde avant de lui arracher les yeux.

— Menteur ! Vous avez quand même trouvé le temps d'aller rejoindre ma fille chez cette maquerelle !

Le cher ami de la famille s'interpose. Les rôles ont été distribués... c'est maintenant évident.

— Ma chère amie, laissez-moi traiter cette affaire. Votre naturelle indulgence pourrait vous égarer. Monsieur Mozart nous a parlé de ses obligations professionnelles...

Il se tourne lentement vers Mozart et poursuit, détachant chaque syllabe :

— ... Je les respecte, Monsieur. Mais vous nous avez déclaré aussi que vous aviez pour Constance autant d'estime que d'affection. Ce sont là des paroles qui engagent. Si vous êtes un homme d'honneur, et je le crois — je dirais même que j'en suis sûr — vous ne refuserez pas de les confirmer par écrit.

Il met sous le nez de Mozart une plume, du papier et l'encre qui attendaient de jouer leur rôle, au coin de la table. Et il continue, inexorablement :

— Voilà ! Vous écrivez simplement : « Par la présente, je m'engage à épouser mademoiselle Constance Weber dans un délai de trois ans... »

— Mais... commence Wolfgang qui n'en croit plus ses oreilles — la comédie bouffe tourne au drame le plus épais.

Thorwart a prévu toutes les objections.

— Voulez-vous une porte de sortie ? Nous l'acceptons. La mort dans l'âme, à regret, mais nous l'acceptons... Dans ce cas, écrivez à la suite : « Si je devais changer d'avis, madame Weber mère recevrait de ma part une pension de trois cents florins par an... »

La plume de Wolfgang reste en l'air. Il dévisage l'homme et la femme penchés sur lui de chaque côté de la table. Cécilia Weber est l'innocence même, en apparence...

Mozart sent la révolte gronder en lui. Il n'a pas si chèrement arraché sa liberté à Colloredo et à son père pour tomber dans un piège aussi grossier, un traquenard aussi ignoble. Il regarde le couple, et Thorwart brise le premier le silence, son air menaçant contrastant bizarrement avec le sourire figé sur son visage.

— Vous l'avez déshonorée... Il faut réparer.

Lentement, Wolfgang écrit, s'appliquant à bien former chaque lettre. Il met toute l'insolence qu'il peut dans cette lenteur, comme s'il attendait une miraculeuse intervention libératrice. Une dernière fois, il hésite au bas de la page. Rien ne se passe. Il signe rageusement à l'instant même où Constance apparaît. Elle fonce sur sa mère, furieuse.

— Qu'est-ce que vous complotez encore ? demande-t-elle, glaciale.

Madame Weber tente de couvrir de sa manche l'engagement que Mozart vient de signer mais sa fille lui arrache la feuille, la lit et blêmit. Puis reprenant sa respiration, elle toise le couple et déclare, très calme :

— Je n'ai pas besoin d'un contrat pour faire confiance à monsieur Mozart. S'il veut m'épouser, je veux qu'il le fasse librement.

Et elle déchire la lettre avec une détermination souveraine. Thorwart n'a pu retenir son geste. Mozart se lève, éperdu. Tout s'est passé si vite !

Que doit-il comprendre ? Tout s'imbrique si bien qu'on ne peut s'empêcher de penser à un coup monté. Mais où s'arrête la supercherie ? A l'odieuse lettre qu'il a dû signer ? Ou alors, à l'acte généreux que Constance vient d'accomplir ?

Les bras croisés, il arpente le petit bout de pièce que la famille Weber lui a laissé. Il tourne, s'arrête, tourne à nouveau et regarde intensément le visage de sa bien-aimée, pour se persuader de sa sincérité. En déchirant le document, Constance a pris un gros risque... A moins qu'elle n'ait agi avec une suprême habileté... Mais comment la suspecter ? Non — il n'hésite plus. Il ne voit que le désintéressement et l'amour de la douce Constance.

Ils se regardent longuement : Constance a gagné et le mariage ne tardera plus...

Le 4 août 1782, Mozart épouse, à vingt-six ans, Constance qui n'en a pas dix-neuf. Les époux s'entendent bien. Elle aime la musique, chante joliment, et sait s'effacer lorsque son mari compose. Dans la quiétude de leur foyer, Mozart compose la sérénade « Haffner » et le concerto pour piano et orchestre. Son bonheur de jeune époux exulte dans *l'Enlèvement au sérail* qu'il mène à bien la même année. Stéphanie Le Jeune lui a écrit un livret plein de fraîcheur où l'on voit un jeune homme, Belmonte, à la recherche de sa fiancée dans le sérail d'un pacha turc qui l'a enlevée. Son plan échoue, mais le sultan, magnanime, rend bonheur et liberté aux amants.

L'héroïne s'appelle Constance et ce n'est pas un hasard.

A la première, en présence de l'empereur dans le Burgtheater de Vienne, Mozart tremble. Que vont penser les spectateurs de cet opéra en forme de jeu chanté populaire, où l'action se défait quand la musique l'exige, et où chaque personnage possède sa couleur propre ? Le chœur des Janissaires entame la marche finale, d'une drôlerie irrésistible. Interprètes enturbannés et public sont entraînés dans le même tourbillon de sons et de mouvements.

Mozart voulait conquérir Vienne : il l'enlève d'assaut. Au tomber de rideau, la salle fait une ovation délirante au jeune compositeur, debout à côté de l'empereur dans la loge d'honneur. Devant lui, on crie, on hurle, on applaudit, on bisse à perdre haleine. L'Empereur Joseph II applaudit lui aussi, frénétiquement, sans souci du protocole.

— Magnifique ! Magnifique ! s'écrie-t-il. Je suis ravi. Le public aussi, vous le voyez... Peut-être un peu trop de notes, non ?

Mozart qui saluait jusqu'à terre, se redresse :

— Non, Sire, pas une de trop.

Mozart est heureux. Les souscriptions annuelles pour ses opéras marchent bien. L'appartement qu'il habite avec Constance lui plaît. C'est le baron Wetzlar, un des grands financiers de Vienne, qui a offert l'hospitalité au couple. Une tranquille bohème règne dans les pièces où une domestique s'affaire, redressant les piles de partitions et les contournant du chiffon.

On sonne à la porte. Le chien aboie. La bonne va ouvrir et une femme superbe aux allures de diva et chapeautée à la dernière mode, entre et demande :

— Monsieur Mozart ?

— Monsieur, il est sorti.

— Et madame ?

— Madame, elle dort encore.

Un homme distingué au visage intelligent, suit la jeune femme.

— Je t'avais dit de prévenir, dit-il. On ne débarque pas ainsi chez les gens...

— Nous ne sommes pas chez des gens. Nous sommes chez ma sœur... déclare tranquillement sa femme en enlevant ses gants.

— Ah, Madame est la sœur ! dit Liesl.

Et, se tournant vers la chambre de Constance :

— Madame, c'est votre sœur ! Avec son mari.

Soupçonneuse, elle revient à Lange :

— Vous êtes bien son mari ?

Lange s'apprête à répondre mais Constance, pieds nus, en bonnet, un châle hâtivement jeté sur sa chemise de nuit, apparaît.

— Aloysia !

— Ma petite Constance !

Elles s'étreignent longuement. Puis Constance contemple sa sœur d'un œil admiratif.

— Tu as encore embelli. Et cette toilette ! Montre-toi !

Voyant son beau-frère, elle va vers lui.

— Ah ! Bonjour, Joseph ! On s'embrasse ? Mais entrez ! entrez !

Joseph Lange s'incline courtoisement et se contente de lui baiser la main. Constance invite du geste le couple à entrer et va fermer la porte. L'élégance très au goût du jour d'Aloysia et de Joseph tranche sur l'ambiance désordonnée de l'appartement des Mozart où papiers et partitions encombrent tous les meubles et même le sol, mêlés à divers objets de toilette.

Constance va et vient entre les piles de notes. La fébrilité, qu'elle a acquise au contact de Wolfgang contraste avec le calme de sa sœur et de son beau-frère qui se lancent des regards étonnés. Mais volubile, Constance parle de son bonheur :

— Tu vois, nous sommes bien installés. C'est le baron Wetzlar qui a insisté pour nous prêter cet appartement. Il admire tellement Wolfgang ! Viens ! Viens, viens ! Tu vois, là, c'est notre chambre. Ne regarde pas le désordre. J'étais encore couchée.

Aloysia n'a même pas daigné s'avancer.

— A onze heures ! reproche-t-elle.

— Dans mon état... le docteur m'a recommandé...

Elle termine sa phrase tout bas, à l'oreille de sa sœur et rit.

— Non ? dit Aloysia, incrédule.

— Si.

Constance confirme de la tête, souriante.

— Déjà ? Tu n'as pas perdu de temps ! C'est donc pour ça qu'il a fallu hâter le mariage ?

Sans relever la perfidie, sa sœur répond de la façon la plus ambiguë :

— Mais non, pas du tout. Qu'est-ce que tu vas chercher ? Et moi qui ne vous invite même pas à vous asseoir ! Liesl ! Liesl !

La bonne arrive, traînant les pieds. Constance la houspille :

— Débarrasse-moi ces chaises.

— Monsieur, il ne veut pas qu'on touche à ses papiers ! affirme Liesl.

Constance prend les opérations en main et entasse à la va-vite les feuilles sur la table :

— Je m'arrangerai avec lui. Apporte du café et des gâteaux.

Liesl continue à bougonner :

— Des gâteaux, il n'y en a plus. Monsieur les a tous mangés.

— Cours chez le pâtissier, vite ! s'impatiente la jeune femme. Allez, va ! Il a un de ces appétits !

— Va au moins t'habiller... conseille Aloysia que le spectacle de l'intimité quelque peu chaotique de sa sœur, met mal à l'aise.

Sa sœur lui lance sans tendresse :

— Moi ? Tu as peur pour ton mari ?

— Sotte ! Tu es toujours aussi sotte !

Le café fumant et les gâteaux posés sur un guéridon, Joseph et les deux sœurs se restaurent enfin. Constance engloutit la pâtisserie avec une gourmandise qu'elle ne songe pas à dissimuler.

— Alors, cette tournée, raconte-moi tout, demande-t-elle à Aloysia.

— Il n'y a pas grand-chose à raconter. Tout s'est très bien passé.

— Aloysia a eu un véritable triomphe... précise Lange.

Mais Constance ne s'intéresse pas aux triomphes de sa sœur et estimant le rituel de l'accueil respecté, elle se lance :

— Savez-vous que tout Vienne se l'arrache, maintenant, mon Wolfgang ? Il a souvent quatre ou cinq concerts par semaine. Et des élèves... des élèves tant qu'il veut. Tiens, à l'heure qu'il est, il donne une leçon. Mais il est obligé de choisir, parce que les leçons, ça rapporte, ça rapporte beaucoup, mais ça l'empêche de travailler... Et je ne vous parle même pas de *L'Enlèvement au sérail* ! Il y a eu une cabale. Wolfgang prétend qu'elle venait de Salieri. Mais nous voilà à la dix-huitième représentation et on se bat pour avoir des places. Tu te rappelles ? C'était sa grande idée. L'opéra en allemand. Cette fois, il a réussi.

Aloysia fronce le sourcil, visiblement agacée.

— Qu'il ne se fasse pas trop d'illusions. C'est toujours Salieri qui a la haute main sur tout. Et Salieri ne veut que des opéras en italien.

— Tu crois ? souffle Constance, soudain attentive.

— C'est pour un opéra italien qu'il vient de me signer un contrat, annonce la cantatrice, rajustant tranquillement son châle.

Les deux sœurs se mesurent du regard avec hostilité mais Aloysia, malgré ses grands airs, ne domine pas encore tout à fait la situation. Une question lui brûle les lèvres :

— Et où en êtes-vous avec... Salzbourg ?

Constance reprend l'avantage avec un petit sourire en coin.

— Avec Salzbourg ? Tout va très bien ! Dès que Wolfgang aura un peu de temps, nous irons y faire un tour.

Se penchant vers sa sœur, elle ajoute en confidence, mystérieuse :

— Tu sais, l'autorisation du papa est arrivée... mais le lendemain du mariage.

Et elle éclate de rire tandis qu'Aloysia affecte l'indifférence.

— Très intéressant.

On entend le chien aboyer et du couloir, arrivent des bruits de voix très gaies qui donnent tout de suite une atmosphère de fête aux lieux. La porte s'ouvre à deux battants et Constance et les Lange voient apparaître le dos d'un commissionnaire... Celui-ci, assisté d'un comparse à la mine aussi avinée que la sienne, apporte un piano-forte flambant neuf. Avec des gestes sûrs de professionnels, ils l'installent rapidement dans un coin de la pièce.

Et Wolfgang les suit. Dès qu'il entre, Constance lui saute au cou et s'écrie, joyeuse :

— Devine qui est là. Tu ne devineras jamais.

Mais il a déjà vu Aloysia et Lange et subitement, son visage s'est assombri. Il contemple un court instant Aloysia qui le regarde. Un silence gêné menace de s'installer, rompu par la voix jubilante, légère comme un pépiement d'oiseau, de Constance.

— Eh bien, qu'attendez-vous pour vous embrasser ?

Personne ne s'embrasse. Mozart admire la très belle femme qu'est devenue la fraîche et juvénile demoiselle Weber qu'il a aimée. Le succès a donné à Aloysia une assurance qui la rend plus attirante encore. Et celle-ci considère avec étonnement le compositeur épanoui qui la dévisage, bien différent du jeune Wolfgang qu'elle a connu.

— Mon mari, dit-il avec un geste du bras vers Lange.

Les deux hommes se serrent la main. Puis Wolfgang prend quelques pièces dans une coupe et les tend aux deux commissionnaires.

— A demain, trois heures, leur dit-il.

Au moment où ils poussent la porte, un jeune homme de seize ans à l'air très affairé, fait irruption. Il s'avance vers la maîtresse de maison, rieur.

— Constance ? Et notre promenade ? Il y a un quart d'heure que je suis en bas avec la voiture !

— Ah oui, la promenade ! Déjà ? s'écrie-t-elle. Mais j'avais de la visite. Puis-je vous présenter notre ami, monsieur von Jacquin, un élève de Wolfgang... Monsieur Jacquin, voici ma sœur, son mari... Attendez-moi, j'en ai pour deux minutes, je finis de m'habiller. Tu viens, Aloysia ?

Hésitant à laisser Wolfgang et Joseph seuls, Aloysia ne peut pourtant pas refuser. Mais Constance l'entraîne et le petit Jacquin les suit.

Lange et Mozart se regardent en silence. Finalement, le mari d'Aloysia demande :

— Alors, la vieille vous a eu, vous aussi ?

— De qui voulez-vous parler ? demande Wolfgang, un peu effaré.

Lange sourit.

— De notre belle-mère commune. Allons, allons, pas avec moi... Moi aussi, pour avoir Aloysia, il m'a fallu passer par la rente viagère. Mais j'ai dû aller jusqu'à sept cents florins. Et si je ne m'étais pas défendu, Thorwart m'en aurait extorqué le double. D'après ce que je sais, vous vous en êtes tiré à meilleur compte.

Mozart est confondu mais Lange conclut paisiblement :

— Que voulez-vous, elles sont comme ça, les filles Weber !

— Vous voulez dire qu'Aloysia était au courant ?

— Bien entendu. Et Constance aussi.

— Non ! Je ne vous crois pas. Constance est parfaitement incapable de... Si vous aviez vu la scène...

— La scène ? s'obstine Lange, sans pitié. J'y ai eu droit avant vous. Tout ce que je regrette, c'est de n'avoir pu assister aux répétitions, la veille en famille... Thorwart réglant la mise en scène, avec sa voix de fausset... « Tu attends le bon moment, puis tu entres... »

Justement, Constance entre, rose de contentement, suivie de sa sœur et de Gottfried. Mozart ne peut s'empêcher de regarder sa femme avec inquiétude, tandis que Lange soutient le regard de la sienne avec une indulgence amusée. Constance, qui ne comprend rien à ce qui se passe, demande :

— Wolfgang, tu n'as pas vu mon ruban, le rose ? Pour mes cheveux ! Je ne peux pas sortir sans mon ruban. Gottfried, cherche-le, il est sûrement dans le salon.

Pendant qu'on cherche et que Constance s'affaire aux côtés de Gottfried, dans un savant jeu de mains, Aloysia s'approche de Mozart :

— Dites-moi, cher Wolfgang, je viens d'être engagée à l'Opéra impérial...

— Je sais, oui.

— La générale de Salieri n'est que dans quatre mois. Je ne peux pas attendre si longtemps pour marquer mon retour à Vienne. Que diriez-vous d'une académie, à nous deux, pour bientôt ? Vous pourriez m'écrire quelque chose... une aria, par exemple.

Constance qui cherchait son ruban dans l'ombre miroitante du piano-forte, se redresse soudain et fixe son mari qui réfléchit et à la fin, accepte.

— C'est une idée.

— Constance ! Le voici ton ruban ! crie Gottfried en accourant.

Devant elle, il ne sourit plus car maintenant, toute la gaieté de Constance a disparu.

Mozart a besoin d'argent. Et le temps de l'intransigeance créatrice est bien loin. Il est aujourd'hui suffisamment sûr de ce qu'il vaut pour se permettre de temps en temps quelques concessions musicales qui lui gagnent une nouvelle audience à Vienne et remplissent son escarcelle. « Pour obtenir du succès, dit-il, il faut écrire des choses qui soient si compréhensibles qu'un cocher de fiacre pourrait les chanter ensuite... »

Pour ses académies de 1783, il compose une série de concerti aux mélodies chatoyantes, aux interventions de piano plaisantes. Le concerto en fa majeur pour piano-forte accroche particulièrement le public viennois par l'aisance d'un discours parfaitement accordé à son goût pour la virtuosité et une certaine sentimentalité. Rien à voir avec le chant désespéré de la symphonie concertante des dures années salzbourgeoises...

En coulisses, Aloysia, robe décolletée et bouche provocante, attend son tour, partition en main. Elle ne quitte pas des yeux Wolfgang qui lui jette un bref regard en jouant, indifférent.

C'est qu'il a d'autres pensées en tête que l'évocation d'un tendre passé. Ce qu'il lui faut, c'est un bon éditeur. En avril 1783, ses laborieuses négociations avec Sieber, à Paris, échouent. Il se rabat sur Artaria, un jeune loup d'une trentaine d'années qui accepte d'éditer ses concerti.

La boutique d'Artaria est tout en longueur. Au fond, Mozart joue avec frénésie la finale de son nouveau concerto en ut majeur. Les comptes que lui rend Artaria ne l'intéressent pas. Son véritable interlocuteur est le piano qu'il quitte, reprend, se levant et se rasseyant sans même s'en rendre compte, habité à la fois par une angoisse fiévreuse et par la joie. Le bon Van Swieten est là appuyé sur sa canne, entre l'homme de l'art et l'homme d'argent.

— Ta... ta... ta... et puis, entrée des flûtes, lui dit Wolfgang en jouant.

— Vous serez prêt pour vendredi ? s'inquiéte Artaria.

— Oui, je n'ai plus que la reprise du tutti à orchestrer. Je ferai ça cette nuit. La souscription marche ?

L'éditeur parcourt les comptes de ses yeux ronds comme des florins.

— Extraordinaire ! neuf cent soixante florins à trois jours du concert, je n'ai jamais vu ça ! Savez-vous combien ont fait Fischer et Richter, la semaine dernière ? A peine quatre cents. Et ils sont deux !

Mozart savoure la nouvelle, sans cesser de jouer.

— Et regardez la liste ! poursuit Artaria. Le Tout-Vienne sera là... Le prince d'Auersperg, le prince Lobkowitz, le prince de Lichtenstein, le comte Czernin, le prince von Schwarzenberg, la comtesse Hatzfeld, les Esterhazy au grand complet...

Mozart chante le début de cette impressionnante liste sur le thème qu'il joue au piano, ce qui ne sonne pas plus mal que les innombrables chansons à boire qu'il commet pour ses amis de brasserie :

— Auers-perg-Lob-ko-w-itz-Lich-ten-stein !

Van Swieten prend une des feuilles d'émargement, la consulte longuement et s'écrie :

— Il y a même l'empereur !

Du coup, Wolfgang s'arrête. L'Empereur... quelle consécration !

— Il viendra ? demande-t-il.

— En tout cas, il s'est inscrit pour vingt-cinq ducats. C'est énorme.

Deux couples sont entrés dans la boutique; des gens importants, à l'évidence. L'une des deux femmes est d'une éclatante beauté, et nettement plus jeune que son mari.

— Von Trattner, l'éditeur... dit tout bas Artaria à ses compagnons, avant de se précipiter, très fier, vers les nouveaux venus.

— Monsieur von Trattner, très honoré... vous voir dans mon humble boutique...

L'autre rudoie son jeune collègue :

— Allons, Artaria, ne soyez pas modeste. Elle est très bien, votre boutique... Nous sommes venus souscrire pour le concert de Mozart.

— Mais parfaitement. Commis ? Inscrivez : monsieur et madame von Trattner...

Artaria lève les yeux vers l'autre couple et Trattner présente ses amis :

— Et le comte et la comtesse von Blechstein-Brotzky.

— Monsieur le comte, très honoré. Inscrivez, commis...

On avance des chaises. Madame von Trattner s'assied, ainsi que la comtesse qui donne d'abord un coup d'éventail sur sa chaise pour en enlever la poussière, avant de dire, toussotant de réprobation contre l'apparent désordre des lieux :

— Ah, ce concert ! J'ai hâte d'y être. Je suis folle de musique ! Une « patita », comme on dit. Pour Mozart surtout. Mozart ! S'il vous plaît, trouvez-moi une place au premier rang.

— Mais madame... commence Artaria.

— Pour ses mains, l'interrompt-elle aussitôt. Moi, je ne regarde que ses mains. Il a des mains divines. Divines ! On dirait qu'elles vivent toutes seules !

Mozart continue à jouer sans intervenir mais Artaria profite de l'aubaine :

— Si madame la comtesse le permet, j'ai là, précisément, monsieur Mozart...

La comtesse se lève en voyant le compositeur s'approcher.

— Lui-même ? s'écrie-t-elle. Monsieur, je suis folle de bonheur ! J'en rêvais, demandez à mon mari.

Von Trattner devance le petit mari de la comtesse :

— Monsieur, ma femme et moi, nous sommes très heureux de vous connaître. Nous aimons beaucoup votre musique.

La comtesse s'arrache avec peine à la vision de son idole :

— A jeudi, monsieur. Mon Dieu, comment vais-je pouvoir attendre jusqu'à jeudi ?

Son cher mari ayant souscrit, elle part avec ses amis, et son parfum coûteux embaume encore la boutique lorsque Mozart se met à l'imiter :

— Ces petites mains, toutes ces notes qu'elles font ! On dirait qu'elles vivent toutes seules !...

— Et voilà des gens qui prétendent aimer la musique ! s'indigne Van Swieten.

— Ils prennent des places, déclare Mozart, c'est tout ce qu'on leur demande.

— Vous les avez entendus ? Pour eux, vous n'êtes qu'un virtuose. Votre musique, je crains qu'ils n'y comprennent pas grand-chose.

Artaria n'écoute pas. Il compte les pièces d'or, les empile en petits tas égaux, et tend sa part à Wolfgang.

— Voici ce qui vous revient pour vos deux concerts de la semaine dernière.

Empochant l'argent d'un geste négligent, sans regarder, Mozart hoche de la tête en guise de merci et va au piano dont il joue sans s'asseoir tout en parlant à Van Swieten :

— ... Voyez-vous, quand je compose un concerto, je fais deux parts. Petit *a* : la musique que tout le monde peut comprendre, même les cochers, même la comtesse von Blechstein-Brotzky... Comme ça, écoutez... Et petit *b*, la musique pour les vrais amateurs, celle que vous aimez, celle que j'aime. Comme ça... Si je ne faisais que petit *a*, j'aurais honte, et je n'écrirais plus. Si je ne faisais que petit *b*, il ne me resterait plus qu'à aller coucher sous les ponts. Tandis que petit *a* plus petit *b*, c'est le succès plus l'estime.

Wolfgang relève le menton, tout fier de sa démonstration.

— A condition de garder l'équilibre entre les deux... précise son ami.

Mozart écarte les deux bras comme un équilibriste marchant sur un fil et, se haussant sur la pointe des pieds, se dirige vers la porte. Au dernier moment, il se tourne vers Van Swieten avec un clin d'œil complice :

— Je crois que j'y arrive !

— Vous devriez venir chez moi dimanche matin. Nous ferons de la musique. Entre amis. J'ai quelque chose de tout à fait neuf à vous montrer.

Sa curiosité éveillée, Mozart baisse les bras et prend un air sérieux :

— De neuf ?

— Venez, vous verrez bien.

Van Swieten sourit, énigmatique. Il a ce même sourire pour accueillir le musicien quelques jours plus tard. Et bientôt, dans la grande bibliothèque aux ouvrages d'avant-garde précieusement reliés, Wolfgang, assis au piano-forte lit une partition manuscrite. Van Swieten, debout devant lui, le regarde. Un grand étonnement se lit sur le visage du jeune compositeur. Il lève les yeux sur son hôte. les replonge dans la partition et sa lecture achevée, la dipose sur le pupitre et se met à jouer. Les premières notes de la toccata et fugue de Jean-Sébastien Bach emplissent la pièce. Une musique puissante, dont la solide architecture soutient la passion de l'expression. Wolfgang est sidéré.

— Je ne le connaissais pas. Où l'avez-vous trouvé ? Je suis sûr que cela n'a jamais été édité.

— Je me le suis fait copier à Leipzig. C'est là que se trouvent toutes les partitions de Bach.

— Admirable ! murmure Wolfgang.

— Vous voyez, il n'y a de neuf que l'ancien... répond son hôte.

En effet, Mozart s'émerveille de la structure de pensée résolument moderne, d'avant-garde, de Bach.

— En avez-vous d'autres ?

Van Swieten lui montre de la main un gros paquet de feuilles, sur le piano-forte.

— Je peux vous les emprunter ? Pour les copier. Ici, il y a quelque chose à apprendre. Ce qui est extraordinaire, c'est cette marche des voix, cet équilibre...

— C'est l'équilibriste qui parle ?...

Les deux hommes se dévisagent. Leur très forte passion commune pour la musique les unit. Mozart réplique sans baisser les yeux :

— Non, Bach écrit pour lui tout seul. Il n'a pas besoin de public, lui...

— Vous l'enviez ?

— Je ne sais pas.

Le soir du réveillon de l'année 1793, le baron von Jacquin donne une grande réception dans les salons de son luxueux hôtel particulier.

Wolfgang est d'une gaieté folle. Il mène un jeu de personnages fort distrayant auquel s'amusent les Lange, les von Trattner, les Blechstein-Brotzky, Wetzlar, Jacquin père et ses deux enfants, le beau Gottfried et Franziska, une prometteuse adolescente de quatorze ans, et une foule d'autres invités. Au milieu de la pièce, la comtesse Blechstein-Brotzky est sur la sellette, entourée du cercle empressé des convives. Des valets circulent avec des plateaux abondamment garnis. On boit beaucoup.

Wolfgang, rayonnant, questionne la comtesse :

— Allons, vous n'avez plus droit qu'à deux questions.

La comtesse hésite, un peu théâtrale :

— ... Et si c'était un animal ?...

Von Trattner siffle :

— Une araignée.

— Ou une fourmi ! dit Constance.

— Un loup cervier, précise Van Swieten.

— Vraiment, je ne vois pas, avoue la comtesse. Et si c'était un meuble ?

Gottfried lance, du tac au tac :

— Un guichet.

On s'esclaffe; Franziska a une meilleure idée :

— Un boulier... qui sert à compter !

— Monsieur Wetzlar ! crie la comtesse, illuminée.

On rit aux éclats et Wetzlar aussi — avec son air de banquier —, mais un peu jaune :

— Eh bien, vous m'avez fait un joli portrait. Un guichet, une araignée !

La comtesse se rassied lentement dans son fauteuil :

— Ah, mon cher, un banquier !

— A toi de sortir... déclare Wolfgang à Gottfried. Qui va-t-il devoir deviner ?

Aloysia bat des mains :

— Moi ! Moi !

Elle s'est levée, très excitée. Son mari lui pose la main sur le bras pour la calmer.

— Aloysia, je t'en prie.

Wolfgang continue son office :

— Nous jouons ! Gottfried, tu peux revenir ! décide Mozart.

Le jeune homme revient, accompagné d'un couple qui vient de pénétrer dans la pièce. L'homme est grand, maigre, âgé d'une trentaine d'années, le nez busqué. Sa compagne est une jolie fille un rien vulgaire. Ils saluent Wetzlar et Jacquin père. Et le jeu reprend.

— Si c'était une fleur ?

— Une rose, dit la comtesse.

— Une orchidée, dit Wetzlar.

— Ah, c'est une femme !

Wolfgang l'encourage, en bon meneur de jeu :

— Bravo !

— Et très belle...

— Tu brûles.

Gottfried fait du regard le tour des invitées, remarque qu'Aloysia s'agite, mais continue :

— Si c'était un animal ?

— Un cygne !

— Une gazelle !

— Une renarde...

C'est Constance qui vient de lâcher cette petite cruauté qui jette un froid. Wolfgang défie sa femme du regard. Gottfried poursuit, pour éviter l'éclat :

— Ah pardon, on vient de me dire une gazelle.

— Une renarde toute blanche sous son pelage d'hiver, insiste Constance.

Et comme Aloysia porte la seule robe blanche de l'assemblée, Gottfried, bon garçon, va s'agenouiller devant elle :

— C'est vous, madame ?

L'air pincé, la belle cantratrice répond :

— Il paraît que c'est moi.

Les deux sœurs échangent un regard peu amène ce qui semble réjouir l'homme au grand nez, qui est arrivé après les autres. Mais voici le vieux Jacquin qui tire sa montre d'un geste qui invite au silence :

— Attention ! Minuit moins une !

Instantanément, les valets apportent du champagne. On éteint les candélabres.

Wolfgang prend deux flûtes et se faufile entre les convives pour en apporter une à Constance. Il avance avec difficultés. Le salon n'est plus éclairé que par les torches qui défilent dans la rue. On entend des hourras, des cris, des cloches et des pétards. Dans le salon, chacun embrasse sa chacune, puis son voisin immédiat.

— Vive l'an neuf ! Vive 1783 !

Wolfgang serre tendrement sa femme contre lui :

— Bonne année, mon petit oiseau !

— Bonne année, Wolferl !

Il a déjà disparu dans l'ombre. Constance, inquiète, le cherche du regard sans le trouver.

Dans l'obscurité, un corps généreux se coule contre celui de Mozart. Une bouche brûlante effeure la sienne. Aloysia lui murmure dans un souffle :

— Bonne année, Wolfgang !

Il est pris de court et la nostalgie, le désir sont les plus forts. Il appuie d'instinct le baiser, puis s'écarte vivement, car les bougies se rallument.

Les regards de Lange et de Constance les surprennent séparés, mais personne n'est dupe. Wolfgang cherche une contenance et Aloysia est déjà à nouveau près de son mari :

— Où étais-tu donc ? lui dit-elle, provocante. On te cherche partout !

— Tu bois trop, Aloysia, répond-il, glacial.

Gottfried fait diversion. Monté sur une chaise, il harangue ses invités :

— Mesdames, messieurs, noble assistance... je vous annonce que pour ce réveillon, notre grand et cher Mozart a composé six danses allemandes que je vais avoir l'honneur de vous jouer !

Les applaudissements fusent. Gottfried se met au piano, accompagné par un violoniste, et on danse...

Tandis que Constance, enceinte, fait tapisserie. Wolfgang cherche à éviter Aloysia que décidément, rien n'arrête.

Jacquin et von Trattner le tirent provisoirement d'affaire.

— Monsieur Mozart... dit l'éditeur, le tirant par la manche, j'ai une requête à vous présenter : ma femme n'ose pas vous en parler elle-même, mais elle serait si heureuse si vous l'acceptiez comme élève. Elle est, je crois, une excellente pianiste.

Theresa von Trattner se tient à quelque distance, muette.

— Bon, d'accord... répond-il distraitement, songeant à Aloysia — puis il se rattrape avec un sourire et ajoute : je serai ravi !

Soudain, Aloysia s'interpose entre lui et la trop belle femme de l'éditeur :

— Vous permettez que je vous enlève mon beau-frère ? Le temps d'une danse...

Wolfgang danse à ravir, possédant, plus que tout autre, ce sens du rythme qui fait l'essence de toute danse. Quant à Aloysia, elle le suit avec une aisance parfaite et provocante. Constance les observe, tendue, et brusquement, elle les perd de vue... Ils sont entrés, tout en dansant, dans le salon voisin qui est vide. Là, Aloysia s'arrête et sans préambule, cherche à embrasser Wolfgang qui la regarde.

— Qu'est-ce qui te prend ? Tu es folle ?

— Tu m'aimes encore, je le sais...

— Attention !...

— Attention ! explose-t-elle. Avec toi, c'est toujours attention ! Tu es resté aussi lâche qu'autrefois, je vois. De qui as-tu peur ? De ton père ? Il est loin. De Constance ? De mon mari ? Rassure-toi, Joseph n'est même pas capable de...

Et elle se serre contre lui à l'instant même où Lange accourt. Blême, il se précipite vers sa femme. Mozart s'interpose et une courte bagarre oppose les deux hommes. Lange, plus fort, se dégage le premier et part à la poursuite d'Aloysia qui fuit en courant dans les salons vides. Mozart les suit.

Ayant rejoint la jeune femme, Lange lui saisit le poignet et lève la main pour frapper quand une poigne énergique lui immobilise le bras... C'est le mystérieux homme au grand nez qui ironise, enjoué, en un subtil allemand teinté d'accent italien.

— Doucement ! Vous allez trop vite. Au théâtre, il faut ménager ses effets !

— Théâtre ? Quel théâtre ? Qui êtes-vous ? crie Lange, cramoisi.

Le mari d'Aloysia aperçoit alors, derrière la longue silhouette de l'intrus, les invités qui arrivent, silencieux, et se massent devant le trio, avides de sensations fortes... Sans doute pour désamorcer le scandale, l'Italien se lance avec une verve toute latine, dans un long discours de matamore, aussi décousu qu'intarissable.

— Je me présente : Da Ponte, Lorenzo Da Ponte, poète à la Cour, librettiste. Hum... La situation est bonne. Excellente. Rapide. L'opéra bouffe, il faut aller vite. Mais pas trop ! Laisser la passion se glisser entre les actions... Baisers perdus. Baisers volés... Mais non ! Il n'y a jamais eu de baiser. Mari jaloux. Amant surpris... Mais il n'y a pas d'amant. Malentendu ! Apparence. La dame est innocente. Le public le sait. Le mari ne le sait pas. L'effet est sûr. Ne jamais écrire une scène si on n'a pas prévu la suite. Le librettiste est là pour ça. Le librettiste... dont le rôle est de voir dans la scène qui précède, la scène qui suit. Tenez, monsieur Mozart, je peux déjà vous dire que votre femme va s'évanouir.

Et en effet, au premier rang des invités accourus, Constance pâlit, porte lentement la main sur son ventre, vacille et glisse sans bruit sur le sol.

Dans une révérence de commedia dell'arte, l'Italien s'incline...

Le 17 juin 1783, Constance accouche d'un garçon grand et fort, rond comme une boule. Le baron Wetzlar, qui vient d'aider les Mozart à emménager dans leur nouvel appartement de la Judenplatz, est aussi ému que le jeune couple. Quand à Cécilia Weber, elle s'agite autour de sa fille qui berce son enfant avec maladresse.

Mozart contemple tendrement sa femme et son fils.

— Nous l'appellerons Raymond. Le prénom du parrain !...
C'est l'usage, dit le banquier.

L'atmosphère est bien moins douce à Salzbourg, où Mozart est
venu voir son père. Tout a vieilli dans l'appartement. Dans la salle
à manger, quatre couverts ont été mis; l'un a déjà servi. Wolfgang
est à table, face à sa sœur, désormais irrémédiablement vieille fille.

— Franchement, père aurait pu attendre ! dit-il

Nannerl lui répond froidement, le nez pincé :

— Attendre quoi ? Que ta femme rentre de sa promenade ?
Jusqu'à quelle heure ? Hier, elle était déjà en retard.

— Père ne prend son service qu'à trois heures. Il avait tout le
temps.

Mais Nannerl a juré d'être désagréable :

— Et ses élèves ? Et le magasin de pianos ? Pour arriver à nouer
les deux bouts, il se tue à la peine. Ce n'est pas avec ce que tu lui
envoies...

— Écoute, j'envoie ce que je peux !

— Vous avez un appartement superbe, paraît-il.

— Tu tombes mal : jusqu'à présent, Wetzlar nous loge gratuitement.

— Et ta femme ! Les robes que j'ai vues !

Wolfgang laisse bruyamment tomber son couvert sur la table.

— Bon. Parlons-en, puisque tu as commencé. Je ne vous envoie
pas autant d'argent que je le voudrais, c'est vrai. Crois-tu que votre
accueil m'encourage à en faire plus ? C'est à peine si vous adressez
la parole à Constance. Elle qui se faisait une fête de vous
connaître ! Qui ne demande qu'à vous aimer !

— Mon pauvre Wolfgang, ta femme nous déteste, elle nous a
toujours détestés ! Nous étions hostiles à ce mariage, et elle le sait
bien.

Il secoue la tête !

— Absurde !

— Si elle nous aimait, pourquoi aurait-elle refusé de donner à
son fils le prénom de papa ?

220

— Mais elle n'a rien refusé du tout !

— Je constate. Cet enfant s'appelle Raymond...

— Pardon ! Raymond-Léopold.

— Si tu savais le chagrin que cela a fait à papa. Il en aurait pleuré !

— Mais Constance n'y est pour rien ! crie Wolfgang. C'est Wetzlar !

— Ah oui ! Un étranger !

— Il est le parrain !

La bonne passe la tête par la porte : ce n'est plus Thrésel. Si celle-ci n'a rien à envier à l'ancienne servante pour ce qui est des rondeurs, elle est bien plus jeune et plus insolente encore :

— Je peux servir ? Tout est froid !

Le silence qui accueille ces mots est troublé par le bruit d'une porte qu'on claque et de pas précipités qui se rapprochent. Wolfgang se lève, jette sa serviette et sort. Il court dans la chambre de son enfance, le cœur battant. Constance est là, debout, en manteau. Elle tremble. Sur la table, une lettre décachetée. Elle lève ses yeux pleins de larmes vers son mari et dit, d'une toute petite voix :

— C'est la nourrice qui écrit... Notre petit... Wolfgang, il est mort.

Il l'étreint aveuglément, sans retenir ses pleurs.

A Vienne, Mozart retrouve le tourbillon quotidien de l'existence dorée d'un jeune compositeur en vue. Les compositions succèdent aux compositions, les concerts aux concerts, les leçons richement rétribuées aux leçons qui grisent par la qualité des élèves.

Dans le luxe de la demeure des von Trattner, Wolfgang se sent chez lui. Point de dorures ni de velours qui n'y soient en trop; tout y est à son goût. Mais ce matin, rien ne lui plaît... Pas même la ravissante Thérésa von Trattner qui joue pourtant bien, avec ce brin de froideur qui correspond à sa réserve naturelle.

Mozart se lève, se promène dans la pièce, glisse son doigt sur les livres de la bibliothèque, en retient un qu'il feuillette sans le consulter, se balance sur la pointe des pieds. Il est visiblement préoccupé.

Thérésa n'a rien perdu de son manège. Elle s'arrête.

— Bien, parfait, lui dit-il, distraitement.

— Vous n'avez même pas écouté !

Mozart prend la mine d'un écolier fautif :

— Si, si ! J'écoutais...

— Mozart, qu'est-ce qui ne va pas ?

— Mais tout va très bien, je vous assure...

— C'est votre femme, n'est-ce pas ? demande-t-elle sur le ton de la confidence. Vous ne dites rien, vous voyez que j'ai raison. Elle n'arrive pas à surmonter son chagrin ? C'est ça, n'est-ce pas ?

Il la regarde et ne peut résister à la chaleur de son sourire :

— Depuis que nous sommes rentrés à Vienne, elle pleure sans arrêt. Le docteur Barisani à dû lui donner des calmants. Vous savez, moi aussi, j'ai du mal à m'y faire...

Et dans un brusque accès de chagrin, il baisse la tête. Thérésa s'est levée. Elle pose une main amicale sur son bras et il se reprend :

— Ce n'est rien, excusez-moi.

Elle va tirer le cordon d'une sonnette : un valet apparaît qui dispose des rafraîchissements sur une table.

— Merci, Gustav, merci...

Ils s'asseyent. La ravissante jeune femme sert Wolfgang avec sollicitude et dit avec douceur :

— Votre femme ne peut pas continuer à vivre dans cette maison. Elle y a trop de souvenirs... Nous avons ici, au premier étage, un appartement vide. Pourquoi ne viendriez-vous pas vous y installer ?...

— Mais...

— J'en ai parlé à mon mari. Il est d'accord. Pour le prix, nous nous entendrons toujours.

Wolfgang accepte du regard. Elle lui tend la main, qu'il baise longuement.

Wolfgang et Constance aménagent dès la semaine suivante. Les caisses jonchent le parquet de bois précieux. Un piano-forte attend, de biais dans un coin, comme une épave. Constance se fraie difficilement un chemin dans cette débauche de paille, de papiers, de caisses... Elle marche à pas comptés, comme une convalescente. A Thérésa et son mari qui la considèrent avec attendrissement, elle ne peut que répéter :

— Merci... Merci... Mille mercis...

Wolfgang suit sa jeune femme d'un regard inquiet. Von Trattner le rassure de la voix :

— Surtout, si vous avez besoin de quelque chose, n'hésitez pas à nous appeler. Je peux vous envoyer Gustav pour vous aider.

— Non, merci. Je m'en tirerai bien tout seul.

Il s'empare d'une caisse aussi grande que lui et tente de la soulever. Il a un cri de douleur aigu, porte les mains aux reins. Constance, leurs hôtes se penchent déjà, le visage soucieux, mais il se redresse vivement, un sourire aux lèvres : c'était une comédie... pour faire rire Constance. Et celle-ci retrouve tout d'un coup sa gaieté. Les voici riant tous deux de leur complicité reconquise...

Thérésa sourit tandis que son mari l'observe.

Dans l'escalier d'apparat de leur hôtel, les von Trattner remontent chez eux, deux étages plus haut, après avoir pris congé du jeune couple. Le vieux Trattner interroge avec douceur sa femme :

— Tu es amoureuse, n'est-ce pas ?

Thérésa, loin d'être surprise d'une telle question, répond sans détour, comme si elle prolongeait à voix haute ses propres pensées :

— Non, pas vraiment...

— Que veut dire ce « pas vraiment » ?

— Il est si faible, si démuni...

— Faible ? Je lui vois une vitalité étonnante !

— Pour s'étourdir, dit-elle, songeuse.

— L'autre jour, je l'ai rencontré, il courait comme un cerf, poursuit son mari. J'ai quand même réussi à le faire asseoir un instant, le temps de prendre un café. Il m'a raconté ses journées : de six heures du matin à minuit, il n'arrête pas. Même à son âge, je n'en aurais pas fait le quart.

— Ne vois-tu pas qu'il fuit ? insiste Thérésa.

— Il fuit quoi ?

— Son angoisse.

— Oh ! Tu es sur une pente dangereuse ! Une femme qui découvre qu'un homme a une angoisse, est une femme qui est prête à l'aimer.

— Prête à l'aider. Il brûle sa vie. Il gaspille son temps, son talent, son argent !

Von Trattner a une moue sceptique.

— Et tu voudrais mettre de l'ordre ? Lui donner un peu de sens pratique ?

— Ça aussi, oui.

— En somme, faire ce que sa femme ne fait pas ?

— Sa femme n'est pas digne de lui.

Ils sont arrivés sur leur palier. Von Trattner sonne et ajoute en souriant :

— Autre phrase qui est un bien mauvais signe. Enfin, essaie. Et n'oublie pas que je suis ton ami. Le plus sûr de tes amis. Si jamais cela devait aller plus loin...

— Je te le dirais, c'est promis.

Vienne n'est que musique. A la terrasse des cafés, dès que le soleil resplendit, on entend les citharistes jouer les airs à la mode.

A une table, parmi la nombreuse clientèle qui se rafraîchit, un grand gaillard au nez busqué se distingue par ses gestes exagérés et sa grosse voix italienne. Il rit aux éclats à la moindre plaisanterie que fait une toute jeune fille blonde aux immenses yeux sombres. Tout à coup, l'homme arrête de rire, se lève, et va arrêter Mozart qui passe, tête baissée, sans doute en retard à quelque rendez-vous.

— Mozart ! Mozart !

— Ah, bonjour, Da Ponte. Excusez-moi, je suis pressé.

— Tout comme moi, mon bon. Nous sommes tous pressés. Mais j'ai là, avec moi, une jolie femme, voilà qui est urgent. Permettez que je vous présente. Mon très cher ami, le célèbre Mozart. Mademoiselle Storace... Anglaise, qui vient d'arriver à Vienne, engagée par l'opéra. Une voix d'or ! Que dis-je, de diamant !

— Da Ponte, vous n'êtes pas mon impresario ! s'écrie la jeune femme avec un fort accent anglais.

Wolfgang s'incline, nerveux :

— Enchanté, mademoiselle.

— Asseyez-vous, l'invite Da Ponte.

— Non, il faut que j'aille à mon rendez-vous. Je le regrette.

Da Ponte prend un air mystérieux :

— Même si j'ai un livret à vous proposer ?

Soudain intéressé, Mozart s'assied.

— Ah ? Nouveau ?

— Tout ce qu'il y a de nouveau. Un excellent sujet. *Lo Sposo Deluso*. Fait sur mesure. En un mot, il s'agit de...

Wolfgang secoue la main.

— Non, non, ne commencez pas. Avec les gestes, nous en avons jusqu'à demain. Mais ça m'intéresse. Voulez-vous venir chez moi jeudi ? Vers quatre heures ? Nous serons tranquilles. Et maintenant, je dois partir... Mes regrets, mademoiselle, mais les journées n'ayant que vingt-quatre heures...

Da Ponte ne laisse pas à l'Anglaise le temps de répondre :

— .... et nos métiers étant les plus mal payés de Vienne...

Wolfgang renchérit, joyeusement :

— ... si on veut vivre comme un prince, il faut travailler comme un chien !

Contents de cette petite improvisation sur des dictons de la scène viennoise, les deux amis rient à gorge déployée. L'Anglaise rit de bon cœur, elle aussi, sans être sûre de bien avoir compris les plaisanteries des deux compagnons.

— Eh bien, courez, monsieur Mozart !... lance-t-elle.

Wolfgang est déjà loin et Nancy Storace le regarde s'éloigner.

— ... il est drôle, votre ami ! dit-elle à Da Ponte, rêveuse.

Dans leur salon de l'hôtel Trattner, Wolfgang termine le finale d'un concerto. Les feuillets qu'il noircit sur le pupitre de son clavecin où il essaie ses phrases musicales, passent directement à la table où un copiste travaille. Le jeune coq s'est transformé en jeune loup. Le public exige des concerti : Mozart les lui donne, hâtivement composés.

Pendant ce temps, Constance, dont le ventre s'arrondit à nouveau, porte du linge de la chambre à la cuisine en traversant le salon, aidée par Liesl. C'est le jour du repassage... Comment Mozart peut-il composer ses mélodies les plus raffinées dans cette atmosphère d'arrière-cuisine ?

— Liesl, la grande nappe, tu l'as déjà repassée ? crie sa femme.

— Je ne l'ai pas trouvée, madame.

Les bras chargés de linge, Liesl manque renverser la cage dorée du petit sansonnet, fétiche de Wolfgang.

— Attention à la cage, idiote !

L'oiseau s'affole. Constance est déjà à genoux :

— Doucement ! Petit, petit ! Oh, Wolferl, regarde comme il penche gentiment la tête...

Mais un autre oiseau fait irruption, bien plus chamarré que le sansonnet : c'est Da Ponte, un manuscrit à la main qui fait une entrée digne de lui :

— Bonjour. A l'heure, comme convenu !

Mozart continue à jouer, olympien.

— Entrez, dit-il. J'en ai pour deux minutes. Faites comme chez vous.

— Recommandation superflue, je me sens chez moi. Bonjour, Constance, perle d'Orient !

— Veux-tu du café ? demande-t-elle.

— Volontiers. Avec beaucoup de crème. La crème, c'est la Suisse du café.

Constance s'exécute en riant. Wolfgang, grisé par sa composition, rejoue les mesures finales du concerto. En connaisseur, Da Ponte hoche la tête.

— Pas mal !

Mozart sourit à l'hommage.

— Oui. Fini ! Un concerto que j'ai écrit pour une élève, Babette Ployer.

— Je connais.

Wolfgang badine :

— Dites-moi ! Cette petite avec qui je vous ai vu l'autre jour... comment s'appelle-t-elle déjà ?

— Nancy Storace.

— Votre dernière conquête ?

— Une Anglaise ? Jamais ! s'écrie Da Ponte, épouvanté.

— Je ne vous connaissais pas ces préjugés...

— Ce ne sont pas des préjugés, c'est de la prudence. Elle est mariée à une brute, un violoniste qui n'est caressant qu'avec son violon. Elle, il la bat. Il n'aurait qu'à me battre aussi.

Constance arrive, portant la cafetière et les tasses. Elle sert le café mais les soucoupes manquent, et le sucrier est ébréché.

Da Ponte finit sa tasse, ouvre son texte :

— Bien. Pour ce livret dont je vous ai parlé, je le crois bon, et...

Le copiste a profité de l'inattention de son patron pour se lever. Mozart le rattrape par la manche.

— Un instant. Redonnez-moi la première page.

Il la reprend et reporte quelque chose sur un cahier relié, posé sur le piano-forte. Da Ponte est très intrigué par ce manège :

— Qu'est-ce que c'est ?

— Un registre. Avec tout ce que j'écris, je ne m'y retrouve plus. Alors je note toutes mes compositions, avec la date et les premières mesures.

— Très sage, en effet. Bon. Donc, l'action se passe à Rome. Un premier couple, Annibale et Émilia...

Constance, toute fière, le coupe :

— Ce n'est pas tout, tu sais ! Nous avons un deuxième registre maintenant, pour les recettes et les dépenses. Tout est noté.

Da Ponte n'en croit pas ses oreilles. Il s'est arrêté net, très étonné, et Mozart, un peu gêné par cet étalage de leur intimité domestique, explique :

— Nous avons décidé de mettre un peu d'ordre dans nos finances.

— Non, non, c'est toi ! insiste maladroitement Constance. C'est Wolfgang qui y a pensé ! Et c'est une très bonne idée, je trouve. L'argent nous file entre les doigts. Parfois, on croit qu'on en a encore, et puis on s'aperçoit qu'il est parti, et on ne sait pas à quoi...

Elle va chercher le registre sur la cheminée. Un grand registre cartonné. Le copiste en profite pour rappeler sa présence par un petit toussotement :

— Bonsoir, monsieur Mozart.

— Bonsoir.

Da Ponte prend le cahier des mains de Constance et le feuillette avec une évidente curiosité. Tout à coup son visage se rembrunit et il s'exclame avec une sorte d'irritation :

— Dîner au restaurant : un florin quarante. Ah ! En effet. moi, je m'en tire avec cinquante kreutzer !

— J'aime bien manger ! déclare Wolfgang.

Mais Da Ponte poursuit son énumération, stupéfait maintenant :

— Achat d'un sansonnet : trente-cinq kreutzer ? Mouron pour le sansonnet : un demi-kreutzer ?... Non ! Vous n'allez pas me faire croire que cela vous aide de savoir que vous avez dépensé un demi-kreutzer pour le mouron du sansonnet !

— Ce sont ces petites dépenses qui désorganisent un budget, déclare Mozart d'un air raisonnable. On n'en tient pas compte, on ne les note pas, et ça finit par faire des sommes. Alors, vous m'en parlez, de votre livret ?

Da Ponte ne sait plus quoi dire. Constance a repris tasses et cafetière et elle va à la cuisine en chantonnant. Là, Liesl, aidée d'une repasseuse, s'occupe d'une montagne de linge posée sur la grande table. Constance lui tend la cafetière et les tasses.

— Tiens, prends-moi ça. Oh ! Si nous demandions à Da Ponte de rester dîner ? Avons-nous de quoi ?

Liesl inspecte du regard le garde-manger qui pend au plafond.

— Il y a un beau morceau de bœuf.

— Très bien. Nous allons le faire à l'aigre. C'est mon triomphe. Viens, on va lui demander s'il est d'accord.

Les deux femmes se dirigent vers le salon mais au moment où Constance s'apprête à pousser la porte, elle entend Da Ponte qui chapitre son mari et elle reste dans l'entrebâillement, invisible, n'en perdant pas un mot...

— Non, Mozart, non ! Cette idée n'est pas de vous, j'en mettrais ma main au feu ! Vous, avec un budget ! Avec cette comptabilité d'épicier ! Vous, engrangeant à petit bruit les bénéfices d'un petit talent ! Je me refuse à le croire. Il y a une femme là-dessous. Et ça n'est pas Constance, ça au moins, j'en suis sûr : elle vaut mieux que ça ! Alors qui ? Laquelle ? Quelque pur profil, j'imagine. Il n'y a que les femmes à pur profil pour avoir de telles idées !

Constance referme la porte tout doucement. Elle est très pâle.

Les concerts restent pour Mozart le dernier lieu où il trouve un peu de répit, loin des difficultés de la composition et de celles de la vie domestique.

Au piano-forte, il joue ce soir-là la sonate pour piano et violon en *si* bémol qu'il vient de composer pour la virtuose de Mantoue, Régina Strinasacchi. Il dialogue sublimement avec elle, répondant aux accents pathétiques de l'andante par des phrases pleines de gravité. C'est un vrai dialogue amoureux entre la violoniste et lui. Le public retient son souffle; un public de qualité présidé par l'empereur lui-même, émerveillé par cette musique aérienne, parfois douloureuse. Et si Mozart ne jette pas un seul regard à la partition ouverte devant lui, c'est qu'elle est vierge ! Il n'a, en effet, pas eu le temps de composer complètement la sonate et improvise devant la meilleure société viennoise.

Constance n'a plus confiance en son mari. Pour la première fois depuis leur mariage. Elle s'inquiète en permanence, ne peut s'empêcher de le surveiller, de l'épier... Aujourd'hui, debout dans le salon, il finit de boire son moka.

— Mon oiseau, il faut que je file. Je suis déjà en retard...

Constance, en déshabillé, le suit jusqu'à la porte et il lui pose tendrement la main sur le ventre.

— Alors, il a bougé, ce matin, le petit ?

Il n'en saura rien car elle demande, l'air sombre :

— Où vas-tu ?

— Écoute ! Je ne vais pas commencer à te réciter mon emploi du temps !

— Je suis ta femme. J'ai le droit de savoir ! crie-t-elle.

Et comme il descend les marches du bel escalier de marbre quatre à quatre, elle le suit, pieds nus, et l'appelle :

— Wolfgang !

Déjà loin, il n'a pas entendu. Elle remonte les marches péniblement, lève la tête : quelqu'un descend de l'étage supérieur. C'est Thérésa von Trattner. Alors, Constance se met à hurler tout en sanglotant :

— Vous allez le rejoindre !

— Pardon ? demande Thérésa, hautaine.

— Ne prenez pas cet air-là ! Si vous croyez que je ne vois pas clair dans vos manigances ! Vous avez rendez-vous avec lui ! Où ça ? Chez quelle maquerelle ? Chez vous, ça n'était peut-être pas assez commode ?

Thérésa perd contenance, plus par peur du qu'en-dira-t-on que de Constance. Mais une porte s'ouvre en haut. Et von Trattner descend l'escalier, très calme. Il met ses gants, sa canne sous le bras, et au passage, demande courtoisement à Constance, comme s'il n'avait rien entendu :

— Qu'y a-t-il, madame Mozart ? Vous êtes contrariée ? Avez-vous besoin de quelque chose ? Je peux vous envoyer Gustav.

Constance se tait. Les dents serrées, elle tremble. Von Trattner offre le bras à sa femme :

— Tu viens ?

Constance les regarde, les larmes aux yeux, puis rentre chez elle et claque la porte.

Dans l'escalier, Thérésa souffle à son mari, en guise de remerciement :

— Mon ami, je te jure que je ne vais pas le rejoindre.

— Je ne te demande rien.

— Je ne sais même pas où il est.

— Tiens ! Je croyais qu'il te disait tout ?

Il sourit et devant ce sourire, Thérésa perd contenance.

Il fait bon vivre sous les tonnelles du restaurant à Grinzing. Dès les premiers rayons de soleil, les Viennois s'y pressent, pour goûter les charmes rustiques d'une campagne artificiellement recréée pour leur plaisir.

L'heure du repas est passée depuis longtemps. Les serveurs ont débarrassé les tables, et s'apprêtent à servir des pichets de vin de Styrie aux promeneurs de l'après-midi. Sous les branchages, Mozart est assis face à un vieux monsieur d'une soixantaine d'années qui a tout l'air d'un notaire en goguette.

— J'aime ce vin blanc, s'extasie-t-il. Il passe comme un frisson sur la peau... Il faut parfois s'arrêter. Et prendre son temps. Sinon, c'est lui qui vous prend ! Même quand les régiments vont à marches forcées, ils s'arrêtent encore dix minutes toutes les heures...

— Si vous prenez vos exemples chez les militaires ! déclare Wolfgang, détendu.

— Pourquoi pas ? C'est de la vie que se nourrit votre œuvre, Mozart. Il faut savoir l'attendre.

— Vous trouvez que je cours trop vite ?

— Loin de moi l'idée de vous critiquer, mais parfois, je me demande ce qui vous fait courir.

— Vous parlez de marche forcée, répond le compositeur, rêveur. Vous avez raison. Je mène une sorte de guerre. Contre qui, contre quoi, je ne sais pas très bien. Le public, peut-être ?... Je dois être fait comme ça, voilà tout, je me bats... Est-ce que je sais me battre ? C'est la question.

— Décidément, nos repas à Grinzing vous rendent mélancolique.

Wolfgang ironise :

— Qui, moi ? Moi, l'authentique boute-en-train des soirées viennoises ?

— Votre musique me dit le contraire. Même lorsque vous avez l'air de rire, il reste toujours chez vous cette vérité qui est la plus forte et comme le battement de votre cœur. Peut-être le problème est-il là ? Ces Viennois aiment bien qu'on les émeuve. Ils détestent qu'on les bouleverse. Je les connais.

Désignant du doigt la partition posée au bord de la table :

— Ce que vous avez écrit là est bouleversant. Ce n'est pas de bonne compagnie.

— Ce quatuor, vous le trouvez bon ? s'inquiète Wolfgang.

Le vieux monsieur lui répond, avec la simplicité de l'évidence :

— C'est une des plus grandes choses qu'on ait jamais écrites.

Ils demeurent longtemps silencieux et le chant des oiseaux emplit l'espace. Enfin, Mozart parle :

— Merci, monsieur Haydn.

Joseph Haydn, le musicien le plus respecté d'Europe, caresse l'air d'un doux geste de la main :

— J'aime cette tonalité de *mi* bémol. Il y a de la lumière là-dedans. Et la manière dont vous faites chanter chacune de ces quatre voix. C'est la perfection.

— Je vous le dois, dit Wolfgang avec la même simplicité. Sans vos quatuors au duc Paul, je n'aurais pas trouvé le chemin. Mais ça n'a pas été facile ! Dieu que j'ai sué !

— Confidence pour confidence, moi aussi, avoue Haydn en riant.

— Vous m'avez déjà fait l'honneur de lire trois de ces quatuors. J'ai bien peur qu'il vous faille prendre votre mal en patience et en endurer bientôt trois autres.

— ... que vous allez composer ?

— ... et que je vous dédierai comme les trois premiers. A moins que vous y voyiez un inconvénient.

— Non, Mozart, aucun, assure tranquillement Haydn.

Après un bref silence, il reprend :

— Bon, je crois qu'il est temps de rentrer. Le prince Esterhazy repart demain, et je dois retourner en Hongrie avec lui. Ah, Mozart... N'en dites pas trop de mal. Il vaut mieux que votre Colloredo, et je lui dois beaucoup. Je reviendrai bientôt.

Ils se lèvent, rajustent leurs vestes.

— Monsieur Haydn ?

— Oui ?

— Vous m'avez dit qu'il fallait savoir s'arrêter de temps en temps... Je crois qu'il y a quand même un endroit où je me repose et où je suis heureux.

— Quel endroit ?

Wolfgang règle l'addition au garçon et rejoint Haydn.
— Nous en reparlerons en voiture.

L'hôtel Trattner n'est sûrement pas cet endroit merveilleux. Les Mozart y vivent l'un des moments les plus difficiles de leur courte vie conjugale.

Rentrant chez lui, Mozart trouve sa femme dans un état lamentable. Elle pleure, les cheveux ébouriffés, exige de savoir d'où il vient, gémit, crie.

— Avec Haydn ! répète-t-il, furieux. Je me tue à te dire que j'étais avec Haydn !

— Ce n'est pas vrai !

Elle le saisit par le revers de sa veste et il se dégage.

— Si, comme tous les jeudis, depuis qu'il est à Vienne !

— Ce n'est pas vrai ! Si c'était ça, tu me l'aurais dit. Tu étais avec ta putain !

— Quelle putain ?

— Thérésa ou une autre, est-ce que je sais !

— Avec Thérésa, je donne mes leçons, c'est tout !

— Et les lectures ? Quand tu lui fais la lecture ? M'as-tu jamais lu quelque chose, à moi ?

Wolfgang hausse les épaules.

— Toi, ça ne t'intéresse pas !

Constance ne se maîtrise plus. Elle hurle, cherchant à créer le scandale :

— Tout pour elle, maintenant, tes secrets, tes confidences !

Wolfgang agrippe sa femme par les épaules.

— Ne parle pas de Thérésa !

Se dégageant, elle court vers la cheminée, crie de plus belle :

— Et pourquoi ? Elle est sacrée, peut-être ? Qu'est-ce qu'elle a de plus que moi ? Elle est plus intelligente ? Elle tient mieux sa maison ? Avec une demi-douzaine de domestiques, c'est facile !

Elle prend sur le plateau de marbre, le cahier des dépenses du ménage. et le lance au visage de Mozart. Les feuillets du livre volent partout

— Le voilà, son livre de dépenses. Rends-le lui ! Tiens, je préférerais encore que tu couches avec la bonne !

Wolfgang oublie, lui aussi, toute discrétion et hurle à son tour :

— Je ne couche ni avec la bonne, ni avec Thérésa !

— Je refuse de continuer à habiter sous le même toit ! crie-t-elle plus fort encore. Je ne veux pas que mon enfant naisse dans la maison de cette femme ! Wolfgang, écoute-moi ! Je le veux ! Je l'exige ! Je veux déménager !

— Déménager ? Tu es folle !

Brusquement, Constance craque. Elle s'assied lourdement sur une chaise, pose une main sur son ventre rond et sanglote :

— Wolfgang, je n'en peux plus...

— Je ne céderai pas à tes lubies de femme enceinte, c'est compris ?

Il sort en claquant la porte et retrouve, deux étages plus haut, une Thérésa en pleurs. Pas d'excès, pas d'éclat. La belle jeune femme l'accueille avec un visage douloureux qui exprime le reproche muet et digne. Les larmes coulent silencieusement le long de son pur profil...

Mozart venait chercher de la consolation et il perd, il le sait, sa meilleure alliée. Mais ses désillusions ne font que commencer. Thérésa lui murmure maintenant des mots amers :

— A moi non plus, vous ne l'avez pas dit.

— Mais, Thérésa... dit-il de plus en plus surpris.

— Ces rencontres ont pour vous une telle importance, et vous me les avez cachées... poursuit-elle, ulcérée.

— Je vous ai dit...

Il s'agenouille devant sa confidente, tente de lui prendre la main mais elle le repousse.

— Ce que vous avez dit est parfaitement clair. Je croyais qu'entre nous, il y avait une totale confiance, une totale communion... C'est cette confiance que vous avez trahie. Votre jardin secret, Mozart, vous me l'avez fermé.

Pas de rédemption pour Mozart... Elle le contemple longuement d'un air lointain. Il ne fait plus partie de son monde imaginaire.

Il est très tard quand Wolfgang se glisse dans le lit conjugal. Il a marché, marché, parcouru longuement toutes les vieilles rues du cœur de Vienne. Maintenant apaisé, il attend, embarrassé, que Constance cesse de pleurer. Il choisit un moment où elle reprend son souffle pour lui adresser la parole, timidement :

— Constance ?

— Oui ?

— On déménage, décide-t-il.

Se retournant vers lui, elle le couvre de baisers :

— Merci, Wolfgang, merci ! Je savais bien que tu ne pouvais pas être si mauvais !

Dans la seconde, elle passe des larmes au rire, le serre à l'étouffer et ils rient, s'embrassent avec passion, rient encore... Si elle osait, elle le chatouillerait... Et d'ailleurs, elle ose... tandis qu'il s'inquiète de tant de mouvement :

— Attention, Constance, l'enfant !

Le soleil brille haut dans le ciel quand Mozart rejoint Da Ponte à la terrasse d'un café près de l'opéra. Très excité, il saute d'un pied sur l'autre et manque renverser plusieurs tables.

— Da Ponte, ça y est ! annonce-t-il, exalté, à l'Italien.

— Votre femme a accouché ?

— Non... enfin, si, qu'est-ce que je dis ? Elle a accouché. Un beau gros garçon, Karl-Thomas.

Da Ponte lui ouvre ses bras.

— Toutes mes félicitations. Si je comprends bien, ce n'est pas ça, la grande nouvelle ?

— Da Ponte, j'ai trouvé un sujet pour notre opéra.

— Un sujet ? Dites, le librettiste, c'est moi !

Wolfgang lui pose une main sur l'épaule :

— Bien entendu. Vous brûlez de savoir, non ?... Garçon, un punch !

— Je brûle, je brûle... un peu.

Wolfgang le regarde droit dans les yeux :

— Écoutez-moi bien : *le Mariage de Fi-ga-ro.*

Da Ponte avale son café de travers, sursaute et s'écrie :

— Vous n'êtes pas fou, non ?

— Pourquoi ? La pièce est superbe. A Paris, elle a fait un triomphe. Tout Vienne a déjà lu la traduction.

Le serveur, un adolescent noir, apporte le punch et Da Ponte est de plus en plus grave :

— Vous oubliez un détail, oh, minuscule, insignifiant, une brise légère : l'empereur a formellement interdit la représentation.

Wolfgang lève les épaules.

— Paisiello a bien fait un opéra du *Barbier de Séville* ! C'est de Beaumarchais, aussi.

Da Ponte tape nerveusement le bord de la table de ses longs doigts.

— A côté du *Mariage*, le *Barbier* est une bluette, une idylle. Avec quelques flèches, d'accord ! Dans le *Mariage*, ce ne sont plus des flèches, c'est du canon... La religion, la noblesse, les privilèges, la censure, tout y passe. C'est du feu. C'est l'émeute sur la scène.

— A Paris, on a bien fini par la représenter !

— A Paris, quand on a les rieurs de son côté, on peut tout se permettre. A Paris, déjà tout trébuche. Alors un trébuchement de plus... Tandis qu'ici, tout est encore debout, les institutions, la censure... Ici, nous avons affaire à des gens sérieux. Rappelez-vous... Combien de temps a-t-il fallu à Beaumarchais pour arriver à la représentation ? Trois ans ! Avez-vous trois ans à perdre ? Moi pas !

— L'empereur est un homme de progrès... avance Mozart.

Da Ponte se penche vers lui.

— Je vais vous confier un secret. Même quand ils sont des hommes de progrès, les empereurs n'aiment pas tellement qu'on leur tire dessus. Allez lui en parler, vous verrez ce qu'il répondra.

— Parce que vous vous obstinez à ne penser qu'à la pièce ! Ce n'est pas la pièce qu'il faut proposer à l'empereur, c'est déjà l'opéra.

Da Ponte met quelques secondes à comprendre.

— Quoi ? Vous voulez y travailler en cachette ? Ici, à Vienne ?

Wolfgang fait oui de la tête et son ami reprend :

— A Vienne où même quand on ne parle qu'à son oreiller, le lendemain tout le monde est au courant ! Vous encore, vous ne

risquez pas grand-chose. Mais moi, je suis un étranger, Mozart !
Qu'on peut toujours expulser ! Je suis un prêtre défroqué. Et pour
tout arranger, j'ai été juif. Malgré cela, l'empereur m'a donné un
emploi...

Mozart saisit la balle au bond :

— Ah, vous voyez !

— Je vois surtout les cinquante crocodiles qui le guignent, mon
emploi. Et qui profiteront de la moindre imprudence !

— Écoutez : supposons que, pour l'empereur, vous ayez raison.
Il n'y a pas que Vienne. J'en ai parlé à Wetzlar. Il est prêt à monter
notre opéra à Paris ou à Londres.

Da Ponte change brusquement de ton :

— Il vous a dit ça, le banquier ?

— Il me l'a dit.

— Après avoir lu la pièce ?

— Après avoir lu la pièce.

Da Ponte se tait. La caution de Wetzlar représente pour lui un
atout de poids. Il se ravise :

— Évidemment. Cela modifie le problème... Garçon ! Un autre
punch... Vous permettez, Mozart ? Quand je change d'avis, je dois
toujours boire quelque chose.

— Parce que vous changez d'avis ?

— Un moment. Je n'ai pas encore bu.

On apporte le punch et il boit lentement, riant de la nervosité de
Mozart :

— Bon, déclare-t-il enfin. Alors mettons-nous au travail immédiatement.

— Bravo ! Je le savais ! Da Ponte, Da Ponte, nous allons écrire
l'opéra du siècle ! s'écrie Wolfgang, fou de joie.

Dans son enthousiasme, il a parlé si fort que les Viennois et
Viennoises des tables voisines se retournent, à l'affût d'une
nouvelle sensationnelle.

— Doucement, Mozart ! Si vous continuez, tout Vienne va être
au courant... lui prédit Da Ponte.

— Mais je ne renonce pas à Vienne ! continue Wolfgang. Nous
aurons des appuis, vous verrez. Des appuis sérieux. Van Swieten,
Sonnenfels...

L'Italien lui adresse un sourire narquois, vaguement complice.

— Dites-moi, Mozart... Sonnenfels, Van Swieten... Vous ne seriez pas un peu franc-maçon, par hasard ?

Dans un grand salon rococo, une trentaine d'hommes de la meilleure société se trouvent réunis. On a tiré les rideaux et aligné les fauteuils en deux rangées qui se font face. Trois immenses torchères disposées en triangle éclairent confusément les membres de cette curieuse réunion qui écoutent avec gravité les lents accords d'une musique mystérieuse exprimant à la fois la tristesse et l'espoir. En costumes de ville et perruques soignées, chacun d'eux porte aussi un masque, des gants blancs et un tablier brodé.

Il s'agit de la tenue d'une loge maçonnique, et la musique, interprétée par un petit orchestre à vents et cordes est signée de Mozart. C'est sa marche funèbre maçonnique.

Au milieu de la pièce, un homme, le pied droit nu, épaules découvertes, yeux bandés, subit les épreuves qui permettront aux frères de la loge de juger s'il est digne de les rejoindre. En face de lui, sur une estrade, un homme âgé, revêtu d'ornements plus beaux encore que ceux de ses frères, le questionne. C'est le président de la loge, le Vénérable. Deux aides viennent mettre une équerre et un compas dans les mains du futur frère et le Vénérable poursuit son interrogatoire :

— Fais-tu serment d'observer les Quatre Devoirs ?

— Je le jure, sur l'équerre et le compas...

— Fais-tu serment de garder derrière tes lèvres closes les secrets de la Fraternité où tu demandes à entrer, afin que tous les ignorent ?

Le postulant s'incline :

— Je le jure sur l'équerre et le compas.

Le Vénérable fait alors poser les mains du candidat sur un livre et lui parle à l'oreille. La musique de Mozart s'élève, musique funèbre pour la mort du profane impur chez le postulant qui va renaître autre à travers l'initiation.

— Frère, tu es désormais des nôtres, dit le Grand Maître.

Garde-toi d'en concevoir de l'orgueil. Notre idéal est la liberté. Et d'abord, la liberté de penser, la tolérance. Cette tolérance implique l'égalité, mais une égalité qui puisse ne jamais nous avilir ni nous faire descendre. Plus les hommes supérieurs oublient les distances, plus il convient que tu t'en souviennes.

L'orchestre s'est tu. Et le Grand Maître annonce :

— Je déclare le convent de la Loge de la Vraie Concorde terminé.

Un à un, les frères se démasquent. Le Vénérable découvre son visage : c'est Ignaz von Born... Il donne l'accolade au nouveau Frère, qui vient de prendre le titre d'Apprenti :

— Laissez-moi vous dire, cher Frère, l'infini plaisir que j'éprouve à vous voir enfin des nôtres. Un grand musicien comme vous...

L'apprenti sourit; ce n'est autre que Joseph Haydn, qui murmure :

— Merci, Votre Excellence, mais tout le mérite en revient à celui qui a su faire de moi un prosélyte...

Une porte s'ouvre dans la cloison ajourée derrière laquelle l'orchestre a joué, et Wolfgang apparaît, enlevant son masque et ceint de son tablier de Frère musicien, brodé d'instruments de musique. Il va vers Haydn et lui prend les mains.

— Les deux plus grands musiciens allemands, Frères de loge... quelle victoire ! commente Van Swieten.

Wolfgang confie alors à Haydn la clé de l'énigme :

— Ne vous avais-je pas dit qu'il existait à Vienne un endroit où enfin, nous pouvions trouver la vraie concorde ? Et c'est aussi le seul endroit où je sois le maître et vous l'apprenti ! dit-il en riant.

V

LA FOLLE JOURNÉE

Les Mozart ont donc déménagé... et le nouvel appartement est somptueux. Presque princier mais un peu froid.

Da Ponte et Mozart travaillent près du piano-forte. Contre un mur, un divan où couvertures et oreillers se bousculent, en grand désordre. Wolfgang est en robe de chambre, sérieusement grippé. Il laisse un instant sa partition pour procéder à une fumigation, ce qui a le don d'énerver Da Ponte.

— Si vous êtes trop malade, déclare-t-il, remettons à demain !

Wolfgang, sous la serviette, fait des signes de dénégation.

— Vous êtes sûr ?

— Je peux au moins vous écouter ! s'écrie Mozart.

— Bon, je continue. « Suzanne : — Madame, vous tremblez, c'est le froid ! » « La comtesse : — Cette nuit est humide, je vais me retirer. » « Figaro (*Il est derrière un arbre*) : — Nous voici au moment décisif ! » Là-dessus, entre Chérubin...

Wolfgang émerge de sa fumigation :

— Ah non ! Là, ça va trop vite.

— Trop vite ?

— La jalousie de Figaro ! Il me faut une intervention de Suzanne pour la justifier, un air, un vrai grand air !

— A ce moment-là, nous sommes en pleine action ! Vous allez briser le mouvement...

Mais Wolfgang sait ce qu'il veut et l'autorité du librettiste de l'empereur ne l'impressionne guère :

— Pas du tout.

— Chez Beaumarchais...

— Je sais, chez Beaumarchais, Chérubin entre immédiatement. Beaumarchais a écrit une pièce. Nous, nous composons un opéra. Il me faut un air à cet endroit-là ! Il me faut du sentiment. Non... plutôt de la sensualité. Voilà, de la sensualité !

Da Ponte se résigne devant tant de fougue.

— Et le malheureux librettiste n'a plus qu'à s'exécuter. Si vous croyez que c'est simple !

Wolfgang ne l'écoute plus, il cherche une feuille sur le piano-forte :

— J'avais ça quelque part... Constance ! Ah, voilà ! Constance !

— Qu'est-ce qu'il y a ? Ça ne va pas ? demande-t-elle en entrant, inquiète.

— Si, si, ça va très bien. Prends ça et déchiffre-le. Moi, je n'ai plus de voix.

Mais elle montre le divan.

— Le docteur t'avait dit de rester couché !

Et prenant à témoin Wetzlar, le banquier, qui arrive :

— Il devait rester couché !

— Mais oui ! Bonjour, Wetzlar ! dit Wolfgang avant de se mettre au piano tandis que sa femme parcourt la partition, l'air embarrassé :

— Je ne connais pas les paroles !

— Moi non plus ! lance Da Ponte, furieux.

— Chante la, la, la, la... dit Wolfgang.

Et pendant qu'elle chante, il commente :

— Voilà. Un trois temps. Une noire, une croche. Elle appelle l'amour : « Viens, n'attends pas... » Quelque chose comme ça...

— Vous avez fini ? demande Wetzlar. J'ai une grande nouvelle à vous annoncer : l'opéra qui devait être créé à la rentrée est retiré. C'est l'occasion ou jamais. Seulement il faut faire vite. Salieri a un opéra tout prêt. Il a déjà demandé audience à l'empereur.

— L'opéra dont Sarti a écrit le livret ? s'enquiert le librettiste...

— Oui.

— Alors nous arrivons trop tard ! assure Mozart.

— Pas du tout, déclare le banquier. Je me suis informé. L'audience de Salieri et Sarti n'est que pour la semaine prochaine. Par Sonnenfels, je vous en ai obtenu une pour après-demain.

— Mais nous ne sommes pas prêts !

— Tant mieux ! s'écrie Wetzlar. Vous donnerez à l'empereur l'impression que c'est lui qui vous passe commande. A vous de jouer, monsieur Da Ponte.

— A moi ?

— J'ai demandé l'audience en votre nom. Mozart est le pire diplomate que je connaisse. Vous, vous avez auprès de l'empereur une arme capitale : vous le faites rire.

Da Ponte cille sous le compliment.

— Merci. Je me demande comment je dois le prendre ! Mais couper l'herbe sous le pied de cet ignare de Sarti, ce serait...

Wetzlar s'amuse franchement.

— Rien de tel qu'une bonne haine entre librettistes ! N'oubliez pas, mon cher, Salieri et Sarti sont très soutenus par Rosenberg...

Au palais de Schoenbrunn, ce matin-là, mille plumeaux caressent tout, passés par valets et servantes. Le palais se remet des festivités de la nuit précédente, avant de préparer celles de la soirée à venir.

Dans son cabinet de travail, l'empereur Joseph II reçoit les visiteurs qui ont demandé audience. L'antichambre où ceux-ci attendent ressemble à la salle des pas perdus d'un tribunal où chacun redouterait le verdict du magistrat suprême... Mais c'est le tour de Da Ponte...

L'empereur l'attend, assis derrière son bureau, le dos à la lumière du parc. Da Ponte s'installe et lui expose respectueusement sa demande. L'empereur fronce les sourcils et s'étonne :

— Vous me surprenez, monsieur Da Ponte. Cette pièce, vous savez bien que je l'ai interdite.

— Sage décision, Votre Majesté.

— Je suis heureux, je suis réconforté d'avoir votre approbation. Mais alors, voulez-vous me dire ce que vous faites ici ?

— Que Votre Majesté me permette très humblement d'insister sur ce point : je ne parle pas de la pièce, je parle de l'opéra...

— La différence ne saute pas aux yeux !

— Elle est capitale.

— C'est toujours le même sujet...

— Le sujet, Majesté, un bien grand mot ! Un point de départ, tout au plus, un tremplin ! Certes, comme votre Majesté l'a fort bien vu, Beaumarchais, qui croit avoir des idées — des idées, le malheureux ! — a jugé bon d'ajouter quelques pointes, quelques épines... Est-ce une raison pour rejeter la rose ?

Da Ponte ponctue ce discours de gestes de jardinier dans une roseraie :

— ... Enlevons les épines, il reste la rose, il reste l'émotion, la valeur humaine, l'intrigue, les personnages... La... morale.

— La morale ? Dans le *Mariage de Figaro* ? Da Ponte, vous m'amuserez toujours !

L'empereur se sent au spectacle, il a retrouvé sa bonne humeur. Il se renfonce dans son fauteuil et pianote joyeusement sur son bureau. Da Ponte est un excellent acteur...

— Votre Majesté pense bien que si je me suis permis de lui soumettre ce projet, c'est parce que j'y vois le moyen d'exalter cette haute moralité qui seule peut apparaître dans un théâtre protégé par Sa Majesté. Et puis, il y a la musique. Avec la musique. la parole perd son pouvoir d'allusion, l'agressivité disparaît. Dans un opéra, les paroles, c'est ce qui compte le moins. Lorsque nous regardons, je ne sais pas, moi, un patineur... ce que nous admirons, c'est la grâce de ses mouvements. l'aisance de ses évolutions, non la glace qui le porte.

— Pour un librettiste, je vous trouve soudain bien modeste, monsieur Da Ponte, ironise Joseph II. En somme, vous me demandez mon appui pour duper ma censure ? L'idée est neuve...

— Cet opéra peut être le plus bel hommage à cette politique des lumières dont Sa Majesté s'est fait le défenseur... Quant à la musique, vous êtes, Sire, meilleur juge que moi. Mais je crois pouvoir affirmer qu'elle est merveilleuse !

— La musique ? Voulez-vous dire que votre opéra est déjà terminé ?

Da Ponte bat prudemment en retraite.

— Jamais, Sire ! Jamais nous ne nous serions permis ! Mais, pour que Votre Majesté puisse juger, nous avons procédé à quelques... quelques essais... quelques échantillons. Voilà, quelques échantillons.

Rassuré, l'empereur se lève, aussitôt imité par Da Ponte. L'entretien est terminé.

— Eh bien, que Mozart me présente ses échantillons. Je verrai...

— C'est que précisément...

— Quoi encore ?

— C'est que... Mozart est là... dans l'antichambre, avec sa partition...

A cette nouvelle, Joseph II se met à rire.

— Vous avez de l'enthousiasme, c'est une qualité que j'apprécie particulièrement. Cela me permet de passer sur vos qualités de diplomate qui, elles, sont à revoir... monsieur Da Ponte... Allons écouter Mozart.

Quelques instants plus tard, dans le salon de musique du palais de Schoenbrunn, Mozart joue sur un piano-forte flambant neuf. Les principaux thèmes de l'opéra s'enchaînent, pleins de grâce et d'humour. Joseph II, assis à bonne distance, écoute avec attention. Debout derrière lui, Da Ponte et Rosenberg s'ignorent.

Da Ponte explique à l'empereur le sens de l'action, faisant signe à Mozart qui, chaque fois, interprète la mélodie correspondante. Il raconte... Au XVIIIe siècle, près de Séville, Figaro, barbier entreprenant, veut épouser Suzanne, la femme de chambre de la comtesse. Mais le comte est volage, et s'amourache de la servante. Figaro, du coup, s'intéresse à la gouvernante, Marcelline. Le pauvre petit Chérubin, entre ses amours compliquées, est envoyé aux armées...

L'empereur, yeux fermés, accoudé aux bras du fauteuil, écoute. Quand Mozart a fini un des plus beaux airs, *Non piu andrai*, il ne bouge pas. Da Ponte et Wolfgang se regardent, inquiets. Rosenberg cache mal son hostilité. L'empereur daigne enfin parler :

— Bravo, Mozart ! Bravo ! Vous vous êtes surpassé. Monsieur Da Ponte, pour les paroles, je vous fais confiance. J'aimerais ne pas avoir à le regretter. Rosenberg, dès que la partition sera terminée, vous ferez mettre en répétition...

— Bien, Sire. Cependant... commence Rosenberg.

L'empereur fait taire son maître des cérémonies qu'il sait trop jaloux :

— Dès que la partition sera terminée ! coupe-t-il avec autorité. Si j'ai bien compris, il n'y en a plus pour très longtemps ! Avez-vous déjà songé à la distribution, Mozart ?

Mozart ne se débrouille pas si mal en diplomatie :

— Sire, sans l'autorisation de Votre Majesté, nous ne nous serions pas permis...

— Pour le rôle de la comtesse, je verrais assez bien mademoiselle Laschi. Et pour Suzanne, cette petite Anglaise... voyons... dit l'empereur.

— Nancy Storace.

— C'est ça... Pour son mari, messieurs, ne craignez rien. Je l'ai envoyé faire du violon ailleurs !

La préparation de l'opéra s'avère être une aventure bien plus pénible que sa création. Salieri et sa clique utilisent tous les moyens à leur disposition pour gêner le travail des chanteurs et des musiciens. Ils les démoralisent en insinuant que l'opéra est techniquement inchantable, injouable, irréalisable... Chaque répétition est une nouvelle épreuve. Des musiciens manquent, un chanteur a été empêché, ou soudoyé.

Les intrigants déversent leur fiel, tout au long de la préparation. Dans une loge, Salieri écoute avec dépit la sublime musique. Derrière lui, Rosenberg et Sarti font bloc avec lui. Sarti se plaint, dans un mauvais allemand fortement italianisé :

— Vous nous aviez promis la priorité, Rosenberg. C'est un affront qu'on nous fait. C'est... indigne !

— Sarti, mon cher, c'est l'empereur qui décide. Je vous ai soutenu tant que j'ai pu... affirme Rosenberg.

— Sarti. *Vieni qua !* appelle Salieri.

— *Il Da Ponte. Birbo ! Mascalzone !* peste Serti en accourant.

— Da Ponte ? — Salieri sourit. — Il est plus malin que toi. On nous regarde, et tout le monde est au courant. Tu vas me faire le plaisir de faire bonne figure !

Ils continuent à parler à voix basse, distribuant des sourires dans la salle.

— Un poète de dixième ordre ! chuchote Sarti.

— Tes démêlés avec Da Ponte n'intéressent personne. Ce n'est pas lui, d'ailleurs, qui est dangereux. Ni Mozart. Ce sont les deux réunis. Et finalement, Mozart surtout. C'est une grande tête...

— Un pianiste !

— Imbécile !

Rosenberg se rapproche des deux Italiens.

— Ils n'ont pas partie gagnée. Tenez, Zinzendorf le critique, nous salue d'en bas. Il ne va pas les rater...

Léopold a enfin daigné faire le voyage jusqu'à Vienne, pour voir son petit-fils, Karl-Thomas, qui fête ses deux ans. Le père de Wolfgang, légèrement voûté, porte beau encore, et sait se tenir, lui qui a connu toutes les Cours d'Europe, dans le splendide appartement de son fils. Karl-Thomas entre, en tenue d'apparat, suivi de Liesl, qui fait office de nounou. Wolfgang le présente fièrement :

— Votre petit-fils, père...

Léopold s'attendrit à la vue de ce petit Mozart qui lui rappelle l'heureuse époque où son fils était tout à lui :

— Viens là, mon petit bonhomme, viens m'embrasser...

Il soulève l'enfant, l'embrasse avec un sourire heureux, puis le repose à terre tandis que Liesl les laisse.

— Quel plaisir de vous avoir chez nous, père. Votre voyage s'est bien passé ? demande Constance.

— Assez bien, oui.

— On s'embrasse ? dit-elle, peu rancunière.

— Volontiers.

Karl-Thomas, aussi vif que son père, joue entre les jambes des grandes personnes. Wolfgang demande, embarrassé :

— Et Nannerl ? Elle est heureuse ?

Constance reste concrète.

— Son mari est bien ?

Léopold en profite pour lancer une flèche empoisonnée :

— Si vous étiez venus au mariage, vous le sauriez. Monsieur Berchtold zu Sonnenberg a cinquante ans... Il est veuf pour la deuxième fois. Cinq enfants. Quand une fille a dû attendre ses trente-trois ans pour se marier, elle ne peut plus se montrer difficile. Mais c'est un brave homme, et qui a du bien.

Léopold lève les yeux vers le beau plafond de stuc.

— Cet appartement, combien le payes-tu ?

— Quatre cent soixante florins par an, précise Wolfgang de sa voix la plus neutre.

— C'est énorme !

— Il nous faut de la place.

— Pour deux personnes et un enfant !

— Père, je suis tenu à un certain train de vie. Essayez de comprendre.

— Bon, bon. Mettons que je n'ai rien dit.

La confirmation de la nécessité de ces beaux salons est donnée à Léopold, quelques jours plus tard, un soir de réception.

Ce soir-là, Jacquin et sa fille Franziska, Van Swieten, Wetzlar... une dizaine d'invités, sont venus pour écouter l'un de ces quatuors que Wolfgang tenait tant à dédier à Haydn. Celui-ci tient d'ailleurs le premier violon et Mozart, l'alto. A la fin du premier mouvement particulièrement audacieux dans l'harmonie et que Mozart appelle lui-même, en riant, « les dissonances », Haydn est visiblement ému :

— Merci, messieurs, d'avoir bien voulu rejouer cette introduction pour moi. Je pourrais l'entendre dix fois, cher Mozart !

Léopold, qui a écouté en vrai musicien qui découvre un chef-d'œuvre, s'extasie lui aussi :

— Admirable !

— Merci, dit Wolfgang en se tournant vers celui qui est devenu son vrai père en musique : Haydn.

Léopold ne semble pas le prendre mal. Il se lève pour aller vers son fils, détendu, quand Da Ponte entre, en compagnie de la belle Nancy Storace, de son frère Stephen, du chanteur O'Kelly et du jeune Jacquin, tous visiblement bien décidés à s'amuser.

— Ah, vous voilà ! Père, dit Wolfgang, je vous présente nos

Anglais : mademoiselle Storace, son frère Stephen qui est compositeur, monsieur O'Kelly qui fait partie de la distribution des *Noces de Figaro* et notre jeune ami, Gottfried von Jacquin...

Le jeune homme s'incline tandis qu'O'Kelly, dont la tignasse rousse soulève dangereusement la perruque, donne une fraternelle bourrade à Léopold.

— Et la musique ? Ne dites pas que vous avez fini, demande Nancy.

— Ah si, fini ! Vous arrivez trop tard, répond gentiment le maître de maison.

Comme ils se désolent, Haydn prend la parole :

— Mais... Je serais heureux, nous serions tous heureux, d'entendre mademoiselle Storace dans un air des *Noces*...

Nancy fait aussitôt une demi-révérence et va vers le piano où Wolfgang s'est déjà assis tandis que Constance dit tout bas à Liesl :

— C'est parti pour toute la soirée. Ils vont avoir faim. Va vite chez le traiteur et commande pour... combien sommes-nous ?... Douze, quinze ?... Oh, prends pour vingt personnes !

Nancy chante merveilleusement pour le bonheur de l'assemblée et bientôt, Mozart laisse le piano pour le billard, son jeu favori. Il se concentre autour de l'énorme table au tapis vert, terreur de tous les déménageurs qui l'ont transportée... Pendant ce temps, Stephen Storace improvise au piano et des groupes se forment, animés joyeusement par Nancy, Franziska et Constance. O'Kelly a engagé une partie avec Wolfgang, vite rejoint par Da Ponte. Avec un fort accent irlandais, le chanteur engage les paris :

— Monsieur Mozart, *old chap*, ce coup-là, je vous le fais à cinquante florins.

— Tenu !

Sans un mot, Léopold suit avec intérêt la course de la boule... et Wolfgang perd.

— Petit malheur ! le console Da Ponte. Moi, j'ai déjà perdu le triple.

Léopold laisse les jeunes s'amuser entre eux et va rejoindre Joseph Haydn, assis à l'écart, un verre à la main. Les deux hommes regardent l'assistance.

— J'ai approché de grands musiciens. J'ai écouté bien des

musiques... Votre fils nous dépasse tous, monsieur Mozart, dit Haydn.

Léopold répond à côté, agacé :

— Oui, Wolfgang gagne bien sa vie, certainement, mais toutes ces dépenses... Cet argent qui file... Vous les entendez, monsieur Haydn ? Cent, deux cents florins... dans des paris ! A Salzbourg, cela ferait vivre une famille entière pendant un an.

Haydn est indulgent, autant pour le fils que pour les préoccupations mesquines du père Mozart :

— Ils sont jeunes.

— Je n'ai plus l'âge. Des concerts, des sorties tous les soirs, des dîners... On ne se couche jamais avant deux heures du matin... Je crois que je ferais mieux de rentrer à Salzbourg.

Tous les invités sont partis depuis longtemps, quand Léopold, en robe de chambre, traverse le salon, une bougie à la main. S'il n'a plus l'âge de veiller, il a le sommeil léger et le moindre bruit le réveille. Or il a entendu gémir. Il se dirige, à l'oreille, vers le canapé où il trouve son fils allongé, qui respire mal, haletant.

— Wolfgang ! Qu'y a-t-il ? Tu n'es pas bien ?

— Rien. Ce n'est rien, père.

Le visage défait de Wolfgang dément ses paroles. Ses traits se sont creusés, ses yeux ont perdu leur flamme. Léopold a un élan de tendresse.

— Je vois bien que tu souffres. Qu'est-ce qu'il y a ? Veux-tu que je...

Wolfgang se cabre, serre les lèvres, appuie ses mains sur son ventre : une nouvelle crise le plie en deux.

— Laissez, ne vous en occupez pas... J'ai l'habitude. Ce sont les reins.

— Veux-tu que j'appelle Constance ? Ou le médecin ? Je pourrais...

— Non, non, laissez !

Léopold s'assied sur le bord du canapé, très las tout à coup.

— Wolfgang, tu ne peux pas continuer cette vie. Tu travailles trop... Tu vas te tuer !

Wolfgang se lève avec difficulté et fait quelques pas dans la pièce,

vacillant. Il jette un regard lourd de reproches à son père :
— Ah, non père ! S'il vous plaît ! Pas vous. Pas vous !

Léopold quitte Vienne peu après. Maintenant trop âgé, il s'est contenté de considérer en silence l'existence débridée de son fils. Trop de travail, trop d'amusements, une femme insouciante, des gens qui vont et viennent et tout cela qui coûte cher. Lentement, le vieil homme est monté dans son fiacre, faisant un dernier signe de la main à Wolfgang et Constance. Et le père des petits virtuoses qui a parcouru toutes les routes d'Europe, est parti pour son dernier voyage terrestre.

Ce qui devait arriver est arrivé. Wolfgang s'est épris de la belle Nancy Storace. Blonde et fragile, elle a vingt ans et émerge à peine d'un mariage de cauchemar. Sa voix est magnifique — elle sera la Suzanne des *Noces de Figaro*. Entre elle et Mozart, c'est le grand amour.

Dans l'obscurité de la chambre, elle se blottit contre lui, ce soir, la tête sur sa poitrine. Wolfgang caresse ses cheveux.
— Nancy ?... Je t'aime.
— Je t'aime... murmure-t-elle aussi.
Il la serre encore plus fort contre lui.
— On n'entend plus rien. Même pas une voiture. Le monde entier a disparu. Il ne reste que nous. Et personne ne sait rien, personne ne se doute. Nous sommes enfouis dans notre secret...
— J'ai compté les jours, tu sais. Il y a eu quatre mois hier...
— Ma musique, maintenant, c'est toi. C'est pour toi que j'écris. Quand tu chantes, je tremble jusqu'au fond de moi-même. Depuis que tu es là, ma musique a pour moi un autre sens. Je t'aime, Nancy. Je t'aime comme je n'ai jamais aimé. Tu me crois, n'est-ce pas ?
— Oui.
Nancy n'a pu s'empêcher de sourire... et Wolfgang poursuit :

— Il faut que je te dise : jamais je n'abandonnerai Constance...
Et il faut que je te dise aussi : Constance est enceinte.

Elle se redresse lentement sur un coude et le regarde.

— Depuis longtemps ?

— Depuis deux mois... Si tu le veux, tu peux me quitter. Mais personne ne pourra m'empêcher de continuer à t'aimer.

Nancy se coule à nouveau contre Wolfgang. Elle ne répond pas mais chante doucement un air de l'opéra que son amant lui a dédié : *Deh vieni, non tardar, o gioia bella...*

Les répétitions se poursuivent dans la fièvre, malgré les attaques de la clique de Salieri. La salle des répétitions de l'opéra de Vienne ressemble à toutes les salles du même genre en Europe : un méchant plancher de bois, des murs blanchis à la chaux et quelques chaises qui représentent toutes les féeries qu'auteurs et régisseurs imaginent.

Cet après-midi-là, l'atmosphère est lourde. Les chanteurs qui travaillent inlassablement leur partie, assistent, muets, à la colère de Mozart. Ivre de rage, il marche de long en large. Benucci, Laschi, O'Kelly, Storace se font tout petits, cachant derrière eux un régisseur penaud, objet des foudres du maître.

— Pour l'amour du ciel, calmez-vous ! tente Da Ponte.

Mozart disperse les chanteurs d'un geste et s'adresse au régisseur :

— Intolérable. Vous m'entendez ? In-to-lé-ra-ble !

Da Ponte s'interpose :

— Ce régisseur n'y est pour rien ! Je vous en prie, pas d'éclat, pas en ce moment !

Rosenberg, imbu de ses fonctions de directeur des théâtres impériaux, entre, alerté par le bruit. Mozart le défie du menton :

— Bravo, Rosenberg !

— Comment ça, bravo ?

— J'arrive ici à huit heures, pour répéter comme prévu. Il est huit heures et demie : pas de piano, pas de répétiteur ! Je n'accepte pas que vous supprimiez mes répétitions derrière mon dos.

Rosenberg s'empourpre :

— Je n'ai rien supprimé du tout ! Dites-moi, Gottschalk, vous qui êtes régisseur, expliquez un peu ce que cela veut dire ?

— Mais je croyais que c'était vous, monsieur le comte... bafouille le malheureux, terrorisé.

Da Ponte sent que l'esclandre n'est pas loin, fait désespérément des signes d'apaisement à Wolfgang, qui s'emporte de plus belle :

— Ça fait quatre fois, vous m'entendez, quatre fois ! Qu'est-ce que vous voulez ? Empêcher les *Noces* de passer ?

Rosenberg le prend de haut :

— On ne vous a pas supprimé vos répétitions, Mozart, c'est vous qui n'étiez pas prêt ! Avec vos éternels changements !

La conspiration des musiciens en place se fait plus violente, à quelques jours de la représentation devant l'empereur et Mozart le sait.

— Autre chose ! crie-t-il. Je n'accepte pas qu'on enlève des musiciens de mon orchestre pour les remplacer. J'exige de répéter avec les gens qui joueront à la représentation !

— J'ai un roulement à assurer. Vous n'êtes pas le seul opéra qui se répète dans cette maison ! Un théâtre est une entreprise ! répond Rosenberg fort de son pouvoir absolu sur l'Opéra.

— Une entreprise gérée en dépit du bon sens ! Une entreprise où sans cesse, je me heurte à la chicane, à la cabale. Je me plaindrai. Sachez que je me plaindrai...

La porte s'ouvre à ce moment et le répétiteur, un vieil homme timide, entre, suivi du piano porté par deux livreurs. Il s'excuse avec force révérences :

— Monsieur Mozart, je suis en retard, je sais... Je vous prie de m'excuser. Madame Bernardi, la soprane, est malade... on a répété chez elle...

— Allez vous plaindre, à présent, ricane Rosenberg.

Il sort en claquant la porte.

— Vous voilà bien avancé, s'écrie Da Ponte. S'il n'y avait pas de cabale, il y en a une maintenant. Vous avez injurié Rosenberg devant son personnel. Il ne vous le pardonnera pas.

Wolfgang n'a pas besoin de cette remontrance pour comprendre qu'il a craqué au mauvais moment, en se trompant de fautif. Il regarde ses chanteurs pétrifiés et, pour se donner une contenance, les houspille :

— Qu'est-ce que vous avez à me regarder comme ça ? On répète !

Dans le lit conjugal, Mozart se tourne et se retourne. A côté de lui, Constance respire paisiblement. La rondeur de son ventre soulève le drap, maintenant. Elle demande enfin :

— C'est ton opéra qui te tracasse ?

— Je suis sûr qu'ils sont occupés à manigancer quelque chose, une cabale...

— Wolfgang ! Sais-tu que tu commences à ressembler à ton père ?

Le coup a porté. Il se redresse sur un coude.

— Moi ?

— Toi aussi, tu as la manie de la persécution. Que veux-tu qu'ils manigancent ? L'empereur est de ton côté, ça devrait te suffire.

Il marque un temps, puis demande, d'une voix qui sonne faux :

— Je t'ennuie, n'est-ce pas, avec mes histoires ?

— Non, non, mais j'aimerais bien dormir.

— Si tu veux, à partir de demain jusqu'à ton accouchement, j'irai dormir dans le salon ?

— Merci, tu es gentil, dit-elle et lui tournant le dos, elle ferme les yeux.

Des yeux qu'elle garde cependant bien ouverts sur les agissements de son mari.

Le lendemain soir, sur la grande scène de l'opéra, on répète l'air de Suzanne, au quatrième acte des *Noces*. Les chanteurs Benucci et Laschi chantent avec Nancy et Wolfgang qui se permettent des chatteries.

Nancy, légèrement vêtue, d'une beauté insolente, chante le *Deh vieni*.

— Parfait, lui dit tendrement Mozart, à la fin. Ne te fatigue pas

256

la voix. Il est tard. On arrête pour ce soir. Rendez-vous demain à deux heures.

Et tous quatre quittent la scène, Mozart le dernier, suivant Nancy qu'il prend par la taille. Soudain, dans la pénombre, près de la porte d'une loge, Constance apparaît, son gros ventre mal dissimulé par un long manteau. Elle jette un regard furieux à son mari.

— Je vous tiens ! Toi, n'essaie pas de mentir encore. J'ai tout compris. Vos cochonneries... alors que j'attends un enfant ! Il ne vous suffit pas de coucher, il faut aussi que vous vous affichiez devant tout le monde. Et moi qui croyais que... S'il n'y avait pas eu Aloysia pour m'ouvrir les yeux !

— Tais-toi ! crie Mozart après un moment de stupeur.

— Non, je ne me tairai pas, ce serait trop commode !

— Alors, pas ici, souffle-t-il.

Gênés, les deux chanteurs italiens s'éclipsent. Wolfgang prend Constance par le bras, et ouvre la porte de la loge. Il est maître de lui, plein de dignité.

— Toi aussi, Nancy, viens ! dit-il avec autorité.

La jeune Anglaise s'assied sur une chaise. Constance reste debout. Wolfgang ferme posément la porte et dit à sa femme, d'une voix ferme :

— Tu veux une explication ? Très bien.

Constance blêmit :

— Pas devant cette femme !

— Ce sera devant elle.

Nancy intervient. L'émotion accentue son accent anglais :

— Wolfgang...

— Non, c'est à moi de parler, l'interrompt-il.

— Pour me dire quoi ? explose sa femme. Que tu l'aimes ? Tu oserais le dire devant moi ?

— Je le dirai devant toi. Oui. Je l'aime.

— Et tu crois que ça tranche tout ? C'est moi qui suis ta femme. Je ferai un scandale.

— Tu ne feras aucun scandale. Assieds-toi. Tu ne feras aucun scandale parce que je ne te quitterai pas. Je ne te quitterai jamais. J'en ai prévenu Nancy.

— Ce n'est pas vrai ! Tu mens encore !

Nancy secoue la tête. Son petit visage triste est la meilleure preuve de sa sincérité.

— C'est vrai, Wolfgang a dit ça.

Il s'accroupit devant sa femme, et pose une main brûlante sur son ventre :

— Je ne te quitterai jamais... à une condition.

— Je ne veux pas de conditions ! tranche Constance.

— ... à condition que, jusqu'à la première des *Noces*, tu ne feras rien, tu ne diras rien, tu nous laisseras tranquilles. Jusqu'à la première. C'est très important pour moi. C'est très important pour Nancy et pour moi.

Constance ravale ses larmes.

— Et après ? demande-t-elle d'une petite voix.

Toute sa force abandonne brusquement Wolfgang. Il répond, aussi faiblement qu'il vient de se montrer fort :

— Après, rien... Après, ce sera comme tu voudras.

Regardant intensément la belle Anglaise, Constance lui demande.

— Et vous ?

Les yeux de la chanteuse se voilent. Des sanglots dans la voix, elle répète :

— Jusqu'à la première...

Le premier mai 1786, l'empereur et le Tout-Vienne attendent fébrilement les trois coups. A l'impatience du public répond le trac des chanteurs que chacun essaie de conjurer d'un geste superstitieux ou d'un talisman. Benucci, sa toise à la main, se signe plusieurs fois et Nancy, morte de peur, serre son petit chapeau blanc. Mozart surgit, les traits tirés, mais déterminé comme un général avant la bataille. A Benucci, il lance un mot d'encouragement.

— Et la cabale ? s'enquiert le chanteur.

— Ils ont déjà les doigts dans la bouche pour siffler. Attends-toi au pire et fais face !

Il lance un regard tendre à Nancy, lui envoie un baiser :
— Je t'aime.
Dans la coulisse, il heurte le beau Gottfried von Jacquin, confident de la famille.
— Alors ?
— Constance ne viendra pas, dit le jeune homme, désolé. Elle dit qu'elle ne se sent pas bien.
Mozart hésite une seconde. Tout est en place, il ne faut pas reculer. Il file vers la fosse d'orchestre.

Trois heures après, le rideau tombe sur l'allégresse du comte à qui sa femme a pardonné d'avoir voulu la séduire en la prenant pour Suzanne, la chambrière. Les derniers accords, pétillants comme tout l'opéra, disparaissent sous un tonnerre d'applaudissements. Debout dans sa loge, l'empereur manifeste joyeusement sa satisfaction. Les sifflets ne manquent pas, pourtant. Nancy sur scène, Mozart dans la fosse d'orchestre, Da Ponte et Rosenberg dans leur loge les subissent avec angoisse. Un moment, la vague de sifflets semble dominer, et puis les applaudissements l'emportent : c'est le triomphe. Seuls Salieri et Sarti peuvent le regretter, dans la pénombre où ils sont cachés. Leurs siffleurs, comme une armée vaincue, les regardent et abandonnent la partie, débordés.
Le rideau tombe une dernière fois. Wolfgang court vers Nancy, la prend dans ses bras et la fait tournoyer en l'air comme un fou. Il exulte :
— De ma vie, je n'ai été aussi heureux !
Bouleversée, Nancy est grave. Elle sait que leur séparation est proche malgré leur passion mutuelle. Constance va reprendre ses droits.

Deux fossoyeurs descendent dans une fosse un minuscule cercueil d'enfant. A l'ombre d'un chêne, madame Weber, Aloysia, Sophie et Lange assistent à l'enterrement de l'enfant de Constance et de Wolfgang. Constance n'est pas là : elle est couchée, malade. Mozart, lui, assiste à la cérémonie, l'œil sec, accompagné de son compère Da Ponte. Le prêtre officie, aussi peu convaincu que l'assistance.

— Recueillons-nous et prions pour l'âme de notre frère, le petit Johann Thomas Léopold que le Seigneur, que Sa Sainte Volonté soit faite, nous a repris aussitôt après nous l'avoir donné. Ame innocente, à jamais innocente, monte au ciel, et que ta prière redescende sur nous.

Wolfgang ne quitte pas Aloysia des yeux tandis que sa belle-mère lui lance un regard accusateur. Un regard qui dit que c'est lui le coupable, que ses amours avec Nancy ont bien été punies et que la victime innocente, c'est Constance, sa fille, qui souffre dans son lit.

La cérémonie terminée, Da Ponte remonte avec Mozart l'allée qui mène aux fiacres. Madame Weber les rattrape et juste avant de monter dans sa voiture, dit à son gendre :

— J'espère au moins que vous allez rejoindre votre femme. Pensez à son malheur.

Il s'incline sans répondre. Après un moment de silence que Da Ponte respecte, il déclare, pensif :

— Non, on ne peut pas dire que nous ayons eu un triomphe...

— C'est aux *Noces* que vous pensez ?

— Oui. Neuf représentations en quatre mois, c'est peu.

— La critique a été bonne. Et le public est content.

Wolfgang prend le bras de son ami, et le serre fort.

— Ça, c'est l'éternelle illusion des auteurs. Au théâtre, le public est presque toujours content. Les gens qui ont pris la peine de venir, de payer leur place, ceux-là sont décidés à aimer. Il faudrait que la pièce soit bien mauvaise pour qu'ils n'aiment pas. Mais la vraie question est celle-ci : aiment-ils assez pour y envoyer les autres ? Les autres ne sont pas venus. Non, Da Ponte, il m'en faut prendre mon parti : les Viennois n'aiment pas ce que je fais.

— Vous dites ça...

Wolfgang secoue la tête :

— Et moi, je n'aime pas Vienne.

Da Ponte hausse les sourcils :

— Voilà qui est nouveau.

— Je me plaignais de Salzbourg. Vienne, c'est encore pis. La prétention en plus, les idées toutes faites, la mode, la futilité...

— Peut-être leur en demandons-nous trop, dit son ami. Notre finale du deuxième acte était difficile, avouez !

— Ces gens-là n'aiment que la bouillie. Facile à mâcher. Ou qu'il ne faut pas mâcher du tout.

— Si on essayait de se mettre à leur portée ? De leur faire plaisir ? demande Da Ponte soudain.

Mozart le regarde comme s'il lui parlait hébreu. Le génie n'admet aucun compromis.

Wolfgang retourne voir Nancy une dernière fois. Juste avant la représentation, il la surprend dans sa loge, au moment où son habilleuse donne une dernière touche à sa coiffure. Le régisseur passe la tête par la porte entrouverte :

— Mesdames, messieurs, on lève dans dix minutes... Mesdames, messieurs, dans dix minutes !

Nancy émerge de ses réflexions.

— Élisabeth ?... dit-elle à l'habilleuse.

— Mademoiselle ?

— J'ai fini. Voulez-vous nous laisser un instant ?

Restés seuls, Nancy et Wolfgang se toisent.

— A Prague, dit-il enfin, les *Noces* sont un énorme succès. Énorme. Josépha Duschek me l'a écrit. On fredonne les airs jusque dans la rue, les cafés...

— Wolfgang ?

— Oui ?

Nancy tâche de mettre le moins possible de passion dans sa proposition :

— Tu as reçu plusieurs offres de Londres... Là aussi, les *Noces* peuvent avoir un grand succès. Moi, je compte y retourner... Nous pourrions... nous y retrouver.

Wolfgang ne répond pas tout de suite. Il est déjà détaché de Nancy, lui qui croyait ne plus jamais pouvoir la quitter.

— Il y a cette invitation à Prague. Je ne peux pas refuser. J'ai déjà répondu oui, explique-t-il.

Pour se donner une contenance, Nancy se penche vers le miroir et fait une dernière retouche — bien inutile — à son maquillage.

— Tu emmènes Constance ? demande-t-elle d'un ton apparemment neutre.

— Oui.

On frappe à la porte.

— Mesdames, messieurs, dans cinq minutes ! annonce le régisseur.

La chanteuse se lève et va à la porte.

— Nancy...

Elle se retourne vivement, comme si elle attendait ce moment capital depuis que Mozart est là.

— Le portando sur le *sol* aigu... Fais-le plus... léger, lui dit-il avec douceur, très grave.

— Léger, je sais, murmure-t-elle.

Sur ces mots, elle sort. Disparaît.

A Prague, la ville aux centaines de clochers, l'an 1787 n'est que bonheur pour les Mozart. Dans une calèche qui file bon train, Constance, heureuse et enjouée, plaisante avec l'opulente comtesse Josépha Duschek qui chantonne, le soleil dans les yeux, un air d'opéra :

— Oh, Constance, vous avez vu ? A la représentation d'hier, au moment de cet air-là, il y avait un vieux monsieur tellement enthousiaste qu'il s'est levé, là, au milieu du parterre, et qu'il s'est mis à battre la mesure. Ses voisins ont dû le faire rasseoir de force...

— Ce que j'ai préféré, c'est la représentation de jeudi, dit Constance. Il y avait une qualité d'attention, un recueillement...

— Recueillement ! Moi, ce que j'aime au théâtre, c'est quand les gens deviennent fous, quand ils se mettent à hurler de bonheur, quand les applaudissements n'arrêtent plus. Ça, c'est le théâtre ! Irez-vous à la redoute, demain ?

— Je suis sûre que Wolfgang dira oui ! Les gens, ici, sont si gentils. Tellement plus qu'à Vienne ! Wolfgang revit ! Écoutez-le, on l'entend d'ici.

Elle se lève et fait signe à son mari, dans une autre calèche qui les suit, mais un cahot la rassied...

Wolfgang bavarde, assis à côté d'un vieux joueur de cithare aveugle, et d'un jeune homme chaleureux — un ami. Face à eux, Bondini, le directeur de l'opéra, son administrateur, un grand homme triste, et un autre convive.

— Je vous livre ma méthode, annonce Mozart, riant, heureux. Quand quelqu'un me fait peur ou m'intimide, j'imagine qu'il est turc. Je l'imagine avec un turban et un croissant, je lui donne un nom turc, je lui parle en turc et l'affaire est réglée.

— Vous savez le turc ? demande respectueusement le jeune homme.

— Pas un mot ! J'invente. Le turc est une langue qui s'invente : balem catour nitchi bouzouk... Avec mon archevêque Colloredo, à Salzbourg — et il me terrifiait, pourtant — du jour où je l'ai appelé mufti, je n'ai plus eu envie que d'en rire.

Il désigne le grand homme triste.

— Regardez votre administrateur... runzi funzi mini viri.

L'administrateur reste de marbre.

Wolfgang soupire.

— Oui. Bon. Avec lui, il faudrait un discours d'au moins dix minutes !

Le jeune homme insiste :

— Et il faut que le nom soit turc ?

— Indispensable ! Vous, je vous appellerai Roszka Pumpa ! Et vous, Bondini, Notschibikitschibi !

— Ça me va tout à fait, réplique Bondini avec un sourire un peu forcé. Et maintenant, entre Turcs, si nous parlions de votre prochain opéra ?

— Mon prochain opéra ? demande Mozart, malicieux. Je n'ai pas de prochain opéra. Rien dans les mains, rien dans les poches.

— Vous allez bien en écrire un. Après ce triomphe... Et si vous l'écriviez pour moi ? Vous avez vu l'accueil de Prague : nous avons déjà fait plus de représentations qu'à Vienne. Si vous voulez un à-valoir, je peux vous offrir...

Mozart n'en croit pas ses oreilles :

— Ah, si nous en sommes déjà à l'à-valoir... Attendez, que je vous imagine avec un turban !...

Les calèches se sont arrêtées au bord d'une prairie, devant un vaste paysage. On déballe les victuailles pour déjeuner sur l'herbe. Les voyageurs improvisent une danse paysanne. Wolfgang est déchaîné, poursuivi par Bondini qui a l'air de chasser un papillon...

— Et cet opéra, mon cher Mozart ! Notre opéra ! Un à-valoir, immédiatement, tous frais de séjour payés sur justificatifs ! dit-il en courant derrière lui.

Comme Mozart ne répond pas, il se ravise :

— ... sans justificatifs ! Et la location d'un appartement ! Disons... pour la prochaine saison ?

— Écoutez, Notschibikitschibi, je vais vous dire une chose, lui répond Wolfgang en s'arrêtant subitement. Je vais vous dire, oui ! Et encore ceci : un Don Juan, ça vous irait ?

Pour la première fois, Bondini sourit.

— Un Don Juan ! Merveilleux !

— A une condition !

— Acceptée !

— Attendez ! Je vous donnerai cet opéra le jour où votre administrateur me le demandera en ri-ant ! En riant !

— Mozart, demandez-moi n'importe quoi, mais pas ça ! Il n'a jamais ri de sa vie !

— A vous de voir, Notschibikitschibi !

Et en trois bonds, il a rejoint Constance qui compose un bouquet de marguerites, blanches comme sa robe. Ils se regardent en souriant.

— Tu ne trouves pas que c'est merveilleux, ici ? dit-elle, radieuse.

— Oui.

— Tout le monde t'aime. Tout le monde t'admire. Et moi, je suis bien... Je suis heureuse. Nous pourrions rester. Je ferais venir le petit.

Wolfgang ne répond pas. Son sourire disparaît.

— Qu'est-ce qu'il y a ? s'inquiète Constance.

— Nous rentrons à Vienne la semaine prochaine.

— Mais pourquoi ? Nous sommes si bien ici.

Soudain assombrie, elle ajoute :
— C'est pour la rejoindre ?
Wolfgang hausse les épaules.
— Non, elle est partie pour Londres.
— Partie vraiment ? Définitivement ?
— Définitivement.
Un silence. Mozart reprend.
— Et nous, nous nous mettrons en route mardi.
— Mais pourquoi, Wolfgang, pourquoi ?
Constance baisse la tête. Wolfgang ne répond pas.

Dès son arrivée à Vienne, Mozart court chez son éditeur, le fringant Artaria. Il y consulte la feuille de souscription de son prochain concert et demande, déçu :
— C'est tout ?
— C'est tout. Dix-sept souscriptions... pas une de plus.
— Et ça fait ?
— Cent sept florins. Mais, de Prague, vous avez pu rapporter quelque chose ? Il paraît que ça a été un gros succès ?
— J'ai eu des frais, répond-il, évasif.
Artaria arpente la boutique, nerveux.
— Ah, c'est ennuyeux... Parce qu'il y a aussi vos quatuors à Haydn. Tous mes clients me les ont renvoyés... Je n'en ai pas encore vendu cinq. Il y a encore la gravure à payer. Il va bien falloir en récupérer une partie sur les cent sept florins...
Wolfgang se tasse un peu sur lui-même et s'écrie, en colère :
— Que reprochent-ils à mes quatuors, ces Viennois ? Allez, dites !
Artaria se tait un moment. Il cherche les mots qui ne blesseront pas son ami.
— Les plus polis m'ont dit qu'il y avait des fautes de gravure. Les autres qu'ils n'aimaient pas. En réalité, si vous voulez mon avis, c'est une musique trop compliquée pour les gens d'ici... Enfin, espérons que ça va repartir. Il reste quatre jours avant le concert.
Mozart prend son chapeau, le met d'un geste violent et va

rapidement vers la porte. Brusquement, il s'immobilise, la main sur la poignée, contemple un bref moment la rue, les passants... Puis il baisse à peine la tête et la pointe de son tricorne touche le carreau. Les yeux mi-clos, pour lui-même, il murmure :

— Je ne peux pas... Je ne peux pas...

Pourtant, il va falloir qu'il ouvre cette porte, qu'il sorte, qu'il affronte le monde à nouveau.

« Je vous annonce que j'ai reçu aujourd'hui, comme je rentrais à la maison, la triste nouvelle de la mort de mon excellent père. Vous pouvez vous représenter mon état... »

Tel est l'hommage funèbre que Mozart écrit à son ami Gottfried von Jacquin, en apprenant la disparition subite de son père, après une longue maladie. Léopold Mozart est mort le 28 mai 1787. A son enterrement, quelques jours plus tard, tous les musiciens du prince-archevêque sont là et parmi eux, le fidèle Michel Haydn. Nannerl, effondrée, est soutenue par son vieux mari, le conseiller von Berchtold zu Sonnenberg, et ses cinq enfants tenant chacun un bouquet de roses rouges à la main.

Wolfgang n'est pas là.

— Et le fils ? murmure une dame. C'est un scandale ! A l'enterrement de son père !

Que savent-ils, les braves Salzbourgeois, de la passion, puis de l'éloignement passionnel entre le père et le fils ? Qu'il est loin le temps où le petit prodige chantait : *Oragnia figata fa...* pour accaparer son père tout à lui ! « Tout de suite après Dieu, vient papa », répétait-il. Où est donc passée cette tendresse complice de tant d'événements ?

Et puis, il y a eu la rupture. Léopold n'a pas accepté le départ définitif de son fils pour Vienne, il n'a pas compris qu'il voulait composer, et qu'il dédaigne un emploi au service d'un grand. Léopold n'a pas voulu non plus ce mariage avec Constance, qui lui volait son enfant.

Wolfgang, en perdant son père, oublie définitivement sa jeunesse et Salzbourg. Sa sœur y reste : il ne la verra plus.

L'appartement des Mozart est inondé de soleil, en cette matinée d'été. La fenêtre de la salle de billard est grande ouverte et Mozart et Da Ponte jouent en riant. Il y a dans l'attitude de Wolfgang quelque chose de nouveau et de fébrile :

— Non, il était fatigué, usé... dit-il. Croyez-moi, les plus à plaindre son ceux qui restent.

— Ah ! encore dix florins de perdus, mon pauvre Mozart, annonce Da Ponte. Heureusement que vous avez touché votre héritage !

— Parlons-en, en tout et pour tout, mille florins. Après trois mois de discussion et la brouille totale avec ma sœur et son mari. Ils ont été d'une mesquinerie...

Da Ponte continue à jouer et réussit un carambolage. Mozart s'interrompt et commente :

— Ah, très joli, ça... Avez-vous pensé à ce que je vous ai dit pour le début ?

— Le début ? Le début de quoi ?

— ... du Don Giovanni, tiens.

— Ah... oui. C'est que, dans la pièce de Molière...

— Je voudrais commencer par quelque chose de plus... de plus éclatant. Attaquer en force.

Da Ponte veut parler, mais Mozart l'arrête dans son élan :

— Attaquez. Attendez... On pourrait mettre en tête le duel entre Don Giovanni et le Commandeur, non ?

Wolfgang pointe sa queue de billard en direction de Da Ponte, et l'attaque comme dans un duel.

— Mais oui, voilà ! Le père de Donna Anna ! La mort...

Da Ponte esquive les coups :

— ... du père ?

— D'entrée de jeu, le tragique. En garde, misérable !...

L'Italien, surpris de cet assaut impétueux, se raidit :

— Hé là. hé là, qu'est-ce qui vous prend ?

En 1787, Prague est une ville imprégnée de culture française et italienne où l'on vit au rythme de la musique. Les riches familles

entretiennent chacune un orchestre privé. Ainsi le prince Lobkowitz, le prince Czernin, le comte von Thun et les Pakta. Attaché
aux Duschek qui réunissent dans leur villa les meilleurs musiciens,
Mozart est célèbre dans Prague. *L'Enlèvement au sérail, les Noces
de Figaro* y ont connu de meilleurs succès qu'à Vienne. Même dans
les bals publics, on danse sur des airs de lui, que tout le monde
fredonne, comme ceux de la Symphonie en *ré,* dite *de Prague.*

Mozart et Da Ponte ont fiévreusement composé *Don Juan,*
poussés par l'impresario Bondini qui a saisi en vol le projet de
l'Autrichien. Da Ponte, empruntant largement à l'Espagnol Tirso
de Molina et à Molière, a rapidement écrit le livret, avec une
bouteille de Tokay et du tabac espagnol à portée de la main, et une
pimpante servante sur les genoux. Mozart, quant à lui, ne sait pas
encore que sa musique fera date dans l'histoire...

Le 29 octobre, la salle du Grand Théâtre est comble. La
première scène se termine. Sur les planches, Don Giovanni, vient
de toucher à mort le commandeur. Le vieillard chante :

— « Au secours. Je suis trahi... L'assassin m'a blessé... et je sens
que mon âme va quitter cette poitrine palpitante... »

Le public écoute avec une attention passionnée. Le Commandeur s'écroule. Don Giovanni et Leporello se penchent sur lui et
c'est le trio final qui suspend l'action dans un ralenti admirable.

Le rideau tombe et aussitôt, c'est une explosion de joie, les
applaudissements crépitent.

Wolfgang, très nerveux, s'apprête à affronter les critiques dans
les coulisses. Ses amis l'entourent, parmi lesquels Josépha
Duschek, son mari, la comtesse Thun et un grand vieillard qui fait
beaucoup de gestes en parlant. Constance se tient à l'écart, encore
une fois enceinte.

Dans la salle, le public applaudit toujours frénétiquement et
scande le nom du compositeur.

— Mo-zart ! Mo-zart !

— Ça ne marchera jamais, je le sens, ça ne marchera pas, confie
celui-ci à ceux qui l'entourent.

— Mais écoute-les ! s'écrie Josépha en le secouant par le coude.

Constance s'est approchée. Très émue, elle l'embrasse.

— C'est merveilleux !... un triomphe !

Bondini surgit, dans tous ses états, et s'exclame :

— Ils sont déchaînés. Je n'ai jamais entendu applaudir comme ça à un entracte !

Wolfgang hausse les épaules.

— C'est la claque, dit-il.

— La claque ? Elle est débordée, la claque ! répond Bondini.

Mais en dépit de tout, Mozart ne peut dominer son angoisse.

— J'ai la gorge comme dans un étau... murmure-t-il.

Le grand vieillard, très élégant dans un costume voyant, parle enfin avec un terrible accent italien :

— Le trac ! Da Ponte m'avait prévenu que vous n'étiez pas comme tout le monde, mais alors là !...

— Plutôt que d'entendre ça, déclare Bondini, je retourne dans la salle. L'atmosphère y est meilleure. Vous venez, Casanova ?

En entendant ce nom, Josépha se retourne stupéfaite.

— Casanova ? Vous êtes Casanova ?

— Pour vous servir, madame. Et pour aider mon jeune ami Mozart dans la mesure de mes moyens.

— Casanova, le fameux ? L'amant de toutes les femmes ?...

— Je vois qu'il m'a manqué la plus belle, madame, sourit le vieux monsieur un rien démodé, de toutes ses rides poudrées.

Mais déjà, Bondini l'entraîne, laissant Josépha soupirer avant qu'elle ne se tourne à nouveau vers Wolfgang.

— Tu entends ces acclamations ? Ils te réclament. Va saluer. Ils sont meilleurs juges que toi !

L'opéra se termine, aussi brillamment qu'il a commencé. Don Giovanni affronte courageusement la statue du Commandeur qui le somme de se repentir de toutes ses conquêtes. Le conquérant refuse : plutôt la damnation que la soumission. Et c'est le festin du Commandeur. La main de Don Giovanni prise dans l'étau des doigts de pierre, la terreur de Leporello. Et soudain, Don Giovanni s'enfonce dans le sol avec un cri déchirant aussitôt submergé par le tonnerre des applaudissements. Transporté, le public se lève et acclame, de toutes ses forces, le compositeur Wolfgang Mozart.

Qui ne serait sensible à la magie de cette musique si nouvelle, qui ne vibrerait à l'insolent message de liberté que portent le texte et la musique... tandis que partout en Europe, on ne parle que des privilèges et du peuple ?...

1788. En plein hiver. Il fait froid. Il est très tard. Dans une ruelle du vieux Vienne, deux ombres frileuses, deux prostituées tapies sous un porche, guettent les rares passants. Il a neigé toute la journée. Soudain, une berline surgit, passe au grand trot de ses chevaux, et couvre de boue les deux femmes.

— Salauds ! crie l'une d'elles. Vous ne pouvez pas aller rouler ailleurs ?

Sa compagne secoue ses cheveux noirs sur lesquels brillent de grandes boucles d'oreille dorées, et gémit :

— Regarde ça, je suis toute trempée ! Et pas un client !

— Tu penses, par un temps pareil...

Mais voici qu'au bout de la rue, une silhouette apparaît. L'homme a une démarche dansante, il sifflote, indifférent au mauvais temps.

— Il est soûl, celui-là ! dit la brune.

Déjà, l'homme passe devant elles sans les voir. C'est Mozart. Son visage est joyeux — il semble au comble du bonheur.

— Tu viens, beau blond ?

L'une des prostituées le hêle et il se retourne aussitôt, les salue.

— Mesdames !

Elles se concertent :

— Qu'est-ce que je te disais. Il est soûl à tomber !

— Moi, ivre ? Jamais ! Ou alors de bonheur. Je suis ivre de bonheur... Mesdames, je viens d'avoir une petite fille. J'en rêvais. J'en rêvais depuis des années. Et maintenant je l'ai. Elle est née aujourd'hui.

— Et tu n'es pas près d'elle !

Il secoue la tête.

— L'appartement était devenu trop petit. Trop petit pour ma joie. Il me fallait de l'air, de l'air, de l'air ! Je l'appellerai Thérésa. Thérésa ! Vous aimez ?

Et il entraîne l'une des jeunes femmes dans une sorte de danse, effrayant un couple respectable qui presse le pas. Les deux amies rient de bon cœur.

— Ça va, j'ai compris. Ce n'est pas le jour...

— Et par-dessus le marché, Gluck est mort ! s'écrie-t-il.

— Toutes mes condoléances...

— Mais non, c'est encore un bonheur. Je vais avoir sa place. Compositeur à la Cour. Finies les dettes, finis les créanciers !

— Alors paie-nous un vin chaud, ça nous réchauffera !

— Je n'ai pas un kreutzer sur moi, déclare-t-il avec simplicité.

— Viens quand même. C'est moi qui offre !

Le prenant chacune par un bras, elles l'entraînent vers un estaminet.

Mozart a besoin d'argent, en effet, et c'est d'un cœur léger qu'il va voir l'intendant des théâtres de l'empereur, le comte Rosenberg. Dans son vaste bureau aux couleurs tendres, celui-ci le reçoit avec beaucoup de condescendance :

— Mon cher Mozart, si quelque chose pouvait me consoler de la mort du regretté chevalier Gluck, c'est bien de le voir remplacé par vous.

Il pousse le contrat vers Mozart.

— Il n'y manque que votre signature...

Wolfgang tend la main vers la plume quand l'intendant le retient :

— Non, non, lisez ! Il faut toujours lire les contrats !

Mozart parcourt le papier des yeux et très vite, son expression change :

— Comment... huit cents florins ? Huit cents florins seulement ?

— Oui. C'est ce que sa majesté, sur ma suggestion...

— ... mais Gluck en touchait deux mille !

— Le chevalier Gluck avait sa renommée. Le rang qu'il occupait dans le monde...

— ... grâce à la fortune de sa femme ! précise Wolfgang.

— Précisément.

— Comment ça, précisément ?

Les deux hommes se mesurent du regard et Rosenberg s'explique :

— Dans la mesure où il n'en avait pas besoin, il fallait évidemment le payer plus.

— Tandis que moi, j'en ai besoin. C'est ça ?

— Mon cher ami, si ce contrat ne vous convient pas, vous êtes libre de ne pas le signer, déclare l'intendant, se vengeant en une seule phrase, de tous les affronts subis.

A la fin, Wolfgang baisse les yeux et signe. Rosenberg ne peut s'empêcher de sourire.

Que penserait Léopold d'une telle scène ?

L'appartement des Mozart a triste mine. A part le piano-forte et le billard dans le salon, tout a déjà été déménagé. De la paille jonche les parquets des pièces vides.

Quatre déménageurs remontent l'escalier, entrent et s'arrêtent, stupéfaits devant le spectacle insolite qui s'offre à eux. Wolfgang, assis au piano-forte, chante pour sa fille dont le berceau est installé tout près de lui. Il chante sur un rythme de contredanse :

— O Thérésa, ma Thérésa... C'est fini le bon temps !... Le loyer n'est pas payé... Il faut savoir déménager... A temps !... Prenons congé des lieux... Où nous avons été heureux... Papa, maman et toi... Le Roi n'était pas ton cousin... Plus de kreutzers, plus de florins... Allons chercher un autre toit !

Il se lève, prend le nourrisson dans le berceau et le promène dans la pièce. Toute son attitude manifeste son amour fervent pour l'enfant. Profitant de son inattention, les portefaix s'emparent discrètement du piano-forte qu'ils embarquent. Ils ont à peine disparu que Constance entre, les bras chargés de linge.

— Wolfgang ! Laisse la petite, gronde-t-elle. Ce n'est pas un jouet. Tu vas la faire tousser.

— Mais non, elle va très bien, ma Thérésa.

— Tu choisis vraiment le moment pour t'amuser ! dit-elle en reprenant l'enfant qu'elle recouche avec des gestes tendres.

— Mais je travaille ! s'écrie-t-il. J'ai écrit quatre contredanses ce matin ! C'est carnaval jeudi, Stanzerl. On est compositeur de la Cour ou on ne l'est pas !

Da Ponte, qui comme toujours, choisit, lui, le moment idéal pour faire son entrée, apparaît, suivi d'une dame très élégante.

— ... Bonjour, Da Ponte, poursuit Mozart. Chère Cavalieri, mes hommages ! Eh oui, comme vous voyez, nous prenons la poudre d'escampette, nous vidons les lieux, en un mot, nous déménageons !

— Pourquoi ? C'est très joli, ici. Moi, j'aimais bien, dit la belle Cavalieri.

— Moi aussi, murmure Constance.

— Trop cher, *cara ! Manca il denaro : il publico non paga più per sentire il signor Mozart !*

Constance ouvre les bras en signe de réprobation muette et Da Ponte tente de détendre l'atmosphère.

— Dommage ! Le pire n'est pas toujours sûr, Mozart. Il y a du nouveau. L'empereur nous demande *Don Giovanni.*

— Pour Vienne ? demande Wolfgang en s'arrêtant brusquement de marcher.

— Pour Vienne. A l'opéra impérial. Alors, vous voyez, vos craintes, vos angoisses... Il faut croire que les échos de Prague ont été bons.

— Et Rosenberg ?

— Savez-vous d'où je sors ? De chez Rosenberg, justement, dit l'Italien, en frottant l'une contre l'autre ses grandes mains de magicien. Je ne dis pas qu'il est enchanté, il ne faut pas trop demander. Mais il en a pris son parti. J'ai déjà touché. Et il y a deux cent cinquante florins qui vous attendent... Alors ? Ça n'a pas l'air de vous faire plaisir !

— Nous n'aurons jamais le temps de répéter ! s'affole déjà Mozart.

— Mais la date des représentations n'est pas fixée !

— Vous voyez ! Rosenberg va nous lanterner...

— Vous, avec votre Rosenberg !...

— Et l'empereur va partir pour le front turc !

— Qu'est-ce que ça change ? On peut faire une première sans lui !

— Rosenberg...

— Ah non ! J'en ai assez ! déclare Da Ponte, soudain excédé. Je reviendrai quand vous aurez fini de vous faire un cauchemar avec Rosenberg ! Viens, Adriana...

Ils sortent et aussitôt, Constance se précipite vers son mari, prête à l'accabler de reproches.

Pendant ce temps, Da Ponte et la Cavalieri ont attendu d'avoir descendu un étage avant de commenter l'état de leur ami.

— Qu'est-ce qu'il a ? s'inquiète-t-elle.

— Est-ce que je sais, moi ? Depuis Prague, il est comme ça...

Il va continuer quand Mozart les rappelle depuis le palier, penché sur la rampe :

— Da Ponte ! Attendez. J'ai tant de travail en ce moment... Vous avez raison, c'est une bonne nouvelle.

— Ah. Tout de même !

— Excusez-moi pour tout à l'heure, ajoute Wolfgang en descendant les marches vers eux. Il y a plusieurs choses à arranger, dit-il enfin.

— Tous les arrangements que vous voudrez, affirme Da Ponte. Moi aussi, j'ai quelques idées là-dessus.

— A l'acte deux, notamment.

— Notamment.

— Il faut couper.

— J'adore ! Il faut couper la dernière scène, Wolfgang. Théâtralement...

Ils s'étreignent et remontent l'escalier sans s'en rendre compte, suivis par la Cavalieri.

— ... elle est mauvaise, d'accord, acquiesce Wolfgang.

— Et pendant que nous y sommes... cette chère Cavalieri, si elle joue Elvire... Vous êtes d'accord, je pense ?... Elle y sera divine... Elle aimerait bien un air de plus...

— C'est un si merveilleux personnage... minaude la cantatrice.

Ils sont arrivés sur le palier. Wolfgang s'arrête, considère le couple et sourit. Que pourrait-il refuser à son ami qui vient d'accepter les coupures qu'il lui demande ?

— Oui, c'est entendu, promet-il.

Les Viennois ont reçu *Don Giovanni* d'une oreille distraite. La salle a écouté avec une attention soutenue les polissonneries par trop démocratiques de ce séducteur qui met la paysanne sur le même pied que l'aristocrate, et qui chante si haut le plaisir de la liberté. La Cavalieri a retenu les regards, certes, mais la musique de Mozart a surpris le Tout-Vienne des mélomanes vrais ou faux venus à la suite du succès praguois de l'opéra. Auditeur modeste mais attentif, Haydn a suivi avec passion l'évolution du style de son cadet, et l'affirmation de ses dons dramatiques.

En face de l'opéra, au grand café à la mode, tout ce monde de fervents et de curieux se presse pour entrevoir la perruque du maître ou l'oreille mal démaquillée d'une diva.

Da Ponte, pressé de soustraire sa belle Cavalieri à tant de regards avides, s'apprête à sortir; ils sont accompagnés par une autre cantatrice, la Ferrarese. A leur passage, Salieri, en perruque finement poudrée, se lève pour baiser la main de la pulpeuse Cavalieri.

— Tu as été divine, ma chérie, absolument divine !

— *Caro*, tu nous excuses ! l'interrompt Da Ponte. Notre Mozart nous attend : une petite soirée entre nous pour fêter la première !

Salieri pose à nouveau ses lèvres sur la main qu'il n'a pas libérée :

— Je t'en prie, va, va. Mesdames...

Le librettiste et ses deux compagnes passent la porte, salués par quelques applaudissements, et aussitôt, les cancans vont bon train.

Salieri rejoint sa table où la lourde baronne von Blechstein-Brotzky persifle méchamment d'une voix essoufflée :

— Le juif converti* entre ses deux maîtresses ! Voulez-vous mon avis, Salieri ? J'aimais bien Mozart, celui d'avant, mais ce *Don Giovanni* ressemble à Da Ponte : il pue l'orgueil. On ne fait pas de grande musique sur un sujet impur. Et quelle vision des femmes ! Toutes folles de leur corps !

---

* Da Ponte est né Emanuele Conegliano, et juif. Lorsqu'il eut 14 ans, son père se convertit afin de pouvoir se remarier avec une jeune femme catholique. La conversion fut alors imposée à ses enfants qui prirent le nom de l'évêque de Cénéda — petite ville des États de Venise où ils vivaient — : Emanuele, l'aîné, eut même droit au prénom de l'évêque qui s'appelait... Lorenzo Da Ponte.

Stéphanie Le Jeune, à une table proche, a entendu.

— Ayez donc des amis ! dit-il à un homme d'une cinquantaine d'années, le négociant Puchberg. En voilà une qui ne jurait que par Mozart, pourtant !

— Mais pourquoi n'est-il pas ici ? demande son voisin.

— Da Ponte est gentil. Avec Mozart, il essaie de voiler les choses... Il n'a jamais été question d'une petite fête intime ce soir. Mais notre Mozart devient de moins en moins fréquentable. Et on commence à jaser un peu trop de ses dettes.

— Il en a tant que ça ?

— Plus qu'il ne pourra jamais payer. A un grand seigneur, ça se pardonne. A Mozart...

La voix de Salieri domine les autres, soudain :

— Voilà, vous avez eu le mot juste. Le vrai problème de Mozart est là : il est trop riche. Son tempérament le pousse toujours plus loin. L'univers ordonné de nos vieux maîtres ne lui suffit plus. Tout ce qu'il veut maintenant, c'est trouver autre chose, c'est inventer. Ce qu'il cherche, c'est la nouveauté...

Salieri s'emporte mais reste d'une froide lucidité : lui a compris Mozart et il sait le danger que représente son génie.

— ... la nouveauté... Non, ce n'est pas encore assez dire, je me demande s'il n'est pas en quête de l'absolu... L'absolu de la musique. Mais le public, lui, ne comprend pas. Il renâcle, il prend peur. Ce n'est pas tout de chercher, il faut aussi trouver. Et il arrive que Mozart ne trouve pas. Vous voyez le résultat. Des éclairs... Des éclairs d'une fabuleuse beauté, mais aussi la cacophonie. Des morceaux admirables, mais aussi le désordre. Et le désordre, c'est quelque chose qui ne passe pas à la postérité. Je vous le dis, moi, *Don Giovanni* est une œuvre admirable, mais sans avenir. N'est-ce pas ? Convenez que j'ai raison.

— Tout à fait, répond celui à qui ce discours était destiné. C'est beau, c'est superbe, mais l'invention mélodique reste chaotique.

— Trop difficile, messieurs, trop difficile, je l'ai toujours dit ! s'écrie Rosenberg assis à la même table que Zinzendorf, pas loin.

— Et cette manie de faire chanter tout le monde ensemble. Une fois ça passe, mais tout le temps...

Salieri se frotte les mains. Il a lancé la conversation comme il le faut. Magnanime, il peut jouer maintenant la pondération :

— Il reste que, dessous, il y a une science de la musique. Pour cela, ces musiciens allemands sont extraordinaires. Il lance un regard complice à Zinzendorf, qui écrit.

— Ah ! Le critique écrit son article. J'espère que nous ne vous influençons pas ?

Le chroniqueur fait non de la tête. Salieri apostrophe alors Haydn, avec la déférence qui convient lorsqu'on s'adresse aux vieux maîtres :

— Et vous, cher Haydn, votre avis ?

Ayant attendu que le silence se fasse autour de lui, Haydn se lève et toise sans un mot cette assemblée de conspirateurs. Puis il dit posément :

— Je... Je ne suis pas comme vous, messieurs, capable de trancher si rapidement à propos d'une œuvre qui mérite d'être écoutée plusieurs fois, avant qu'on puisse en parler. Mais... mais il y a une chose que je sais : il n'y a pas dans le monde un compositeur qui arrive à la cheville de monsieur Mozart. Vous avez tous du talent, mais Mozart est plus grand que vous, monsieur Salieri, et que vous tous ici.

— Et plus grand que vous, monsieur Haydn ? lance Salieri, hargneux.

— Oui, monsieur Salieri, plus grand que moi.

Il plante son chapeau sur sa tête, et part dignement. Derrière lui, une voix ironise :

— Il vieillit, le Haydn...

Les Mozart se sont installés dans un petit immeuble du quartier du Graben. Cet appartement étroit, chichement meublé, révèle à lui seul, un commencement de gêne que la prodigalité de Wolfgang et le manque d'organisation domestique de Constance aggravent de jour en jour.

Dans une chambre mal éclairée, les jeunes époux se regardent en silence, les traits tirés par le manque de sommeil et l'anxiété. Dans la pièce voisine, la petite Thérésa tousse... Mozart arpente nerveusement la pièce, sans perruque; quelques cheveux blancs parsèment sa chevelure. Il ne tient pas en place. La maladie de sa fille le plonge dans une angoisse épouvantable.

La porte de la chambre s'ouvre et un homme voûté, très digne dans son habit sombre, apparaît. C'est le docteur Closset, que la famille connaît bien.

— Je peux rédiger mon ordonnance ? demande-t-il à voix basse.

Mozart montre l'encrier et la plume, puis se hâte vers sa femme qui a rejoint l'enfant dans la chambre aux volets mi-clos. Thérésa a une nouvelle quinte de toux et Constance, penchée sur elle, remonte le drap. Elle chuchote à Mozart, assez bas pour que le médecin ne l'entende pas :

— Il ne veut rien dire ! Ça signifie que la petite va plus mal, qu'elle est perdue !

— Mais non, lui répond-il, hagard, avec un grand geste impuissant.

— Il lui faudrait de l'air, du soleil !

— Emmène-la au Prater.

Constance attire son mari à elle, pour mieux exprimer sa colère silencieuse :

— Dans l'état où elle est ? Et pour la ramener où ? Dans ce tombeau ? Si nous voulons la sauver, il faut aller vivre à la campagne !

— Où veux-tu que je prenne l'argent ? *Don Giovanni* ne nous a rien rapporté... Tu as vu ce que ça coûte, un déménagement ? Je n'ai même pas de quoi payer le médecin, et tu parles d'une maison à la campagne !

A-t-il fait exprès de parler si fort ? Quand il raccompagne le docteur jusqu'à sa voiture, dont le cocher obèse mastique des graines de tournesol, le praticien lui dit :

— Je reviendrai dans la soirée... Permettez-moi de vous rappeler ma petite note...

— Je suis désolé docteur, mais pour le moment... J'ai un concert, la semaine prochaine.

Le médecin hoche la tête, et claque la portière. En haut, Constance attend Wolfgang.

— Demande de l'argent à tes chers Frères ! Tes Francs-Maçons ! s'écrie-t-elle.

— Ça, jamais !

— Pourquoi ? Depuis le temps que tu me parles de leur solidarité, de leur fraternité. C'est le moment pour eux de t'en donner la preuve !

— Mais essaie donc de comprendre, Constance ! Cette égalité, elle n'existe que parce que personne ne demande rien. Si je me mets à solliciter, tout sera fini. Ils deviendront comme Rosenberg. comme l'empereur, mes patrons. A la Loge, il n'y a pas de patron. Et c'est cela qui m'aide, c'est de ça que j'ai besoin, comprends-tu ?

— Non, je ne comprends pas ! Ce que je comprends, c'est que tu préfères la Loge à ta fille, ta fierté à ta fille. Tu préfères tout à ta fille.

Dans la loge maçonnique de Mozart, un chœur de Frères chante la cantate *de la joie maçonnique* qu'il dirige lui-même Il a composé tout exprès cette ode sereine à la fraternité.

Heureux et détendu, il invite de la main un ténor à entonner sa partie, et le Frère Puchberg chante de tout son cœur, en regardant Wolfgang avec une attention passionnée.

A la fin, Puchberg propose à Mozart de le raccompagner et celui-ci grimpe dans la voiture luxueusement capitonnée du négociant, se demandant bien ce que lui veut son Frère... Quant à Puchberg, il est si intimidé par le talent du compositeur, qu'il n'ose pas même lui adresser la parole. C'est Wolfgang qui brise le silence :

— Monsieur Puchberg, je suis... tout à fait ravi que vous m'ayez proposé de me reconduire, mais je pense que vous avez aussi... quelque chose à me dire, non ?

Puchberg, violet d'émotion, répond d'une voix cassée :

— Oui... j'ai su, enfin... j'ai appris, d'une manière en quelque sorte fortuite... que vous traversiez en ce moment une période difficile.

— Un peu, oui, avoue Wolfgang, surpris. Des dépenses inattendues. Mais j'ai des concerts en vue, je...

Puchberg avale sa salive et coupe la parole de celui qu'il admire, comme s'il ne supportait pas cet aveu :

— Certainement, certainement. Je trouve injuste qu'un génie comme le vôtre trouve des obstacles... des gênes, enfin, que vous ayez à vous préoccuper...

— C'est fort aimable à vous de vous y intéresser, mais je vous assure...

— Je vous admire tant ! Vous rendre service serait pour moi un honneur. Je ne suis qu'un négociant, mais il me semble que si mes bénéfices pouvaient servir à... ils... ils prendraient un sens...

Soudain, il met de force une grosse bourse entre les mains de Mozart :

— Je vous en prie, si, si, je vous en prie. C'est moi qui vous le demande.

Et ouvrant la portière, il crie au cocher :

— Franz, arrêtez, arrêtez !

Avant que Wolfgang ait eu le temps de dire un mot, Puchberg a déjà sauté à terre.

— Reconduisez monsieur Mozart chez lui, ordonne-t-il.

Celui-ci, la bourse dans la main, voit disparaître son Frère, cet admirateur qui ne supporte même pas les remerciements.

Dans les faubourgs de Vienne, les Mozart ont trouvé une petite maison campagnarde dite « Aux trois étoiles ». C'est une demeure modeste, rustique, entourée d'un jardin rempli d'arbres fruitiers.

Wolfgang et quatre amis devisent, installés à côté d'une table où des bières viennent d'être servies. Ils déchiffrent le premier mouvement du quintette pour clarinette que Mozart vient de composer. Wolfgang tient l'alto et un grand gaillard à l'œil malin, tricorne en arrière, la clarinette. Tout près, Thérésa dort dans son berceau, et le petit Karl-Théodor qui a quatre ans, joue à la toupie avec la bonne.

Constance trouble ces instants de bonheur bucolique par une entrée affolée :

— Wolfgang, le propriétaire !

— Quel propriétaire ?

— Vous en avez tant eus, dit Stadler, le clarinettiste, il faudrait leur donner des numéros !

— Celui du dernier appartement, précise Constance. Il veut les deux cent cinquante florins qu'on lui doit et il n'est pas content.

Les musiciens se lèvent et s'apprêtent à fuir... mais Wolfgang fait front.

— Va lui dire...

— Rien du tout. Ce n'est pas à moi... s'indigne sa femme.

— Vas-y, je t'en prie. Je vais être désagréable. Je me connais. Ça n'arrangera rien.

— Dis plutôt que tu n'as pas le courage !

— C'est ça, je n'ai pas le courage ! concède-t-il.

D'un pas résolu, elle va retrouver, derrière la porte, le propriétaire en question, planté au milieu du chemin creux bordé de haies. Son fiacre stationne non loin de là. Au même instant, une voiture de maître arrive... et s'arrête. Un valet saute à bas, ouvre la portière armoriée, déplie le marche-pied. Gottfried von Jacquin descend, fébrile à l'idée de retrouver le Maître...

— C'est ici, père, dit-il en regardant à l'intérieur de la voiture. Van Swieten m'a très bien expliqué. Une petite maison avec un jardin.

Le vieux Jacquin apparaît à la portière :

— Tu tiens vraiment...?

— S'il vous plaît ! Il paraît qu'il n'a jamais aussi bien travaillé, que c'est merveilleux...

Mais des éclats de voix l'arrêtent net. Son père lève la tête, l'air contrarié. Le propriétaire, qu'ils n'avaient pas remarqué, hurle en brandissant une canne menaçante, debout à la porte de sa voiture.

— Des voleurs, vous êtes des voleurs ! Parfaitement. Il faut être des voleurs pour déménager sans payer le loyer ! Quand on n'a pas les moyens, on ne loue pas. Et on ne déménage pas en laissant des saletés partout ! Vous êtes des saltimbanques, c'est tout ! Il me faut mon argent. Si je ne l'ai pas dans les huit jours, je vous envoie la police, vous m'entendez ? La police !

Il donne l'ordre à son cocher de partir et le départ trop brusque le renverse sur son siège. Sa voiture s'éloigne dans un nuage de poussière, dans lequel disparaît aussi la voiture des Jacquin qui n'ont pas demandé leur reste.

Pendant ce temps, dans le jardin, Mozart fait répéter à son clarinettiste un trait de son quatuor. Constance va et vient sous les arbres, avec une telle nervosité que les deux hommes finissent par s'arrêter.

— Je vais écrire à Puchberg ! lui dit Wolfgang.

— Tu ne crois pas que c'est trop ? Ça fait trois fois en un mois. Il a déjà payé pour le déménagement, pour le nouveau loyer...

— Je lui demande combien ? Trois cents ?

— De toute façon, il n'enverra que cent cinquante !

— C'est extraordinaire, ça. Il envoie, mais jamais ce que je lui demande. Et il m'admire, paraît-il !

Stadler s'étire, et la pipe au bec, il donne à Wolfgang une leçon de parasitisme bien tempéré.

— Mais il t'admire. Profondément. Il t'admire à concurrence de cent cinquante florins. Ce n'est déjà pas si mal. Mets-toi à sa place. Je le connais, ce Puchberg. Avec tout son argent, c'est un petit homme. Rendons-lui cette justice : il le sait, il en a conscience. A côté de toi, il n'est rien du tout. Alors, quand il te donne de l'argent, pour un moment, il est ton égal, à ta hauteur. Et quand il te donne moins que tu ne lui demandes, il te dépasse. Ecris-lui maintenant une lettre bien plate, bien bouleversante, tu verras, ça marchera.

Constance hausse les épaules, gênée des évidences qu'elle entend :

— Tais-toi Anton, c'est indigne ce que tu dis !

— Et veux-tu mon avis ? insiste Stadler. Tu ne lui demandes pas assez !

— Quoi ? s'étonne Wolfgang.

— Parfaitement. Vous êtes des gagne-petit. Des innocents. Ce n'est pas trois cents qu'on demande, c'est deux mille !

— Deux mille ? s'écrie Constance.

— Bien entendu. Crois-en Stadler, il sait de quoi il parle, poursuit le clarinettiste en se désignant lui-même du doigt. A trois cents florins, tu quémandes. A deux mille, tu proposes une affaire. Un prêt à longue échéance. Remboursable ! Avec des intérêts. Qu'écris-tu en ce moment ? Des symphonies ?

— Oui, trois.

— Tu lui parles de l'avance qu'Artaria t'a consentie dessus...

— Mais il n'a rien consenti du tout ! s'indigne Constance.

— Constance ! J'ai dit : tu en parles ! Et le tour est joué.

— Il a raison, Wolfgang, reconnaît-elle. Tu as tes concerts, tes commandes...

— Mais je rembourserai, je peux rembourser ! J'écris à Puchberg immédiatement, et je lui demande deux mille florins !

— Et on pourra enfin soigner Thérésa comme il faut...

Stadler se lève.

— Je ne réclame qu'un petit trois pour cent pour l'idée... dit-il en riant.

— Arrête, imbécile ! le rudoie affectueusement son ami.

— C'est l'art qui m'a perdu. J'aurais dû être financier !

Wolfgang appelle la bonne :

— Dès que j'aurai fini la lettre, tu iras la porter.

— A Vienne ? Encore ce soir ?

— Allons, allons, tu prendras un fiacre. C'est amusant, une course en fiacre, non ?...

L'optimisme du couple durera peu.

Quelques jours après, le docteur Closset est à nouveau au chevet de Thérésa. Madame Weber et Sophie qui accourent, croisent, sur le pas de la porte, la bonne qui emmène le petit Karl. Toujours aussi imposante, Madame Weber donne de sa forte voix :

— Qu'est-ce que vous faites ?

— Je le conduis chez sa nourrice, ça vaut mieux, répond la bonne.

— Et la petite ? Que dit le docteur ?

La bonne ne répond pas. Madame Weber pousse le battant, juste au moment où Wolfgang sort. Livide, il regarde sa belle-mère sans un mot, puis se dirige lentement vers la voiture du docteur Closset. Là, la tête contre le panneau noir verni, il a une subite crise de larmes, qui dure longtemps, silencieuse — dévoilant la profondeur de sa douleur.

Madame Weber va vers lui et le prend dans ses bras. Il se laisse faire. Le docteur Closset apparaît.

— C'est fini, dit-il simplement.

VI
REQUIEM

L'hiver 1789 est rude. Dans la petite maison campagnarde qu'ils occupent toujours, les Mozart luttent difficilement contre le froid. Assis à sa table, Wolfgang travaille. Il est malade, la tête bandée.

Dans l'autre pièce, que la même cheminée réchauffe par la porte ouverte, Constance est allongée sur le lit. Très pâle, elle pleure à petits coups. Un mouchoir sur la bouche, elle se lève, passe dans la pièce où Wolfgang compose et reprend, sans transition, une discussion qui ne date pas d'aujourd'hui.

— ... Et me promener, où ça ? Et avec qui ? Avec les corbeaux ? A Vienne, au moins, même quand il pleut, je peux sortir, aller voir ma mère ! Ici, je suis seule ! seule ! seule !

— Il y a moi, dit-il sans lever la tête.

— Toi ! Tu travailles. Quand je te parle, tu ne me réponds même pas ! Quand tu me regardes, c'est comme si je n'existais pas ! J'en ai assez de cette vie, j'en ai assez de cette maison. Je veux retourner à Vienne.

Il ne lève toujours pas la tête.

— Non.

— C'est toi qui ne voulais pas venir à la campagne !

— Maintenant que j'y suis, déclare-t-il en se levant, j'en vois les avantages. Ici, au moins, personne ne vient me déranger.

Il va dans la chambre, suivi comme son ombre par Constance, qui s'acharne :

— Dis plutôt que tout le monde t'oublie ! Et la campagne ne te vaut rien, tu es tout le temps malade, enrhumé, tu as des névralgies !

— Quand tu me laisses tranquille, je travaille admirablement.

— Si au moins ça nous rapportait quelque chose, mais pas un sou. Personne n'y comprend plus rien, à ta musique ! Ta fille est morte, mais toi, tu composes, tu composes ! Tu es heureux !

Constance a enfin livré le fond de sa pensée. Il explose.

— Arrête ! Tu ne sais plus ce que tu dis !

La conversation gagne en violence, avant de s'apaiser dans la chambre à coucher, où le couple Mozart fait la paix sous l'édredon. Plus tard, Constance, pelotonnée dans les bras de Wolfgang, lui murmure, câline :

— Tu n'es pas si méchant, quand tu veux.

Elle lui caresse le bout du nez avec son petit doigt. Après un temps de réflexion, il avoue :

— C'est vrai. Peut-être pourrais-je te rendre heureuse.

Elle se dresse tout de suite sur son coude :

— Qu'est-ce qu'il y a ?

— Lichnowsky... tu sais, le prince Lichnowsky. Je t'en ai parlé... Qui est avec moi à la Loge... Un de mes derniers « fidèles »...

Elle a un cri du cœur :

— Il t'a prêté de l'argent ?

— Non, mais il doit renouveler ses écuries, faire tout un voyage pour acheter des chevaux.

— Et alors ?

— Alors, il doit aller jusqu'à Berlin. A Berlin où on donne mes opéras sans arrêt. A Berlin où j'ai l'appui du roi et où je pourrais avoir une commande. Il me propose de l'accompagner. Dans sa voiture.

— Tu as dit oui ?

— J'ai dit non. Je n'ai pas le premier sou pour partager les frais.

La force de l'argument abat aussitôt l'enthousiasme de Constance. Mais il continue à la dévisager avec une attention intense.

— Mais alors... Alors pourquoi m'en parles-tu ?

— Parce que Lichnowsky prend tous les frais à sa charge. Mon voyage serait gratis. En passant par Prague, par Dresde, par Leipzig. Autant d'endroits où je pourrais donner des concerts, des académies. A Dresde surtout, où la Duschek est actuellement en tournée. Et, pour couronner le tout, Berlin !

Constance se serre contre lui et caresse ses cheveux :

— C'est merveilleux ! Pourquoi ne me l'as-tu pas dit tout de suite ?

— C'est que, naturellement, je devrai partir sans toi.

Il hésitait à le lui annoncer mais voici qu'elle redouble de tendresse.

— Ah, dis oui, je t'en prie, Wolfgang, insiste-t-elle. Dis oui ! Dis oui !

— Tu y tiens vraiment ?

— Plus tard, ce sera trop tard ! assure-t-elle.

— Pourquoi ?

— Comment pourquoi ? demande-t-elle, étonnée qu'il ne comprenne pas.

— Pourquoi acceptes-tu si facilement de rester seule ? Tu as quelqu'un pour te consoler ? Qui ?

Il est soudain glacial. La jalousie, vieille compagne de son angoisse, réapparaît. Constance le regarde, stupéfaite.

— Wolferl, mon chéri, je ne comprends pas...

Mais il poursuit, aveuglé par sa rage naissante :

— Stadler, il te plaît, n'est-ce pas ?

— Tu es complètement fou !

— Tu t'entends bien avec lui...

— Parce qu'il me fait rire.

— C'est un début. C'est comme cette envie de revenir en ville. Pourquoi ?

Partagée entre l'étonnement, la joie d'une issue possible et l'horreur qu'elle éprouve à vivre dans cette maison, elle répond, les larmes aux yeux :

— Ah, Wolfgang, si tu pars, cette maison, je m'en débarrasse tout de suite ! Tout de suite, tu entends ? Je ne peux plus vivre ici. Après ce qui s'est passé, elle me fait horreur ! Sans toi, je ne résisterai jamais. Tu veux bien, n'est-ce pas, tu veux bien ?

Elle lui caresse les joues, se serre contre lui.

— Tu lui diras oui, à Lichnowsky, hein, tu lui diras oui ?

Wolfgang se laisse submerger par ce flot de caresses et de

paroles, mias il le subit avec amertume. Constance s'arrête, tout d'un coup. Ils s'observent, lui sur un coude, elle à genoux sur le lit. Enfin, il acquiesce de la tête, et elle se jette contre lui, et murmure :

— Merci, Wolfgang, merci !

En route pour Berlin, le 12 avril 1789, Lichnowsky et Mozart font halte à Dresde, l'un des centres musicaux les plus actifs d'Allemagne. Jean-Léopold Neumann, secrétaire du conseil de guerre, les reçoit dans son hôtel de Pologne. Ce riche notable est très lié avec le milieu musical de Dresde qu'il côtoie sans avoir à rougir : lui-même est librettiste à ses heures et sa femme, une amie du poète Gœthe, est une excellente pianiste.

Mozart a une raison bien précise de cultiver cette relation : il va retrouver à l'hôtel de Pologne, Josépha Duschek, la pulpeuse cantatrice qu'il n'a jamais complètement oubliée.

La grosse berline de nos voyageurs s'arrête dans la cour de l'hôtel des Neumann. Au milieu de la cour pavée, la maîtresse de maison, une splendide femme épanouie, attend, en compagnie de Josépha qui a revêtu sa plus belle toilette pour la circonstance. A la vue de l'équipage, madame Neumann jubile :

— C'est lui, c'est lui !

Le maître d'hôtel se précipite vers la portière que le laquais a déjà ouverte. Josépha s'avance, suivie de madame Neumann et de son mari. Lichnowsky descend de la voiture et lance à Wolfgang, d'un ton sec :

— Je vous avais prévenu. Sur tout mon parcours, j'ai des rendez-vous. Mon rendez-vous à Dresde, c'est demain. Après-demain, nous repartons.

— Ils peuvent attendre, vos chevaux ! répond Wolfgang sur le même ton.

— En effet. Comme ils peuvent aussi être achetés par d'autres.

— Mais un concert, ça ne s'organise pas comme une vente de pouliches ! Laissez-moi le temps !

— Trois jours concède Lichnowsky.

— Sept.

— Bon, disons cinq.

Et se tournant vers les dames, il les salue avec une politesse exquise, voire un rien méprisante :

— Ah... Madame Duschek, je suis sûr. Dans la voiture, le cher Mozart n'a pas cessé de me parler de vous.

Il s'incline devant la cantatrice et Wolfgang attend qu'il s'éloigne un peu pour lui glisser :

— Josépha, je ne te souhaite pas d'être jamais redevable à quiconque ! Sais-tu ce qu'il m'a fait perdre, Lichnowsky, parce qu'il n'a pas voulu rester à Prague plus de deux jours ? Un opéra signé avec Guardasoni !

La Duschek lui sourit, comme si elle n'avait rien entendu et la mauvaise humeur de Wolfgang retombe aussitôt :

— Bonjour, mon Wolfgang.

— Bonjour, ma perle. Bonjour, la plus grande des cantatrices. Bonjour, ange de mes jours !

Josépha se tourne en riant vers les Neumann.

— Madame et monsieur Neumann, deux grands admirateurs de ton talent... et chez qui j'habite à Dresde. Deux excellents musiciens...

— J'en suis sûr, Josépha ! Le monde est plein de gens merveilleux, il suffit de quitter Vienne pour s'en rendre compte. Ah, si tu savais comme je me sens bien ! Ce voyage, cette tournée... J'ai l'impression d'avoir de nouveau dix-sept ans, de repartir pour une nouvelle carrière !

Il ordonne au laquais, comme s'il était chez lui :

— Les deux malles du fond dans ma chambre. La chambre du *giovane* Mozart !

Josépha ne s'y trompe pas, cependant. Derrière son ton enjoué, elle voit les traits tirés, la fébrilité, le vieillissement précoce de son ami. Elle ne se laisse pas impressionner : non, il n'a pas dix-sept ans :

— Je te trouve une petite mine, Mozart.

— Ça va s'arranger, ça va s'arranger. Dis-moi, quand seras-tu à Leipzig, avec ta tournée ?

Josépha compte sur ses doigts :

— Dans trois semaines. Pourquoi ?

— Parce que j'y serai sans doute aussi, de retour de Berlin. Merveilleux, non ? Crois-tu que le prince électeur puisse m'entendre très rapidement ? Je n'ai que cinq jours.

Elle désigne le gros homme à côté d'elle, qui rougit jusqu'à la racine des cheveux :

— Justement, monsieur Neumann est le meilleur ami de l'intendant des plaisirs du prince...

Wolfgang prend le secrétaire du conseil de guerre par le bras et l'entraîne vers l'entrée :

— Cher Neumann, vous êtes ma providence !

Monsieur et madame Neumann, un peu débordés par un Mozart qu'ils avaient imaginé autrement à travers sa musique, rosissent d'aise devant l'empressement du musicien.

Dans le salon de leur demeure, les Neumann reçoivent tout ce que Dresde compte de musicien et de bien né. Un piano-forte a été installé sur une petite estrade pour la soirée. Un pianiste de la ville, grand et sec, interprète des variations à la façon de Jean-Sébastien Bach, comme il s'en joue encore en Prusse où le souvenir du grand homme n'a pas disparu. Lichnowsky. Josépha et Mozart, assis sur des chaises dorées, écoutent poliment le maestro local. Au milieu des notables qui paradent sur une rangée de chaises, à quelques mètres, monsieur Neumann interroge Wolfgang d'un regard inquiet. Celui-ci lui répond par un large sourire tout en confiant tout bas à Josépha :

— Ce Hässler improvise comme une saucisse. Et ça prétend être l'élève d'un élève de Bach. Le pauvre Jean-Sébastien doit se retourner dans sa tombe. J'ai des élèves qui jouent mieux que ça !

— Chut. Ce concours, tu l'as accepté ! souffle-t-elle, amusée et inquiète à la fois.

— C'est vrai, j'avais oublié : la province adore les concours.

Tristes plaisirs dresdois ! Heureusement, le prince électeur a été très bien, hier.

— Combien ? demande-t-elle.

— Une tabatière avec cent ducats dedans. Les affaires reprennent.

Hässler termine sa fade contribution dans les applaudissements satisfaits des riches Dresdois. Mozart se lève et, tout en applaudissant, se penche à l'oreille de Josépha :

— Je suis très heureux, j'ai reçu une lettre de Constance. Elle est de nouveau enceinte.

Avant que la cantatrice ait pu réagir, il se dirige vers le piano-forte et s'y installe pour offrir à ses hôtes le spectacle qui remboursera son séjour. Son amie ne le quitte pas des yeux. Lichnowsky, qui observe la scène, lui chuchote :

— Il vous inquiète, n'est-ce pas ?

— Il a du génie... affirme-t-elle simplement.

Toujours aussi exquis, le prince sourit :

— Quand il joue, oui ! Mais à l'intérieur d'une voiture, je vous assure, il n'est pas supportable... Toujours à s'agiter... A gesticuler... Tenez, ma chère, si vous vouliez m'obliger, vous pourriez lui conseiller... Vous êtes sa meilleure amie, et les femmes ont pour cela des délicatesses... lui conseiller d'être un peu moins... un peu moins nerveux... d'avoir un peu... un peu de tenue. Écoutez, moi, quand je voyage, je n'ai pas l'habitude de plaisanter avec les palefreniers !

Josépha a un regard solidaire vers Wolfgang. Elle va répondre quand il attaque sa *Petite Gigue*. Il n'en joue que les notes cristallines de la première moitié, une brève minute, sardonique, imprévisible, géniale, incompréhensible pour le public dresdois... Et il conclut brutalement par un accord plaqué. A quoi bon jouer pour de tels auditeurs ? Il regarde Josépha, désabusé.

A la cour du roi de Prusse, on mène grand train. Frédéric-Guillaume II, comme son oncle Frédéric le Grand, flûtiste et francophile, est un excellent musicien. Il a choisi le violoncelle et préfère tout naturellement la musique de chambre. Boccherini, compositeur officiel de la cour, lui écrit des quatuors. De plus, le roi admire Haydn, qu'il connaît personnellement. Enfin, Mozart ne peut être que bien accueilli, et son séjour devrait se révéler fructueux.

Au château de Sans Souci, à Potsdam, dans les environs de Berlin, au cours d'une brillante soirée, il ensorcelle la nombreuse assistance. Au premier rang, le roi écoute attentivement le musicien viennois qui joue la même gigue qu'à Dresde... mais cette fois, le public est réceptif. Le roi lui-même hoche de la tête, approbateur... Mozart regarde intensément la salle, du côté du souverain, mais ce n'est pas lui qu'il observe ainsi. C'est une jeune fille blonde, l'air timide, admirablement belle, sagement assise derrière Sa Majesté, et qui ne le quitte pas des yeux.

La gigue est finie. Les applaudissements déferlent, sincères et généreux. Mozart se lève, et rejoint les coulisses, non sans saluer longuement l'inconnue qui a porté son inspiration. En nage, il change de chemise dans sa loge, en présence du directeur de la musique de Frédéric-Guillaume II. Celui-ci, très bavard, lui transmet les compliments du souverain :

— Sa Majesté est ravie, tout à fait ravie ! Elle vous dira elle-même sa satisfaction. Elle m'a chargé de vous remettre ceci.

Il pose avec discrétion un petit coffret armorié sur un coin de la table. Et comme Wolfgang continue à se changer sans y jeter un œil, le directeur, surpris, insiste :

— Il s'agit de cent frédérics d'or. C'est une somme !

— Sa Majesté me comble ! s'écrie Mozart.

— Sans compter la commande de six quatuors et de six sonates...

Mais Wolfgang l'interrompt :

— Dites-moi, cher ami, à trois rangs derrière Sa Majesté, tout à l'heure, pendant que je jouais, il y avait une... jeune dame fort charmante qui écoutait avec beaucoup d'attention...

Tout heureux de cette confidence, le directeur y voit déjà la possibilité d'intriguer un peu :

— Parfaitement, parfaitement ! Mais c'est votre Blonde !

— Comment ?

— Oui. C'est la Baranius. Je lui ai confié le rôle de Blonde dans votre *Enlèvement au sérail*, justement ! J'aurais tellement aimé que vous soyez encore ici pour la première... Mozart assistant lui-même à la représentation à Berlin, quel privilège pour notre théâtre national !

Wolfgang le regarde, songeur.

Lichnowsky et Mozart font de mauvais compagnons de voyage. Sur le trajet du retour, qui les ramène à Leipzig, ils se disputent, une fois de plus. Plus que d'habitude, peut-être.

Arrivés à l'étape, Lichnowsky se lève pour descendre, et déclare, sur un ton qui n'admet pas la réplique :

— Bien. N'oubliez pas : nous repartons demain à onze heures précises. Je n'ai aucune envie de traîner en route.

— J'ai une visite à rendre, réplique le musicien sèchement.

Lichnowsky s'arrête, la main sur la portière :

— Comment ?

— Un maître à qui il faut que je présente mes devoirs. Le vieux Bach, à la Thomasschule.

— Le vieux Bach ? Mais il est mort il y a au moins quarante ans !

— Pas sa musique... D'ailleurs, je pense que vous partirez seul.

— Pardon ?

— Demain, à onze heures précises.

— Qu'est-ce qui vous prend ?

— Il me prend que je reste.

Les deux hommes se mesurent. Comme un laquais s'apprête à ouvrir la portière, Lichnowsky la referme brusquement :

— Vous rendez-vous compte de ce que cela veut dire ? L'auberge à vos frais ? La diligence au lieu de ma voiture, et à vos frais ?

Wolfgang fait oui de la tête et son hôte poursuit :

— Dois-je comprendre que c'est ma compagnie qui vous pèse ?

— Oui.

Secrètement soulagé, Lichnowsky reste silencieux un instant

mais il ne cherche aucun argument pour retenir son compagnon de voyage :

— Très bien. Sachez que de mon côté, j'en pense exactement autant. Seulement, moi, je ne l'aurais pas dit. Question d'éducation, je suppose. A propos, vous me devez cent florins.

— Cent ? Vous croyez ?

— Au jeu, vous n'avez pas cessé de perdre.

Wolfgang sort la bourse que lui a remise le roi de Prusse et compte cent florins :

— Je ne discute pas.

— Merci.

Sans un mot de plus, Mozart descend de voiture.

Dans la nef de la vieille église devenue le temple luthérien de la Thomasschule, Mozart joue à l'orgue, une fantaisie de Bach. Deux messieurs âgés, en perruque et collet, tirent les boutons des jeux sur les indications du compositeur, avec des gestes empressés.

Le pasteur Jean-Frédéric Doles n'a rien perdu de ce concert improvisé. C'est un ancien élève de Bach.

— J'ai cru que mon maître était revenu sur la terre ! s'exclame-t-il avant d'inviter le Viennois chez lui.

Et quelques heures plus tard, Mozart est à table dans l'austère maison pastorale. Il a passablement bu et contient avec peine les critiques qu'il roule dans sa tête. En face de lui, Josépha Duschek qui l'a rejoint, essaie de le modérer.

— ... Oui, oui ! Bach, lui, il savait ! commence Wolfgang. Mais maintenant, ce qu'on joue dans vos temples, Doles, c'est de la musique d'opéra.

La femme du pasteur regarde son mari avec effarement.

— ... Encore ici, à Leipzig, ça va ! Vous maintenez l'héritage. Mais ailleurs ! La musique d'église doit d'abord être une musique sacrée. Voilà ce que seuls les musiciens catholiques peuvent comprendre. Les protestants n'y comprennent rien !

— Mozart, nous sommes chez un pasteur ! lui rappelle Josépha, gênée.

— Si un pasteur ne supporte pas la vérité, qui la supportera ? poursuit-il. Non, chez les protestants, la religion est, je ne sais pas, moi... dans la tête ! Alors, que pouvez-vous comprendre à des mots comme *Agnus Dei, Pacem, Kyrie Eleison* ? Il faut comme moi y avoir baigné dès l'enfance. *Kyrie Eleison, Christe Eleison*, syllabes magiques ! Écoutez : *Tantum ergo sacramentum*... Il suffit de chanter cela, et voilà l'enfer, le paradis, la mort, qui sont là, mais pas dans notre tête. Dans notre chair !

Il se sert à boire, vide son verre d'un trait.

— Ces mots, il n'y a même pas besoin de les comprendre pour savoir que là est le secret, le sortilège. Et quand on les met en musique, ces mots entendus mille fois, notre âme est bouleversée, nous redevenons les enfants que nous n'aurions jamais dû cesser d'être. Après quoi, c'est le monde immonde qui revient, les Colloredo qui chassent les enfants, et, avec eux, l'innocence ! On s'agite dans le vide de la vie quotidienne. Vos enfants, eux, ils ont encore l'innocence, Doles ! Ils savent sourire...

Se penchant sur la table, il fixe les enfants du pasteur, leur fait une grimace qui les laisse figés.

— Faites-moi une risette... Les enfants Doles ne veulent pas sourire ? Tant pis, tant pis !

Le départ de chez le pasteur Doles n'a rien de glorieux... Le patriarche aide Josépha à soutenir Wolfgang qui titube. Elle voudrait l'excuser, mais le bon regard du pasteur la rassure : il a déjà connu les lubies du grand Jean-Sébastien qui n'était pas facile, lui non plus !

Soutenu par Josépha, dans les rues de Leipzig, Mozart fait peine à voir.

— Il faut que je te parle ! dit-il.

— Tu me diras tout ça demain.

— Non, tout de suite ! Demain, je ne serai plus là.

— Tu rentres à Vienne ?

Elle a de plus en plus de mal à le soutenir.

— Non, je retourne à Berlin. Je suis amoureux, Josépha, amoureux fou. C'est merveilleux. Amoureux !

— De qui ?

— D'Henriette. Henriette Baranius.

Josépha croit entendre un propos d'ivrogne :

— Tu veux répéter ?

— Je suis amoureux d'Henriette.

Voyant qu'il est sincère, elle s'emporte.

— Quoi ? Tu es inconscient ? Irresponsable ? Henriette Baranius ? Est-ce que tu vas continuer longtemps comme ça, à gâcher toutes tes chances ? Henriette ! Alors qu'il y a Constance qui t'attend, qui est enceinte, qui va te donner un enfant ! Et tu vas t'amouracher de cette petite qui a roulé partout. Sais-tu seulement qu'elle est la maîtresse du roi ?

Il se redresse en vacillant.

— Ça m'est égal, je la sauverai.

— La sauver de quoi ! Wolfgang, est-ce que tu m'entends ?

— Non, je ne t'entends pas. Tu es gentille, mais tu ne comprends rien. Ça me brûle, je brûle d'être près d'elle. Avec la diligence, je serai à Berlin à temps pour la représentation. Je lui dirai...

Josépha le secoue désespérément :

— Wolfgang ?

— Laisse-moi ! Mais laisse-moi donc !

La rejetant contre le mur, il s'éloigne.

Au grand théâtre national de Berlin, place de l'Académie, on donne *L'Enlèvement au sérail*. Irrésistiblement attiré par ce lieu où la Baranius tient le rôle de Blonde, Mozart s'y rend incognito. A peine arrivé dans la salle, il est reconnu par ses admirateurs et Henriette apprend qu'il est là. Intimidée par la présence du maître, la toute jeune chanteuse refuse d'entrer en scène. Il faut toute la diplomatie du compositeur pour la convaincre de reprendre son rôle... mais dans les moments décisifs, Mozart sait être diplomate.

Quand il pénètre dans la loge d'Henriette, à la fin du spectacle, elle l'accueille en déshabillé vaporeux... Si belle, si blonde et si timide, elle l'embrasse sur les deux joues.

— Ah, maître, vous étiez là, c'est merveilleux !... Savez-vous que j'étais morte de trac ? Dites-moi tout ! Ai-je chanté comme vous voulez ? Vous permettez, on m'attend. Je vais me changer.

Henriette passe derrière un paravent. Wolfgang s'assied dans un fauteuil, lui tournant le dos.

— Est-ce que j'ai bien compris le rôle ? demande-t-elle.

Wolfgang aurait mauvaise grâce à dire le contraire.

— Vous avez chanté divinement. Mais ce n'est pas ça qui compte. Ce que je veux vous dire...

Il hésite, cherche ses mots.

— Oui ? dit-elle.

Il se lance, la gorge serrée :

— Ce que je veux vous dire, c'est que je vous aime, Henriette, que je vous ai aimée à la première minute où je vous ai vue. Que je ne suis revenu que pour vous. Que je ne rêve que de vous. Je veux que nous ne fassions plus qu'un. Que nous commencions une...

Un bruit le fait se retourner. Henriette, à moitié vêtue, est passée devant le paravent. Elle semble clouée sur place par la surprise puis elle parle, comme s'il venait de faire une plaisanterie :

— Monsieur Mozart ! Enfin, monsieur Mozart !

Et peu à peu, le fou rire la prend. Elle rit aux éclats... Wolfgang pâlit, se lève. Son visage est ravagé de tics nerveux. Et brusquement, il prend conscience de ce qu'il se refusait à voir : il est devenu un vieux. Un vieux de trente-trois ans.

Triste retour à Vienne. Mal remis du camouflet d'Henriette, Mozart a mal voyagé, ballotté dans des chaises de poste impossibles, accablé de sottes discussions et de pauses interminables. Constance a déménagé et leur nouvelle demeure, située place des Juifs, est comme leurs ressources : très médiocre.

Wolfgang a dû prendre un fiacre pour arriver jusqu'à cette place où l'on ne se vante pas d'habiter. En descendant de la voiture, avec ses malles trop belles et trop lourdes, il a contemplé tristement l'immeuble crasseux. Mieux valait encore l'exil à la campagne... Mais lorsqu'il a reconnu le fiacre noir stationnant devant la porte, avec son cocher obèse en train d'avaler inlassablement des graines de tournesol... il s'est précipité dans l'escalier. Que fait ici le docteur Closset ?

Sur le palier de leur logement, Mozart se heurte à Sophie.

— Wolfgang, enfin te voilà ! Vite !

Il est mal rasé, fatigué; sa voix tremble :

— Constance ?...

— Oui.

Dans la pièce qui fait office de chambre à coucher, Constance est allongée sur le lit, encadrée par sa mère et la vieille bonne qui sue à grosses gouttes. A genoux, Closset panse le pied de madame Mozart, qui hurle de douleur à chacun de ses mouvements. Son visage s'éclaire un peu quand elle découvre au-dessus des têtes qui s'affairent, le pâle sourire de son mari :

— Wolfgang !

Il se précipite vers elle, s'agenouille et elle se cramponne à ses épaules avec une énergie sauvage :

— J'ai mal, Wolferl, j'ai si mal !

Il lui caresse le visage, jette un regard furtif à ce lit qu'il ne reconnaît pas, aux murs mal chaulés, et tente de la rassurer.

— Courage, ma Stanzi, maintenant je suis là. Laisse faire le docteur... Ça va aller mieux.

Le docteur Closset écarte violemment Wolfgang. Ce n'est pas le moment des effusions. Il ajuste le bandage de Constance et range ses instruments.

— Il y a longtemps ? demande Wolfgang à Sophie.

— Dix jours.

— Ah, c'est ma faute. C'est ma faute. Pardon... pardon...

Closset se relève et entraîne Wolfgang vers la pièce voisine, dont il referme la porte. Là, le médecin déclare gravement :

— Il était temps que vous arriviez. En soi, ce n'est pas très grave, mais elle est enceinte, et encore mal remise de la grossesse précédente. Si on n'agit pas très vite, l'infection gagnera. Il faut à madame Mozart une cure dans une ville d'eau. Je suggère Baden. Cette station a l'avantage d'être tout près de Vienne. Vous pourrez aller la voir régulièrement.

— C'est que je n'ai pas... balbutie Wolfgang, éperdu.

Closset perd patience. Une vertueuse indignation lui empourpre le visage :

— Ah non, ne venez pas me dire que vous n'avez pas d'argent !

C'est la vie de votre femme qui est en jeu. Je vous le dis sérieusement : à vous d'aviser. Et ne tardez pas !

Wolfgang retrouve presque avec plaisir l'antre d'Artaria, son éditeur, l'organisateur de ses concerts et son ami. Presque... car il a tant besoin d'argent...

— J'ai des problèmes de tournée, lui dit-il. En fait, je suis rentré presque sans rien...

— Ah oui ? répond Artaria. Je regrette mille fois mais une avance, je ne peux pas. Avec la meilleure volonté. Une avance sur quoi, d'ailleurs ?

— Sur le concert que je vous ai demandé d'organiser.

L'éditeur ouvre devant Mozart le gros cahier des inscriptions.

— Dès que j'ai reçu votre lettre, j'ai ouvert la liste des souscriptions. Il y a de ça deux semaines. Jusqu'ici...

Mozart lui arrache la liste des mains :

— Le baron Van Swieten... et... c'est tout ?

— C'est tout.

— Un seul souscripteur ?

— Un seul. Et le concert est dans trois jours. A votre place, j'annulerais.

Hagard, Mozart lui rend la liste.

— Et la musique que je vous ai donnée ?

Artaria hausse les épaules.

— Je n'espère même pas en recouvrer les frais de gravure. Ça ne se vend pas. C'est très beau. Moi, j'aime beaucoup. Mais je suis le seul.

— C'est une question de vie ou de mort, Artaria. Il me faut cet argent...

Artaria lève les bras au ciel :

— Où voulez-vous que je le prenne ? Je peux vous montrer ma caisse !

Il a un mouvement vers sa caisse, que Mozart suit avec une expression si étrange que son ami prend peur, et se sent obligé de se justifier :

— Je vous jure que si je pouvais... Allons, ne vous inquiétez pas, Mozart. Je vous connais. Vous avez toujours repris le dessus. Et ne vous préoccupez pas non plus de votre découvert chez moi.

Wolfgang reprend son tricorne, le met et sort, sans un mot.

A la lueur d'une bougie, Mozart travaille dans le petit salon de l'appartement de la place des Juifs. Il est tard. La pièce est à moitié vide : certains meubles gagés ont été enlevés. Le compositeur s'arrête et reste songeur, immobile, très longtemps. Ses joues ont enflé, sa bouche s'est encore affinée et ses yeux, agrandis, semblent exorbités.

La tête entre les mains, les yeux fermés, il réfléchit, visiblement très anxieux. Puis il prend la plume, la trempe dans l'encrier et se met à écrire : « Cher Puchberg... Je suis dans une situation comme je n'en souhaiterais pas à mon pire ennemi. Et si vous, mon frère et mon unique ami, ne m'accordez pas un secours immédiat, j'ai beau être innocent de mon malheur, je suis perdu avec ma pauvre femme malade et mon enfant... A Vienne, hélas, la fortune m'est à tel point hostile, que je ne puis rien gagner, quoi que je puisse tenter... Pardonnez-moi, pour l'amour de Dieu... »

Il signe, lève les yeux une seconde et ajoute, au bas de la page : « Vienne, 14 juillet 1789, minuit. »

La pelouse de l'établissement de bains de Baden est un des lieux de promenade les plus recherchés des environs de Vienne. Vrais curistes et oisifs en tout genre s'y retrouvent. Les dames en robes blanches, jouent de l'ombrelle au soleil pour les jeunes officiers de l'armée impériale, blessés sur le front turc. Aujourd'hui convalescents, ils sont les partenaires de jeu les plus assidus des belles curistes qui adorent les parties de volant et de colin-maillard...

Une jeune femme se distingue par son entrain. C'est Constance. Enceinte pourtant de six mois, elle rit comme une petite folle, les pommettes rouges, très occupée à fuir le jeune homme aux yeux bandés qui erre...

Soudain, elle aperçoit Wolfgang qui la cherche, accompagné d'un jeune homme à l'air compassé.

— Wolfgang, Wolfgang, ici ! crie-t-elle.

Et quittant le jeu, elle court vers lui qui rit de la voir rire, et se jette dans ses bras :

— Oh, que je suis contente !

— Attention, Stanzi. Voyons, attention ! Pense à l'enfant, lui dit-il tendrement.

— Méchant ! lui dit-elle en lui tirant l'oreille, il y a des semaines que je ne t'ai vu ! Pourquoi ?

— Le travail, ma chérie, le travail.

— Écoute, Baden n'est qu'à deux heures de Vienne...

Elle l'entraîne vers une table, à l'ombre d'un grand parasol blanc. Oubliant le jeune homme qui les suit en silence, Wolfgang la prend par la taille et annonce, très fier :

— J'ai une grande nouvelle...

— C'est cela qui te donne cette bonne mine ?

Constance ment : jamais son mari n'a eu l'air plus maladif. Mais le compliment le réjouit.

— Toi aussi, tu as bonne mine, ma chérie. Montre-toi !

Constance tourne sur elle-même dans un grand mouvement joyeux et gracieux de tout son corps.

— ... Quelle jolie robe ! Comment te sens-tu, maintenant ?

— Tout à fait bien. Veux-tu boire quelque chose ?

Au moment de saisir une carafe, elle avise du regard le jeune homme muet qui ne les a pas quittés. Wolfgang s'en aperçoit.

— Je te présente mon nouvel élève, qui est aussi mon copiste : Franz-Xavier Süssmayr. Il est très doué.

Constance lui jette un regard distrait, plus intéressée par la partie de colin-maillard qui se joue sans elle.

— Enchantée, monsieur, dit-elle et se tournant vers Wolfgang : Il a l'air très gentil. Un peu de citronnade ?... Alors ces nouvelles ?

Ils s'installent et Mozart commence :

— Voici : d'abord, il y a la reprise du *Figaro* qui marche très bien. Déjà neuf représentations. Des rappels qui n'en finissent pas.

— Ça nous fait un peu d'argent ?

— Un peu, oui.

— Parce que, tu sais, avoue-t-elle en riant, je n'ai plus un sou. Oh, mais je vois que tu t'es offert un nouvel habit ?

Il bombe le torse. La moire de son habit resplendit au soleil et il continue la liste de ses bonheurs :

— Oui. Et je fais du cheval aussi. C'est le médecin qui me l'a recommandé... Et il y a aussi que l'empereur m'a commandé un opéra. C'est même lui qui m'a donné le sujet.

Constance bat des mains.

— Merveilleux ! Il est bon, ce sujet ?

— Pas mal. En tout cas, ça amuse beaucoup Da Ponte. C'est une histoire qui, paraît-il, est vraiment arrivée. A Trieste. Deux jeunes gens, des militaires, sont tellement sûrs de la fidélité de leurs maîtresses, qu'ils font le pari d'essayer chacun de séduire celle de l'autre.

— Comment ?

Wolfgang se lève, et mime la scène avec vivacité et drôlerie.

— Ils se déguisent, bien sûr. En Albanais...

Soudain fascinée, Constance le fixe.

— ... Oui, bon, poursuit-il, c'est compliqué à expliquer. Bref, ils y arrivent, d'où quiproquos, jalousies... Je suis très content !

— Et ça s'appelle comment ?

— *Cosi fan tutte*. C'est de l'italien. Ça veut dire : « Elles sont toutes comme ça » !

A cet instant, une des joueuses de colin-maillard arrive, hors d'haleine, et les interrompt :

— Oh, Constance, Constance, viens ! C'est ton tour de t'y coller. Excusez-nous, mais le jeu...

Les autres joueurs l'attendent, en épiant ce mari dont ils ont entendu parler si souvent. Constance n'hésite pas. Elle dépose un baiser sur le front de Wolfgang et part en riant. On lui bande les yeux et la partie reprend.

Wolfgang regarde le jeu et soudain, il n'y tient plus... et entre dans le cercle, un peu plus âgé, un peu plus pataud que les autres dans son habit blanc.

Et voici qu'il se laisse prendre par Constance qui, tout contre lui, tâte son vêtement, cherchant à l'identifier.

— Theodor, c'est Theodor ? s'écrie-t-elle.

Il fait non de la tête et elle palpe ses épaules, son nez :

— ... Alors qui ? Max ? Non ? Joseph ? C'est vous, Joseph, n'est-ce pas ?

Wolfgang secoue la tête — non, ce n'est pas Joseph... Les mains de Constance parcourent alors son visage.

— Ah, les petits cheveux courts sous la perruque, oui, oui, et puis la peau, cette petite marque sur la peau... Franz, c'est vous, Franz !

Devant tant de précision dans les détails, le sourire de Wolfgang se fige et il dit très fort :

— Non !

Elle reconnaît aussitôt sa voix, soulève son bandeau d'une main. Il la dévisage longuement et sous son regard, elle se trouble et ses cils battent — ainsi sont confirmés tous les soupçons de Mozart.

— Tu ne crois pas que tu joues trop, Constance, lui demande-t-il, très sec. Nous allons rentrer. Pense à l'enfant. Tous ces jeunes gens...

Mais Constance a de la ressource et soudain, son innocence éclate sur son visage et elle le supplie, enjouée, rieuse, désarmante :

— Oh non, Wolfgang, je m'amuse tellement ici ! Et ils seraient tellement déçus ! Tu sais, ce sont tous des blessés qui reviennent du front turc... Il faut faire quelque chose pour eux. J'arrive, j'arrive ! crie-t-elle pour ses amis.

Elle a déjà rejoint les joueurs et la partie reprend. Wolfgang la contemple de loin, songeur — que pourrait-il dire, lui... ?

Joue, joue, Constance. Bientôt, le glas sonnera à nouveau après un accouchement difficile.

C'est une petite fille, menue, fragile, violacée. Closset accourt dans son fiacre noir. Mais personne ne peut déjà plus rien pour l'enfant qui meurt presque aussitôt.

Il n'y a pas loin de la place des Juifs au cimetière de la paroisse. Mozart et Madame Weber forment le seul convoi funèbre du petit cercueil de planches grossières que le croque-mort porte sous son bras. Le brave homme s'essuie le front de la manche élimée de son costume noir, et demande :

— Une petite fille ?

Cécilia Weber répond à la place de son gendre.

— Oui. Elle n'a vécu qu'une heure.

Le travailleur de la mort considère Mozart avec compassion et comme s'il voulait exprimer sa solidarité au musicien, il dit :

— Je vais vous dire. Ça vaut peut-être mieux. Si elle était destinée... Vous n'avez pas eu le temps de vous attacher. Après... les voir malades... tout ça... c'est pire.

Madame Weber profite de la circonstance pour s'imposer dans le ménage des Mozart. Ce regain d'intérêt pour sa fille dans la peine justifie, à ses yeux, les accès d'autorité qu'elle se permet dans le petit appartement viennois.

Constance dort, veillée par Sophie. Elle halète, à la recherche d'une respiration régulière qu'elle ne trouve pas. Dans la pièce voisine, Wolfgang travaille à la partition de son nouvel opéra : *Cosi fan tutte*. Sa belle-mère brode un inutile canevas et pleure, secouée de petits soubresauts. Les halètements de Constance, le bruit très léger du fil trouant l'étoffe et les pleurs de la vieille femme rythment désespérément ces instants. N'en pouvant plus, Wolfgang s'adresse à sa belle-mère :

— Mère, pourquoi pleurez-vous ?

— Je pense à cette pauvre petite Anna qui est partie si vite. Je pense à ce malheur qui est sur nous, répond-elle d'une voix rauque.

— Vous avez perdu d'autres petits-enfants. Chaque fois, vous avez montré tant de courage, dit-il.

Madame Weber sort un petit mouchoir de sa manche :

— Maintenant, je n'en ai plus. Je vieillis.

Wolfgang la regarde, attendri. L'âge a ôté à cette femme tout ce qu'elle avait de redoutable. Il lui sourit et elle lui répond par un regard plein de tendresse, qui illumine ses yeux embués de larmes. Mozart se remet à écrire.

— Vous, vous êtes si calme, murmure-t-elle.

— C'est mon travail qui le veut. J'écris en ce moment un quatuor très lent, où il me faut de la douceur, de la tendresse. De la mélancolie aussi. Mais une mélancolie qui n'a rien à voir avec ma vie, qui ne m'est dictée que par le livret... Vous savez, cette musique, cette musique qui naît en moi, elle vient d'une région de mon âme où les tristesses et les joies, le bonheur et le malheur n'arrivent pas.

Sophie entre dans le salon sur la pointe des pieds, et referme la porte :

— Comment va-t-elle ? s'enquiert Wolfgang.

— Toujours faible, mais elle ne pleure plus.

— Pourrais-tu me faire un peu de café ?

Sophie entre dans la cuisine et il poursuit ses confidences à Cécilia, très attentive.

— Pendant longtemps, je me suis révolté contre la mort. Maintenant, j'ai compris qu'elle est le vrai, le seul but de notre vie, qu'elle est notre amie, la clé de notre félicité. Je vois devant moi le visage de la mort. Il n'a plus rien d'effrayant...

Mozart lève les bras, les étire et les croise derrière sa nuque.

— ... il est apaisant, au contraire. Depuis quelques années, je ne me couche jamais sans penser que le lendemain peut-être, si jeune que je sois, je ne serai plus là. Et cette idée ne me donne ni chagrin, ni peine.

Il sourit; il est loin, très loin du petit salon de la place des Juifs.

L'opéra impérial de Vienne est comme endormi, cet après-midi-là. Les sièges ont disparu sous les housses, la scène est vide. Quelques bougies de la rampe l'éclairent chichement. Quatre chanteurs et chanteuses répètent, houspillés par Mozart qui les dirige depuis le piano-forte où le répétiteur s'escrime de son mieux.

Ils chantent le toast en canon de la fin de *Cosi fan tutte*. Dans la salle, trois spectateurs attentifs goûtent cet admirable mélange de mélancolie, de tristesse contenue et d'amour. Trois spectateurs de choix : Haydn, Da Ponte, très nerveux, et Puchberg, aussi raide que la fonction qu'il représente.

Mozart plaque subitement sa main sur les touches graves du clavier et les chanteurs s'interrompent.

— Dorabella, hurle-t-il, ça n'est pas une cantate d'église ! Ils vivent, ces gens-là, ils éprouvent des sentiments, ils aiment !

Dorabella lui réplique, avec une mauvaise foi ingénue :

— Laissez-moi vous dire que de toute façon, chanter cette musique-là, le bras levé au-dessus de la tête en portant un toast, je ne pourrai jamais. Rien que ma robe déjà m'empêche de respirer.

Wolfgang s'avance vers elle, et lui parle tout près, si près qu'elle sent la chaleur de son souffle :

— Mais qui vous force à lever le bras ? Voilà justement le genre de gestes dont je ne veux pas. Nous ne sommes pas dans un mess d'officiers, on ne trinque pas à la santé du colonel ! Non, tous les quatre, vous vous regardez les yeux dans les yeux, vous êtes revenus de tout, vous n'avez plus aucune illusion les uns sur les autres, et pourtant vous vous aimez.

— Paradoxal, non ? interroge Ferrando, le partenaire de Dorabella.

Mozart hausse les épaules d'exaspération :

— Paradoxal, oui. Et Ferrando, ton contrechant plus musical, pas en troisième couteau de répertoire, s'il te plaît ! Allez. On reprend à la sixième de D. Le répétiteur vous accompagne... Je descends dans la salle.

Pendant que les quatre chanteurs reprennent, il rejoint ses auditeurs de marque, s'assied près de Haydn, et l'interroge du regard. Haydn lui répond d'un regard qui signifie : « Magnifique ». Tout son visage le crie, son sourire, ses yeux rayonnants.

Mozart ne demandait que cela.

Mauvaise nouvelle à la Cour impériale de Schönbrunn : Joseph II se meurt. Dans la ruelle de son lit, courtisans et dignitaires attendent, à distance respectueuse, la fin du souverain. Moment terrible, en ce petit matin de 1790, où certains savent que leurs privilèges vont tomber, où d'autres spéculent déjà sur leurs chances auprès du futur monarque. Ils retiennent leur souffle, admirant le savant ballet des médecins qui jouent pour eux le rituel complexe de l'impuissance médicale.

Un des médecins, le plus âgé, approche un miroir de la bouche de l'Empereur : aucune buée ne le trouble. Joseph II est mort. Le médecin fait signe au Grand Majordome de la Cour qui s'approche de la meute des courtisans pour prononcer les paroles libératoires :

— Messieurs, Sa Majesté Joseph II est morte.

On se regarde, consterné, heureux ou inquiet. Dans la ville, la nouvelle se répand très vite. Toutes les cloches sonnent le glas, suivant l'exemple de la cathédrale Saint-Étienne.

Quelques jours plus tard, le laquais de l'intendant Puchberg frappe à la porte du logement des Mozart.

Il tend à Constance, qui lui ouvre la porte, un paquet, et repart en grommelant son message :

— Avec les compliments de mon maître.

— Merci.

Constance, qui a retrouvé sa vivacité, retourne vers Mozart qui discute avec Stadler, le clarinettiste. Au passage, elle frôle lentement l'épaule de Süssmayr qui copie des partitions sur la table du salon.

— Créancier ? s'écrie Wolfgang.

Constance le détrompe d'un joli mouvement de tête :

— Non. Puchberg.

Du coup, tous convergent vers le coin de la chambre à coucher où les deux compères ont élu domicile. Wolfgang défait le papier, en tire une bourse, et la montre, solennellement :

— Je lui ai demandé deux cents florins. Avec la garantie de deux concerts, c'est raisonnable, non ?

Il jette les pièces sur un guéridon.

— Alors, combien ?

Wolfgang les regarde, l'air presque stupide tant il est stupéfait :

— Dix-sept. Regarde ce qu'il m'envoie : dix-sept florins !

Stadler lui-même n'a pas envie de rire. Il se tape la cuisse d'un coup sec et demande :

— Dix-sept ? Pourquoi dix-sept ?

Constance frémit. Elle fait couler les quelques florins dans sa main :

— Ce n'est pas un chiffre !

Stadler recommence à se frapper la cuisse. Il vient de trouver le parti qu'on peut tirer de cette infortune :

— Ça, quand je le raconterai !

Du coup, Mozart retrouve sa bonne humeur. Hilare, il claironne :

— Date à marquer dans nos souvenirs : le jour où Puchberg nous a envoyé dix-sept florins... Avec dix-sept florins, on ne peut rien rembourser. Je propose donc qu'on les consacre à un bon dîner. Ce soir même, et au *Serpent d'argent* !

Constance bat des mains. Elle secoue le rustique Stadler :

— Bravo ! Tu en es, toi aussi ?

— Présent ! répond-il.

Mozart se tourne vers son copiste, discret comme une ombre :

— Et toi aussi, Süssmayr !

Le restaurant du *Serpent d'argent* fascine les Viennois qui sont rares à pouvoir s'y offrir un bon repas. Une grande salle en bas, des salons particuliers leur permettent d'y fêter luxueusement toutes sortes d'événements intimes ou familiaux. Mozart y est en terrain de connaissance. Deiner, le patron, est un ami de longue date.

A la vue de la joyeuse petite équipe, qui s'est octroyé un des plus beaux salons, le restaurateur perd un peu de sa componction professionnelle, et lance :

— C'est la fête ! Alors, ne commandez rien. Faites-moi confiance ! Papa Deiner sait ce qu'il vous faut !

Wolfgang tend son verre vide :

— Du vin tout de suite !

Constance s'inquiète :

— Mais tu as déjà bu à la maison...

— Tant pis, Constance, c'est la fête !

Deiner s'éclipse, et revient avec un pichet dans chaque main. Wolfgang trinque avec Süssmayr et Stadler. Il porte un toast aigre-doux à leur avenir à tous :

— Voici notre bilan : ma supplique au nouvel empereur pour avoir un poste, jusqu'ici, pas de réponse...

Stadler ne veut pas d'ombre à la soirée. Il rassure son ami de sa puissante voix :

— Pas de nouvelles, bonnes nouvelles ! Au moins, toi, tu n'as pas été renvoyé comme Da Ponte ou Rosenberg !

Wolfgang continue sa liste de déplaisirs :

— *Cosi fan, tutte* : accueil tiède, très tiède...

Stadler joue son rôle :

— Le public...

— Le public et la critique : tièdes, précise Mozart. Bref, en caisse : dix-sept florins. Moins l'addition de ce soir.

— Addition qui va les dépasser ! précise à son tour Stadler.

— Tant mieux ! Table rase. Heureusement que j'ai mes deux amis Stadler et Süssmayr. Le fameux duo. Saluez, mesdames et messieurs ! Entrée comique : le duo Stadler et Süssmayr !

Il rit. Il rit de son rire étrange où se mêlent la cordialité, la gaieté grinçante, l'amitié mais aussi le mépris.

— Tiens, Stadler, dit-il, raconte-nous l'histoire du Mont-de-Piété.

— Non, raconte, toi. Je n'aime pas me vanter.

Stadler plonge le nez dans son verre pour se retenir de rire. Mozart tend la main et raconte :

— Écoute, Süssmayr. Ça en vaut la peine. J'avais deux montres. Deux très belles montres. Je demande à Stadler d'aller les engager au Mont-de-Piété. Bon. Il le fait. Je te dis, l'obligeance même. Puis, il a gardé l'argent...

Stadler lui met la main sur la bouche :

— Écoute...

— Je sais. Il paraît que c'était une question de vie ou de mort. Pour Stadler, c'est comme ça qu'il appelle ses dettes de billard.

— Ah, pardon ! Cette fois-là, ce n'était pas le billard.

Wolfgang poursuit, comme s'il n'avait pas entendu :

— Après quoi... écoute, Süssmayr... Après quoi, il a gardé les reconnaissances et il les a revendues. Toujours pour lui, bien entendu. Ce n'est pas beau, ça ?

Süssmayr sourit poliment. Constance paraît très gaie. Elle rit. Stadler se justifie, d'un ton enjoué ·

— C'est ta faute, aussi. Chez toi, rien n'est jamais fermé à clé. Je suis un homme rangé, moi. Les choses qui traînent...

— Tu les ranges. Dans ta poche, de préférence.

Constance s'étrangle de rire. Elle est assez bohème pour ne pas prendre l'aventure au tragique. Du coup, Süssmayr ose forcer un peu sa retenue. Il contribue au comique de la scène en demandant, très raisonnable :

— Je ne comprends pas. N'était-il pas plus simple de voler directement les deux montres ?

Wolfgang se ressert à boire :

— Tu entends, Stadler ? Voilà ce qu'il aurait fait, lui...

Le copiste rosit :

— Pas du tout, mais...

— Non, non, Stadler a des délicatesses. Il vole, mais en deux temps. Ça change tout. Jamais il ne m'aurait volé les montres comme toi tu me voles mes partitions.

Süssmayr s'empourpre. Il pointe son doigt sur son cœur :

— Moi ?

— Mais oui, toi, bien entendu. Je m'en suis aperçu, tu penses. On a l'air godiche comme ça, on sort tout juste des jupes de sa mère, mais on a la main leste. Ça ne fait rien. Je ne t'en veux pas. Mes partitions aussi, j'ai tort de les laisser traîner. L'amitié est au-dessus de ça !

Süssmayr ne dit rien. Stadler bondit de son siège. Même la canaille a sa morale. Il s'indigne :

— Voler des partitions ! Ça alors, Süssmayr !

Deiner est entré, suivi de ses serveurs chargés de bouteilles et de plats. Wolfgang savoure cette diversion, mais tient à rester le maître de la soirée :

— Deiner, mon vieux, venez trinquer avec nous. A ma santé... et à la réussite de mon prochain voyage ! A ma bonne santé !

Du coup, Constance intervient, sans joie cette fois :

— Quel prochain voyage ?

— Je pars pour Francfort.

— Mais tu ne m'en as rien dit ?

— Je viens de le décider.

Deiner comprend plus vite que les autres : son instinct d'aubergiste, ou les confidences de ses clients...

— Pour les fêtes du couronnement, monsieur Mozart ?

Wolfgang trinque avec lui

— Si fait. L'empereur a désigné dix-sept musiciens pour l'accompagner. Il n'y a pas de raison que je n'y aille pas aussi.

Constance pressent déjà quelque folie. Elle frappe de son poing sur la table :

— Mais tu n'es pas invité !

— Un oubli. J'organiserai des concerts, j'aurai des commandes, je ramasserai plein d'argent.

Constance ne peut supporter une telle légèreté. Elle se souvient encore du dramatique retour de Berlin :

— Et qui paiera le voyage ? Sûrement pas Puchberg !

— Pourquoi Puchberg ? Il y a les usuriers...

Stadler s'appuie sur le coude et prend un air évasif :

— J'en ai quelques-uns dans mes relations.

Il vient une fois de plus de retourner la situation. Mozart lui tend un verre plein :

— Monsieur Stadler, de vous, le contraire m'aurait étonné !

Ils rient tous les quatre aux larmes.

Le voyage s'est soldé par un échec. Peu de concerts, pas de commandes, même pas un coup de folie pour une chanteuse...

Pourtant, les amis de Mozart, le dernier carré des fidèles, comme la famille Wendling, ont joué de toutes leurs relations pour que le musicien puisse se produire, au moins une fois. Ils réussissent à organiser un concert pour Mozart, mais il a lieu au même moment qu'une parade militaire qui distrait de lui tout le public. Pour ne pas affronter une salle de théâtre à moitié vide, Mozart ordonne d'ouvrir en grand les portes de la salle, afin que le peuple puisse entrer gratuitement. Devant cette assistance simple, qui est la récompense de sa générosité de franc-maçon, il interprète un merveilleux concerto pour piano et orchestre qu'il rebaptise *Concerto du Couronnement.*

Le concert remporte un tel succès que Salieri lui-même doit reconnaître tout l'intérêt qu'il a et écouter le concerto...

Wolfgang retrouve le petit appartement glacial de Vienne, et sa Constance frigorifiée. Un châle sur les épaules, elle l'attend, emmitouflée dans une couette. Quand il entre, elle n'a qu'un mot à dire :

— J'ai froid.

Wolfgang avise la cheminée :

— Le feu est presque éteint. Il faudrait du bois.

— Il n'y en a plus.

— Je vais aller en chercher.

Constance regarde son mari de ses grands yeux implorants :

— Avec quoi ? Le marchand de bois ne fait plus crédit.

Wolfgang se met à sautiller. D'un ton faussement enjoué, il invite Constance :

— Nous ne pouvons plus continuer à avoir froid comme ça. Viens.

Et il l'entraîne dans une danse échevelée. Devant le feu qui s'éteint, devant le buffet vide, devant les rares meubles qui n'ont pas été saisis, ils dansent. Lui bat la mesure, elle chantonne d'une voix blanche. Ils dansent. Absurdement. Désespérément.

Planté de chênes très anciens, le Prater abrite à la bonne saison, de ces attractions de toutes sortes dont la clientèle viennoise est friande : manèges, animaux exotiques, monstres et danseuses... tout y est à voir, tout à acheter. Mais l'hiver, ce grand parc prend des allures fantomatiques.

Il neige, en ce commencement de 1791, et le Prater étend à l'infini son paysage lunaire. Haydn et Mozart, engoncés dans de gros manteaux, s'y promènent.

— Je n'écris plus, Haydn, confie Mozart à son aîné. Depuis Francfort, depuis huit mois, je traîne. Je suis juste bon à réorchestrer du Hændel pour Van Swieten.

— Je pars pour Londres. Venez avec moi, propose Haydn.

— Non.

— Réfléchissez. La proposition que vous fait O'Reilly est inespérée. Trois cents livres sterling pour deux opéras ! Et il vous laisse libre de donner des concerts privés...

Wolfgang enfonce ses mains dans ses poches.

— Je ne peux pas.

Haydn marque un temps de silence pendant lequel ils n'entendent que la neige qui crisse sous leurs pas, puis il revient à la charge.

— Maintenant qu'Esterhazy est mort, je suis libre. Nous ferions le voyage ensemble. J'ai bien besoin d'un compagnon.

Mozart fait non de la tête, évitant le regard de son ami qui poursuit :

— Franchement, je ne comprends pas. Et ne me parlez pas de

votre poste à la Cour ! Un poste qui ne vous plaît pas et où vous êtes payé misérablement !

— Constance est enceinte.

— Enfin, Mozart. Qu'est-ce qui vous retient à Vienne ? Les malheurs que vous y avez eus ? Quand vous vous êtes arraché à Salzbourg...

— J'étais plus jeune.

Ils marchent en silence dans le vent glacial. Mozart a les larmes aux yeux.

— Cela me fait tant de peine que vous partiez, dit-il. Sans doute ne nous reverrons-nous jamais.

— Hé, Mozart, j'ai cinquante-huit ans, c'est vrai, mais je compte encore sur quelques années.

— Je ne pensais pas à vous.

Du coup, le vieux musicien s'arrête, et regarde Wolfgang, intensément. Il le gronde, de tout l'ascendant paternel qu'il a sur lui :

— Voulez-vous me chasser ces idées noires ! Il faut vous remettre au travail, Wolfgang, tout de suite !

— Me remettre à courir ? demande-t-il avec un sourire contrit.

— Oui.

Ils se regardent encore, et s'étreignent fraternellement.

La vieille bonne, qui contre vents et infortunes, sert encore le ménage Mozart, a pris des manières de conjuré retranché dans une forteresse. Quand on frappe à la porte de l'appartement de la place des Juifs, elle s'imagine toujours qu'il s'agit d'un créancier :

— Non, monsieur n'est pas là, répond-elle invariablement.

Mais cette fois, le visiteur, en redingote rouge rayée de blanc, tonitrue dans la cage d'escalier :

— Alors, c'est vous qui jouez du piano. Bravo ! Et la musique continue ? Ainsi, vous jouez à distance ! Encore mieux...

La musique s'arrête alors, au fond de l'appartement et Wolfgang, qui est bien là, apparaît sur le seuil. Il dévisage un moment le personnage tapageur qui parade devant lui et le reconnaît enfin :

— Schikaneder !

L'autre ouvre les bras avec une généreuse ostentation :

— En personne.

— Eh bien, ce n'est pas trop tôt ! Depuis deux ans que vous êtes à Vienne, vous auriez pu venir me voir. Entrez...

Le visiteur entre au pas de charge dans le modeste salon des Mozart.

— Et vous ? Êtes-vous jamais venu dans mon théâtre ? Et pourquoi ? Parce que c'est un théâtre privé ? Vous qui êtes un habitué des subventionnés ? Parce qu'il est en banlieue ? Je vous signale que, tous les jours, il y a des gens qui y arrivent. Il faut demander deux ou trois fois son chemin, mais on y arrive !

Constance apparaît, attirée par la forte voix qui trouble si joyeusement la paix de la maisonnée. Elle a l'air fatiguée. « Enceinte, probablement », se dit le directeur du Théâtre *An der Wieden*, sans savoir qu'il s'agit de la sixième fois...

— Je te présente Emmanuel Schikaneder, un ami, dit Wolfgang. Je t'en ai parlé, il est directeur du Théâtre *An der Wieden*. Il reste un peu de café ?

— Je vais le chercher.

Elle sort et Schikaneder hoche la tête.

— Charmante ! Mes compliments !

Puis, s'approchant du piano-forte, il jette un regard sur la partition négligemment jetée sur le couvercle :

— Joli, ça. J'ai entendu dans l'escalier. Très joli. Nouveau ?

Mozart accepte le compliment et répond :

— Je pense donner bientôt un concert. De moitié avec un corniste.

— Vous pensez ? Ou... c'est déjà arrangé ?

Wolfgang fait un geste vague de la main.

— Disons : entre les deux.

— Je vois. La situation n'est pas brillante, non ?

— Non. Et vous ?

— Moi non plus.

Il se mettent à rire tous les deux, leur amitié retrouvée.

— J'imagine votre vie, dit Schikaneder, des commandes sans arrêt, des menuets, des contredanses...

Il rit encore, tandis que Wolfgang confirme :

— Et même des pièces pour orgue mécanique. Mais je m'en sortirai, vous verrez.

Schikaneder saisit l'occasion au vol et propose brusquement :

— Et si nous nous en sortions tous les deux ? Écoutez, Mozart, les trois pièces que je viens de monter n'ont pas marché, mais je sais pourquoi. Il me faut viser plus haut, plus grand...

Sous ces termes pudiques, Schikaneder révèle comme il souffre de se voir contraint à la médiocrité dans son théâtre, pour attirer un public populaire avide de grand spectacle, de machineries merveilleuses et de rengaines faciles à retenir... Quand il s'aperçoit que Mozart comprend parfaitement ce qu'il veut dire, il tend vers lui sa main ouverte, et lui déclare, sur le ton du mélodrame :

— ... Il me faut un spectacle qui soit un événement. Un coup de poing... Cet événement... c'est vous dans mon théâtre. Vous dans un théâtre privé. Voilà le coup de poing.

Constance revient avec un plateau sur lequel le café fume dans les tasses. Elle souffle à son mari :

— Wolfgang, c'est très bien ce que te propose monsieur...

Elle hésite à répéter le nom compliqué de cet invité qui déborde d'idées et lui tend une tasse de café.

— ... Schikaneder, madame... Ce café est délicieux. Le vrai café. Comme on n'en fait plus.

Encouragée, Constance commence seule la négociation :

— Et quel genre de pièce vous faudrait-il ?

Schikaneder répond vite. Son regard saute de Wolfgang à Constance, car il ne voudrait pas se passer de l'une et vexer l'autre :

— Une pièce énorme, madame. Mon théâtre a un équipement extraordinaire. Des machines ! Des trappes ! Il faut voir mes trappes ! Les acteurs entrent, sortent, personne ne comprend comment. Des cintres aussi haut que la scène. Dans mes cintres, j'ai tout. Voulez-vous l'attaque d'une citadelle ? Je le fais. Une tempête sur la mer ? D'accord. Bref, il me faudrait une féerie à grand spectacle, du fantastique, du fabuleux, du jamais vu !

Comme sa femme plisse le front, méfiante, Mozart demande :

— Et l'argent, vous en avez ?

— Assez pour vous faire une avance.

Mozart ne pense pas à cela. Ce qu'il lui faut, c'est plus une réussite que le minimum pour faire vivre le ménage :

— Non, je parle de l'argent pour monter le spectacle.

Schikaneder tend les bras, et dessine une affiche imaginaire dans la moiteur du petit salon :

— Schikaneder-Mozart... Sur ces deux noms, je trouve le financement.

Wolfgang réfléchit.

— Et le livret ?

— Un sujet neuf. Moderne.

— Vous parliez d'une féerie ?

D'un air malin, son vieil ami répond, plein de mystère :

— Ce n'est pas incompatible.

— Schikaneder, si vous avez une idée, dites-là !

— Vous êtes franc-maçon ? *Anch'io*. Moi aussi. Je sais que vous avez déjà écrit des cantates maçonniques et...

— Vous voulez dire, une féerie maçonnique ? s'écrie le musicien.

Schikaneder ouvre ses deux mains, en signe d'évidence :

— Voilà ! En partant de nos symboles. Vous imaginez le spectacle, l'événement !

Wolfgang se lève et se met à marcher.

Soudain, il serre le poing. Quelque chose se déclenche enfin en lui. Il se retourne :

— Un opéra qui serait comme une de nos cérémonies, comme un voyage d'initiation, avec nos rites et nos épreuves...

— Voilà !

— Une transposition qui nous permettrait d'exposer au grand jour notre doctrine, le conflit entre le Bien et le Mal. La Nuit et le Jour, et la Raison et l'Ignorance... D'accord. Je m'y mets aujourd'hui même !

— Mais attention ! ajoute Schikaneder. Mon public est populaire, mais il est exigeant. Difficile, plus difficile que les intellectuels et les mondains de vos scènes subventionnées. Je vais vous dire la différence capitale : chez moi, les gens paient leur place, alors ils en veulent pour leur argent.

A ce mot, Constance demande :

— Monsieur Schikaneder, vous aviez parlé d'une avance ?

— Je sors et je reviens, madame. Tel est Schikaneder : aussitôt dit, aussitôt fait !

Elle a une idée derrière la tête...

— C'est que je voudrais tant repartir pour Baden ! Oh, Wolferl, tu es d'accord, n'est-ce pas ? La cure m'a fait tant de bien.

Wolfgang ne répond pas. Il est déjà ailleurs. Il marche dans la pièce, avise son ami, et tout à coup, fonce tout droit sur sa femme :

— A Baden ? Bon, mais Süssmayr t'accompagne.

— Quoi ?

— Il est stupide, mais c'est une compagnie.

— Bon. D'ailleurs, sans moi, tu seras mieux pour travailler, dit-elle.

Dans la loge de « la Vraie concorde », une dizaine de Frères maçons, ornés des attributs de dignitaires, sont réunis autour d'une table où un repas est servi. Un repas pendant lequel les interventions d'orateurs et les toasts à la liberté ne manquent pas : il s'agit d'agapes fraternelles. La conversation est très animée. Wolfgang, sautoir bleu autour du coup, parle passionnément de son projet, avec une fantastique énergie mais le premier dignitaire, un petit homme sanguin, secoue la tête :

— Nos rites ne sont pas faits pour être exposés sur la scène. Leur secret est la garantie de leur sérieux.

— Mais ce sera une transposition, le rassure Wolfgang. Papageno sera l'homme de la Nature, et l'homme de la Lumière sera...

— ... Sarastro, dit le second dignitaire calmement. Vous nous l'avez déjà dit. En somme, ce que vous voulez c'est nous mettre en scène...

— Pas personnellement, je vous jure !

Le premier dignitaire revient à la charge :

— Comment, pas personnellement ? Votre homme de Lumière, c'est von Born, cela crève les yeux. S'il n'était pas si malade, croyez-vous qu'il accepterait ce déguisement ?

Wolfgang ne cède pas :

— Je suis allé le voir. Il approuve mon projet.

Les Frères se consultent du regard. Si Ignaz von Born, le plus sage et le plus courageux des Francs-Maçons de Vienne, parraine l'opéra, la question mérite d'être reconsidérée. Un troisième Frère rompt le silence, en demandant doucement :

— Votre Papageno est un comique ?

— Et alors ? En êtes-vous encore à croire que le comique ne puisse pas exprimer aussi des choses sérieuses, graves, capitales ? Un homme qui rit est un homme désarmé. Il est prêt à recevoir le message.

Le premier dignitaire se radoucit. Dans l'ombre des bougies, les ornements de cuivre de son baudrier lancent des lueurs. Il demande :

— Mais quel message ?

— Notre message d'une humanité en marche vers un monde enfin adulte. Notre message d'égalité, de liberté...

— ... de fraternité.

Un vieillard sec et austère, revêtu d'ornements plus riches encore que ceux de ses Frères, vient de parler. Sa voix ferme mais compréhensive encourage Wolfgang qui répète, pénétré :

— Oui, surtout de fraternité.

Un autre dignitaire, au bout de la table, cherche à concilier les opinions :

— La devise des révolutionnaires français. Artistiquement, votre projet me convient. Politiquement, c'est une autre affaire. On va nous traiter de jacobins. Nous ne sommes plus au temps de Joseph II... Léopold est contre nous. Et puis, votre Schikaneder m'inquiète. Il est un des nôtres, je sais, mais je vous avoue que je n'ai jamais compris comment il a pu être admis. C'est un vulgaire entrepreneur de spectacles ! Ses trappes... c'est tout ce qu'il connaît !

Wolfgang est dérouté par cet appui qui a tout l'air d'un reproche. Ce Frère vient de lui donner tranquillement des raisons de baisser les bras. Tout à son projet, il n'a pas pensé un instant aux obstacles qu'on lui désigne là. Voyant son désarroi, le dignitaire qui l'a le plus fermement critiqué le rassure :

— Restez calme. Notre société n'est pas autocratique. Nous ne sommes qu'une réunion d'hommes auprès de qui vous prenez conseil. Vous êtes libre.

Les Frères se congratulent les uns les autres, en gage de fraternité. Puis, dans le silence le plus recueilli, ils reprennent le long cérémonial des repas rituels.

Au théâtre *An der Wieden*, l'atmosphère est bien loin de la dignité empesée qui règne dans les théâtres impériaux. Dans la pimpante bâtisse aux sages colonnes classiques, Mozart a commencé les auditions des chanteurs et chanteuses qui tiendront les rôles de Pamina, Sarastro, la reine de la Nuit, l'oiseleur et tous les personnages de sa féerie maçonnique.

Sur scène, au milieu des machinistes qui s'affairent, invisibles et efficaces, une ravissante blonde chante : *Ach, ich fühl's es ist verschwunden...*, un des plus beaux airs de *la Flûte enchantée*. Elle a peut-être dix-sept ans, pas plus, et elle est adorable en Pamina. Dans la salle, Wolfgang et Schikaneder l'écoutent avec ravissement, quand de violents coups de marteau retentissent dans les coulisses, troublant leur plaisir. Le directeur du théâtre se lève d'un bond et crie, terrible :

— Silence ! C'est un théâtre ici !

Une voix bon enfant lui répond :

— Oui, patron !

Il veut faire signe à la jeune fille de continuer, mais Wolfgang se tourne vers lui, et l'arrête :

— Non, ça va, c'est bien.

— Oui, elle chante bien, Marianne Gottlieb, je l'ai déjà utilisée.

— Moi aussi. Dans les *Noces*, il y a cinq ans. Elle jouait le rôle de Barberine.

Schikaneder n'insiste pas. Il lance à Marianne, qui attend, anxieuse :

— On te prend ! Passe cet après-midi pour signer !

La jeune fille saute de joie :

— Oh, merci, merci !

Elle part en courant et le directeur lance, redoutable :
— La suivante !

Le régisseur la fait entrer en scène, mais Schikaneder a déjà l'esprit occupé ailleurs. Il hèle un machiniste :

— Qu'est-ce que c'est que ce pendrillon-là, Franz, dans les cintres, à la cour ! Veux-tu m'appuyer ça !

— J'y vais, patron !

Franz rectifie l'emplacement de l'élément de décor qui déparait et son directeur, qui l'a aussitôt oublié, accueille la nouvelle chanteuse, sans ménagements.

— Bonjour, mademoiselle. Vous avez la partition ?

— Non, monsieur.

— Müller ! Donne une partition ! crie-t-il au régisseur.

— Patron, je n'en ai pas.

— Et celle qui a servi pour Marianne ?

— Elle l'a emportée... Vous ne m'aviez pas dit...

— Il faut tout dire ! Tout ! gémit Schikaneder en se rasseyant. Si vous ne le dites pas, ce n'est pas fait. Et le temps, lui, il galope ! Et il coûte ! Un théâtre fermé, les frais continuent à rouler. Eh bien, Müller, cours chez le copiste !

Et, se tournant vers Mozart :

— Où est-il, votre copiste ?

— Süssmayr ? A Baden.

— A Baden ? C'est inouï, ça ! Nous sommes là à nous tuer de travail, et le copiste est à Baden ! Qu'est-ce qu'il a ? Il est malade ?

— Non, il accompagne ma femme...

Ébahi, Schikaneder ne peut s'empêcher de sourire, car en homme habitué aux intrigues les plus tortueuses, il a tout de suite compris.

— Sacré Mozart ! Vous m'étonnerez toujours !... Faites attention. Vous connaissez l'adage : « Mari absent, mari cocu ! »

Maintenant calmé, il avise la chanteuse qui attend sur scène, et l'invite à chanter :

— Mademoiselle, demain vous aurez la partition. En attendant, chantez-nous ce que vous savez. Cela nous permettra déjà de nous faire une idée. N'est-ce pas, Mozart ?

Et il se tourne vers le musicien pour s'assurer de son approbation, mais Wolfgang n'est plus là : il a disparu.

Mozart est malade. Épuisé. Harassé par les préparatifs de *la Flûte enchantée*. Et voilà que ce Schikaneder lui ouvre les yeux ! La nuit est tombée lorsqu'il arrive à la petite villa où Constance s'est installée pour la cure. Il n'en peut plus mais poussé par la jalousie, il trouve encore assez de force pour escalader le mur, s'agrippant au lierre qui le couvre, et se hisser sur le balcon sans abîmer son habit. Poussant hâtivement la porte-fenêtre qui n'est pas fermée, il fait tomber un petit guéridon et un bruit de porcelaines brisées résonne dans le silence.

Constance s'est aussitôt assise sur son lit. Elle s'empare de la veilleuse qui éclairait le livre qu'elle lit, et affronte avec courage l'obscurité menaçante

— Qui est là ? Qui est là ?

— Constance... c'est moi, Wolfgang...

Il tremble de peur, de colère et de honte aussi, car debout devant le lit, il constate, complètement hagard, que sa femme est seule. Et il se tient là, debout, sans bouger. Mais qu'est-ce qu'il est allé s'imaginer ? Tout aussi stupéfaite que lui, Constance demande :

— Qu'est-ce que tu fais là ? En pleine nuit ?

Soudain, elle est prise de panique.

— Wolfgang ! Il est arrivé quelque chose au petit ?

— Non... non... j'ai besoin de Süssmayr... balbutie-t-il.

— Et c'est dans ma chambre que tu le cherches ? En passant par la fenêtre ?

Il ne répond pas. Que dire ? Et le vieux jeune homme en costume de travail et la femme enceinte délaissée se regardent. Puis elle se met à pleurer. Des larmes d'abord, qui précèdent de vrais sanglots, ceux qui libèrent et qui apaisent. Wolfgang se rapproche d'elle, prend sa tête et la serre contre sa poitrine. Abattu, il tente de la rassurer et c'est de lui-même qu'il parle.

— Constance, Stanzerl, ma Stanzi... Je ne vais pas bien, Constance. Je ne peux pas t'expliquer... J'ai une espèce de vide dans la poitrine, là, et ça fait mal tout le temps. Et tous les jours ça monte, ça me prend à la gorge, je ne sais pas ce que c'est. Même le travail ne me calme plus. Si je me mets au piano et que je chante quelque chose de mon opéra, ça me bouleverse tellement que je me mets à pleurer...

Elle relève la tête et le regarde. Ses pleurs calmés, elle l'écoute, effrayée.

Eté 1791. Au Prater, les arbres prennent déjà les teintes mordorées annonciatrices de l'automne. Mozart a décidé de faire de l'exercice et Schikaneder ayant mis un cheval à sa disposition, il chevauche dans la grande allée du parc tandis que le brouillard de l'aube traîne encore sur les pelouses. Une voiture noire, toutes fenêtres fermées, stationne au loin mais il n'y prête pas attention et poursuit sa promenade.

Comme il passe devant l'étrange véhicule, une portière s'ouvre et une voix l'appelle :

— Monsieur Mozart ?

— Oui ? répond-il, arrêtant sa monture.

Un homme entièrement vêtu de noir le fixe d'un œil glacé, perçant.

— On m'a dit que vous faisiez votre promenade du matin au Prater, que j'étais sûr de vous y trouver... Pourrais-je vous entretenir un instant en particulier ? Donnez-vous la peine de descendre de cheval. Nous serons plus à l'aise pour parler dans ma voiture.

Dans la cage d'escalier de l'immeuble de la place des Juifs, fusent les rires heureux de deux femmes qui se racontent leurs mille secrets. Constance et Sophie, en chapeau et robes claires, rentrent de la promenade du nouveau petit Mozart que sa maman porte fièrement, enveloppé d'un manteau de dentelles. Elle le tend à sa sœur :

— Tiens, prends-le ! Attention. Il dort ! Le temps d'enlever mon chapeau... et démaillote-le ! Pour une première promenade, je trouve qu'il s'est très bien tenu, non ?

Constance aperçoit tout d'un coup Wolfgang qui lui tourne le dos, assis, immobile. Elle le connaît trop bien pour ne pas sentir qu'il n'est pas bien :

— Tiens, tu es là ?

Il se retourne lentement et il a l'air si bouleversé qu'elle s'alarme :

— Qu'est-ce que tu as ?

— J'ai vu la mort.

— Quoi ?

— Le messager de la mort. Un homme en noir. Au Prater. Il m'a commandé un Requiem. Mon Requiem.

Quelques jours plus tard, dans cette même pièce, Schikaneder est fou de rage. Il déambule, jetant, chaque fois qu'il passe devant le piano, des regards furibonds à la partition du *Requiem*.

Wolfgang est absent. Constance plaide pour lui, comme elle peut. Dans un coin, Süssmayr se tait, comme d'habitude.

— Il m'est arrivé bien des choses dans ce métier, tempête Schikaneder, mais je n'avais encore jamais travaillé avec un fou, un fou furieux. Car il est fou, vous entendez, Constance, fou à lier.

— Il dit que le *Requiem* passe avant tout, dit-elle.

— Quel *Requiem* ? Le *Requiem* de qui ? D'un fantôme ? Ça ne vous fait rien, Süssmayr, de copier de la musique pour un fantôme ? Car par-dessus le marché, l'« homme en noir » n'est qu'un intermédiaire ! Interdiction de savoir qui est derrière ! C'est une lubie, Constance, c'est clair comme le nez au milieu de ma figure ! Un accès ! Une hallucination !

— Même si c'est une lubie, s'obstine-t-elle, il faut la laisser passer. Le docteur dit qu'il est très fatigué. On ne doit pas le contrarier.

Schikaneder se penche sur Constance.

— Et moi, là-dedans ? Si je ne peux pas rouvrir, c'est la faillite.

— Wolfgang dit que l'homme en noir...

— Vous en êtes encore là ? Mais cet homme n'a jamais existé ! J'en vois d'autres, moi, des hommes noirs à l'horizon : les huissiers !

Il s'apprête déjà à ouvrir la porte pour sortir, quand il sent quelqu'un qui actionne la poignée à sa place et il se retrouve soudain devant un homme impassible, tout habillé de noir.

— Je suis bien chez monsieur Mozart ? demande l'homme.

Schikaneder ne dit plus un mot. Cette apparition digne de son théâtre, lui a cloué le bec.

— Oui, monsieur... dit Constance, abasourdie.

— Il est là ?

— Non... Je suis sa femme.

Poliment, très gentiment, avec une voix douce qui contraste avec la sévérité de son costume, il déclare :

— Très bien. Je suis venu apporter à monsieur Mozart l'avance dont nous avons convenu pour ce *Requiem*. Voilà, madame... Et veuillez lui dire de ma part qu'il écrive à sa convenance. Il n'y a pas péril en la demeure, nous n'en sommes pas à un mois près. Bonsoir, madame. Bonsoir, monsieur.

L'homme en noir disparaît, aussi discrètement qu'il est apparu.

— Bonsoir, murmure Constance devant la porte qui se referme.

L'alerte passée, Schikaneder a retrouvé sans difficulté son franc-parler :

— Vous avez entendu ! Il n'y a pas péril en la demeure ! Alors qu'est-ce qu'il fait, Mozart ? Il devrait être ici à m'écrire *la Flûte enchantée*.

— Il va s'y remettre, Schikaneder, je vous le promets.

— Mais non, il va trouver autre chose, soyez tranquille ! Une autre commande. N'importe quoi, pourvu que mon théâtre reste fermé ! C'est son vice : la musique, il ne la compose plus, il la mange !

Sur la scène du théâtre *An der Wieden*, le fougueux Schikaneder est partout à la fois. Il procède aux réglages compliqués des machineries de *la Flûte enchantée* : la nacelle qui emmène les trois enfants, les éclairs de Sarastro, les grottes de l'initiation de Tamino... Mozart assiste à cette gymnastique de foire sans un mot, l'air buté, absent.

— Hans ! crie le directeur. Vérifie la trappe côté jardin. Elle s'ouvre mal. Et je veux voir les fils qui soutiendront les trois enfants.

— Oui, patron !

Wolfgang s'approche de Schikaneder qui s'aperçoit de sa présence.

— Tiens, vous voilà, Mozart. Bonjour.

— Bonjour, Schikaneder... j'ai quelque chose à vous dire.

— Ne dites rien. On vous a fait une nouvelle proposition.

— Comment le savez-vous ?

— Je vous connais ! Un opéra, au moins ?

— Oui, affirme Wolfgang, stupéfait.

Schikaneder explose, comme cela ne pouvait manquer d'arriver.

— Un opéra ?!!

— Oui. Guardasoni à Prague. Cette fois-ci, c'est pour le couronnement de Léopold comme roi de Bohême. Pre.nière le six septembre...

— Le six septembre ? Mais nous sommes le seize août ! On n'écrit pas un opéra en trois semaines !

Mozart, humble, implore des yeux la compréhension de son ami :

— Je sais. Je ne me fais guère d'illusions. Si Guardasoni s'est adressé à moi, c'est que je travaille plus vite que les autres.

— C'est de la rage, Mozart, déclare Schikaneder, affectant le calme.

— Je ne peux pas me permettre de refuser deux cents ducats.

— Et quel livret, peut-on savoir ?

— C'est... *la Clémence de Titus.*

— Quoi ? De Métastase ? Ce vieux machin qui a traîné partout ! Alors que vous discutez chaque virgule de *la Flûte* ? C'est à ça que vous voulez me sacrifier ? Mozart, je vous le dis pour votre bien : refusez !

— J'ai déjà accepté.

— Vous avez...

— Oui.

Schikaneder en tombe assis dans un fauteuil. Sur scène, les machinistes et les acteurs le regardent, consternés. Il finit par les houspiller :

— Eh bien, qu'avez-vous à me regarder comme ça ? Et vous, Mozart ? Qu'est-ce que vous faites encore là ? Allez-y donc, à Prague. Allez trahir vos amis, et votre œuvre. Je n'essaierai pas de vous retenir. On n'arrête pas les collectionneurs et les maniaques. Écrivez-nous donc une petite messe en supplément, sans compter deux ou trois sonates !

Wolfgang retient une seconde ce flot d'imprécations, pour se justifier :

— J'ai des dettes, Schikaneder.

— Prétexte ! La vérité, je vais vous la dire... C'est que vous êtes content. Allez, allez vous prouver une fois de plus que vous êtes le seul, l'unique à pouvoir le faire ! Mais quand vous reviendrez à Vienne, si vous ne me trouvez plus, vous saurez qui est responsable de ma mort !

La première de *la Clémence de Titus* a lieu le 6 septembre 1791. Mozart y a travaillé dix-huit jours et dix-huit nuits d'affilée, sans prendre le temps de se lever de sa chaise, ou à peine. Son style s'affermit, l'épreuve l'oblige à donner jusqu'à la moindre parcelle de son imagination. Si son esprit s'épanouit, son corps supporte mal ces privations et ces épreuves.

Léopold II, couronné par les Praguois roi de Bohême, et l'impératrice Marie-Louise assistent à la représentation. Mais le contraste entre un vieux livret plus que conventionnel et une musique au classicisme dépouillé jusqu'à l'extrême, déroute le couple impérial et la critique. L'opéra rencontre un honnête succès d'estime. L'empereur d'Autriche aurait souhaité mieux pour son couronnement dans un de ses plus turbulents royaumes...

Mozart quitte hâtivement ses amis Duschek, avec le sentiment secret et déchirant qu'ils ne le reverront plus.

Novembre 1791. *La Flûte enchantée* est prête. Le public accourt à la première, en foule. Le Tout-Vienne aussi, qui vient s'encanailler dans ce théâtre de banlieue où l'un de ses meilleurs musiciens dévoile les mystères d'un ordre secret qui intrigue autant qu'il inquiète. Un Tout-Vienne bien clairsemé, cependant. La salle est plutôt remplie par des ménages modestes qui viennent pour s'offrir du bon temps. On parle beaucoup de cette *Flûte enchantée*, et de ce jeune homme accompagné d'un oiseleur qui trouve la sagesse et une compagne à travers les épreuves que lui fait subir la Reine de la nuit...

Schikaneder se frotte les mains :

— Ha ! Ha ! Le théâtre est plein ! Ouvreuses, venez... rajoutez des chaises !

Le contrôleur s'esclaffe : c'est déjà fait. Les cris d'encouragement, que les gens de théâtre se lancent mutuellement en cas de trac ou de victoire, rassérènent Schikaneder. Il est à bout, presque autant que Mozart qui le suit comme son ombre.

L'opéra commence. Les chanteurs, judicieusement choisis, tiennent à merveille leur partie. Ils savent que de leur travail, dépend la survie du théâtre, et leur cachet. Au dernier tableau, Monostatos, les trois dames et la Reine de la nuit, dans un décor d'étoiles d'or sur fond bleu pâle sont secoués par un coup de tonnerre. Ils chantent :

— « Notre puissance est anéantie et abolie...
Nous disparaissons dans la nuit éternelle... »

Le soleil apparaît, dans la tempête et les éclairs, nimbant Sarastro, le grand Initiateur entouré des prêtres égyptiens. Trois garçons, portant des fleurs, descendent des cintres. Sarastro chante :

— « Les rayons du soleil ont repoussé la nuit... Et anéanti la puissance des démons... »

Le chœur des prêtres conclut :

— « Gloire à vous, initiés ! Vous avez vaincu la nuit... Merci à toi, Isis, Merci à toi, Osiris !... La force a triomphé et couronné... La beauté et la sagesse pour l'éternité ! »

La force des paroles, la beauté rayonnante de la musique ont porté l'émotion du public à son comble. Dès les derniers accords, des applaudissements fulgurants éclatent, unissant dans un court instant de fraternité, le peuple des habitués et les aristocrates de passage qui ne s'attendaient pas à cette magistrale réussite.

Derrière le rideau, les chanteurs et les musiciens se congratulent, étonnés de leur propre succès. Schikaneder les embrasse, les rudoie de bonheur avant de courir vers Mozart :

— Mozart ! Je vous l'avais dit !

Marianne, la jeune cantatrice, habillée en prêtre égyptien pour le dernier tableau, embrasse le musicien :

— Maître, c'est formidable !

Les machinistes, les ouvreuses, tous participent à l'euphorie. Schikaneder leur annonce solennellement :

— Mes enfants, le théâtre est sauvé ! Laissons les chanteurs se faire applaudir. Rideau, Hans, rideau, voyons !

C'est l'après-midi et au théâtre *An der Wieden*, on se prépare à la représentation du soir qui — c'est maintenant la routine — ne pourra être qu'un succès. Le contrôleur du théâtre s'extasie devant Schikaneder, suivi de Mozart.

— Fantastique, patron ! Je n'ai jamais vu ça ! A l'instant, j'ai dû refuser des gens qui voulaient louer quatre semaines à l'avance.

— Malheureux, tu as refusé ? s'affole le directeur.

— Mais, patron, au-delà de quinze jours, la caissière ne s'y retrouve plus !

Schikaneder frappe l'épaule de Mozart, contre qui se serre la ravissante Marianne :

— Vous avez entendu ? Et il y a deux mois que ça dure ! Dites-moi, mon vieux, le succès vous va. Vous avez grossi.

Wolfgang sourit d'un air entendu, très pâle mais tellement plus calme :

— J'ai pris pension au *Serpent d'argent*.

— Chez Deiner ? Bonne maison !

Marianne défend tendrement le compositeur :

— Moi, je ne vous trouve pas gros du tout, monsieur Mozart !

— Marianne, dans ta loge... ordonne Schikaneder, irrité. C'est curieux comme le succès plaît à ces petites... Alors, vous travaillez toujours à votre *Requiem* ?

Wolfgang sourit, cligne de l'œil :

— Toujours. Plus un concerto pour Stadler.

La brasserie du *Serpent d'argent* est devenu le lieu où l'on se rencontre, et où l'on a quelque chance de rencontrer Mozart, le maître de *la Flûte enchantée*.

Il est une heure du matin. L'aubergiste Deiner accueille Wolfgang avec un infini respect :

— Bonsoir, maître. Il n'y a personne avec vous ?

— Non, j'ai fait une farce à Schikaneder et cet imbécile est furieux...

— Et au théâtre, ça marche toujours ?

— Toujours, oui. Nous faisons salle comble.

— C'est vrai que tout le monde en parle. C'est l'événement de l'année. Vous voilà sorti d'affaire.

— Peut-être...

— Et votre petit Karl ? Je l'ai vu passer l'autre jour. Il a bien grandi.

— Oui. Il faut que je commence à m'occuper de lui. Vous savez quoi, Deiner ? Mardi, j'ai suivi une procession de Pères Piaristes ! Oui, moi ! Vous me voyez un cierge à la main ? Savez-vous pourquoi ? Je veux mettre Karl chez eux. Il faut une éducation religieuse, Deiner ! Religieuse ! C'est ça qui vous rend solide. Je veux que mon fils soit solide. Qu'il sache mieux que moi rester maître de sa vie. Moi, je n'ai pas su.

Deiner se courbe jusqu'à terre :

— Monsieur Mozart, il y a votre musique !

— Ma musique, oui. Tenez, prenez mon verre. Je ne sais pas ce que j'ai ce soir. Prenez-le. Buvez à ma santé.

Wolfgang tend son verre au restaurateur. Sa main tremble. Et soudain, il devient très pâle, porte la main droite à ses reins, ferme les yeux, les rouvre. Il souffre. Il voit tout tourner lentement, la brasserie chavire. Sa tête s'emplit d'étoiles et d'éclairs comme dans *la Flûte enchantée.*

Mozart vacille et s'effondre sur le sol.

De toutes les tables autour de lui, où ses admirateurs épiaient tous ses gestes, on se lève, dans un grand bruit de chaises bousculées.

Deiner, un cocher qui attendait son client et un garçon de salle, le chargent dans un fiacre, — il est inerte, les yeux clos, les bras ballants — en direction de la place des Juifs. Les trois hommes montent leur précieux fardeau dans l'escalier. Impossible de rester discret : les voisins sortent, car eux aussi ils épient le génie que leur toit abrite. Sophie, enfin, arrive, une bougie à la main, bientôt suivie de Constance en larmes, les mains jointes.

Madame Weber est là. Les trois femmes déshabillent Wolfgang, toujours inerte, le couchent.

Le docteur Closset accouru, l'ausculte, avec des gestes très tendres, tandis que dehors, son cocher mastique des graines de tournesol...

Deux semaines plus tard, le 5 novembre 1791, à minuit cinquante-cinq minutes, Wolfgang Amadeus Mozart rend le dernier soupir.

Il a trente-cinq ans, dix mois et huit jours.

Enterré dans la fosse commune, son cercueil est le cercueil des pauvres.

Dans les tiroirs de son bureau, on trouvera soixante florins.

A la demande de Constance Mozart, le *Requiem* sera achevé par Franz-Xavier Süssmayr.

ANNEXES

WOLFGANG MOZART (1756-1791)

1756 : Naissance à Salzbourg de Wolfgang Amadeus Mozart, fils de Léopold Mozart et de Anna-Maria Pertl.

1762 : Compose son premier menuet. Audience chez Marie-Thérèse et François Ier à Schönbrunn.

1763 à 1766 : Effectue avec sa sœur Nannerl, des voyages à travers l'Europe (Allemagne, France, Angleterre). Passage dans de nombreuses cours. Puis rentre à Salzbourg pour deux années d'études avec Michel Haydn et Adlgasser.

1769 à 1773 : Deux voyages en Italie au cours desquels il se familiarise avec l'opéra italien grâce au père Martini.

1772 à 1776 : Il remplit les fonctions de premier violon dans l'orchestre des princes-archevêques.

1777 : Départ pour un long voyage avec pour étapes Mannheim, Munich et Paris où il compose la symphonie en *ré* dite *La Parisienne*.

1778 : Mort à Paris de madame Mozart.

1779 à 1781 : Obtient pour deux ans la charge d'organiste de la Cour à la cathédrale de Salzbourg. Il fait jouer *Idoménée* à Munich.

1782 : Il épouse Constance Weber et fait la connaissance du librettiste Lorenzo Da Ponte. Entre dans la loge maçonnique de Vienne. Première de *l'Enlèvement au sérail.*

1786 : Sa situation financière s'aggrave malgré l'enthousiasme du public de Vienne et de Prague pour *les Noces de Figaro.*

1787 : Obtient le titre de musicien de chambre impériale à Vienne. Il entre dans la solitude. *Don Giovanni* est représenté pour la première fois. Mort de son père.

1789 : Il entreprend un voyage à Prague, Dresde, Leipzig, Berlin. Début de la misère. *Quatuors prussiens.*

1790 : Mort de l'empereur Joseph II. Mozart est négligé par son successeur Léopold II. Représentation de *Cosi fan tutte.*

1791 : Constance va à Baden. Un inconnu commande un *Requiem* à Mozart. *La Flûte enchantée* est accueillie triomphalement. Il tombe malade le 20 novembre et meurt dans la nuit du 5 décembre 1791, à 35 ans.

CHRISTOPH WILLIBALD VON GLUCK (1714-1787)

Gluck avait déjà 42 ans à la naissance de Mozart (1756) si bien qu'en ce début de 1788 (ou tout à fait la fin de 1787), Wolfgang succédait à l'âge de 32 ans, au célèbre compositeur autrichien qui venait de mourir, lui, à 63 ans.

Gluck fut un personnage tout à fait important à cette époque. Né dans le Haut-Palatinat, dans une famille de fonctionnaires, il passa son enfance et sa jeunesse en Bohême, y recevant, comme l'usage le voulait à l'époque en ce pays, une bonne éducation musicale. Ses parents l'envoyèrent à Prague où, espéraient-ils, le jeune Christoph Willibald décrocherait quelques prestigieux diplômes. En fait, le jeune homme ne songeait qu'à la musique, gagnant quelque argent en chantant dans les églises et en jouant du violon dans les bals populaires. Il en profita pour faire la connaissance des meilleurs musiciens de la ville et brusquement, poussé par sa vocation, il se mit en route pour le « grand voyage », c'est-à-dire qu'il tenta de gagner Vienne à pied, en musicien ambulant.

Vienne, ville de la cour impériale, était pour tous les musiciens allemands, la ville la plus enviée tant y régnait une vie active et brillante du point de vue musical. Et puis c'était aussi la porte vers l'Italie, le pays des arts par excellence. Gluck s'y rendit pour apprendre des grands maîtres (Martini entre autres), tout l'art de l'écriture instrumentale et l'esprit si particulier de la musique italienne, tant et si bien que lorsqu'il donna sur scène, en 1741, son premier opéra, *Artaserse*, sur un livret de Métastase, il fut consacré « compositeur italien ».

Toute son œuvre fut dès lors consacrée presque exclusivement à l'opéra et les commandes affluèrent de toutes parts : Milan, Venise, Turin, Naples... Sa réputation s'étendit de plus en plus loin jusqu'à Londres, où il fut invité en 1745, et où il put enfin rencontrer Hændel qu'il admirait tout particulièrement.

Christoph Willibald von Gluck écrivit une cinquantaine d'opéras qui presque tous connurent le succès, ce qui est exceptionnel. Cinq d'entre eux sont de vrais chefs-d'œuvre sans cesse joués depuis plus de deux siècles : *Alceste, Orphée, Armide, Iphigénie en Tauride* et *Iphigénie en Aulide.*

Un riche mariage lui permit de n'être pratiquement jamais tributaire de la générosité des princes et c'est ainsi que « dans la mesure où il n'en avait pas besoin » on le payait toujours très cher, en particulier pour sa charge de directeur de l'Opéra de Vienne.

Il faut ajouter que Gluck contribua fortement à renouveler l'opéra, genre qui avait tendance à s'enliser dans la grandiloquence et qui surtout, musicalement, tendait à échapper aux seuls compositeurs pour tomber sous la coupe des cantatrices et des chanteurs, un peu comme si le théâtre était dominé par les acteurs au détriment des auteurs : dire une bonne réplique c'est bien, mais l'écrire c'est le principal; or c'est l'inverse que l'on avait tendance à penser à l'époque.

Enfin, une célèbre querelle opposa de 1776 à 1779, les partisans de Gluck à ceux de Piccini. Ce fut la querelle entre gluckistes et piccinnistes. Mais Mozart qui avait entre 20 et 23 ans à ce moment-là, et était déjà célèbre, sut dépasser de très loin ces débats sans les résoudre, ce qui n'avait pour lui que peu d'importance, en imposant sa propre musique grâce à un génie au-dessus de tout.

GEORG FRIEDRICH HAENDEL (1685-1759)

Mozart n'avait que trois ans lorsque Hændel mourut à l'âge de 74 ans, tandis que Jean-Sébastien Bach, né la même année que lui, l'avait précédé en 1750 âgé de 65 ans.

On a vu comment Mozart découvrit Bach; il n'était pas besoin de « découvrir » Hændel qui, né allemand à Halle dans une austère et riche famille luthérienne (il était le huitième de dix enfants) mourut anglais !

Georg Friedrich Hændel vécut dans l'éclat d'une force et d'une richesse tranquilles et brillantes. Tout lui réussissait et sa musique réussit au monde entier. Tranquille et brillant, cela peut paraître paradoxal ou au moins contradictoire. Tranquille parce qu'il fallait être posé pour produire, lui aussi, une cinquantaine d'opéras, des concertos, etc. (à noter la prodigieuse faconde des musiciens de cette époque, Gluck, Hændel, Bach, Mozart, Haydn, etc.). Brillant parce qu'à Londres, Hændel dominait la scène, réussissant en affaires, généreux avec les autres, les petits musiciens et ses domestiques en particulier.

Ce géant, au sens propre comme au figuré, qui adorait la vie, la bonne chère, les amours compliquées et souvent étranges, la liberté et le célibat, les honneurs et la chaleur amicale de la foule, produisit des œuvres qui surent plaire aux plus exigeants des critiques comme aux plus humbles personnes du peuple. Moins angoissé que Mozart, moins religieux que Bach, moins arriviste que Gluck, moins querelleur que Piccinni, Hændel fut un aussi grand musicien qu'il fut bon vivant. Une exception...

NICCOLO PICCINNI (1728-1800)

De vingt-huit ans l'aîné de Mozart, Piccini mourra neuf ans après lui, à 72 ans, deux fois plus âgé ! (Mozart mourut à 35 ans en 1791.) Toutes ces comparaisons (Hændel, Piccinni, Mozart, Haydn, Bach, et tant d'autres), permettent de mesurer l'extraordinaire richesse de ce xviiie siècle (voir tableau), dont Talleyrand disait que « quiconque n'a pas la chance d'y avoir vécu n'a pas connu le bonheur de vivre ».

Niccolo Piccinni est le réprésentant type — et célèbre — de la musique italienne, grande rivale s'il en fut, à cette époque, de la musique allemande. Lui aussi composa une cinquantaine d'opéras et connut une renommée internationale. C'est à Paris surtout, que se situe de 1777 à 1779, la fameuse querelle qui l'opposa à Christoph Willibald von Gluck.

C'est Marie-Antoinette qui le fit venir à Paris pour qu'il y écrive une série de six opéras français, dont *Roland* sur un livret de Marmontel. Gluck vient d'achever *Armide* et c'est alors que se déclenche la fameuse querelle entre les partisans de la musique italienne et les tenants de la musique allemande. Pourtant, c'est Gluck qui l'emportera avec son *Iphigénie en Tauride* (1779), malgré l'opéra du même nom que Piccinni donne deux ans plus tard (1781) avec un simple succès d'estime.

Sa carrière cependant, suit son cours avec une nouvelle rivalité qui l'oppose à Sacchini, la cour ayant commandé un opéra à chacun d'eux. Cette fois *Didon* (1783) de Piccinni l'emporte sur *Chimène* (1784) de Sacchini. Piccinni, pourtant, admirait ses adversaires, prononçant l'éloge de Sacchini en 1786 et ne réussissant pas à

346

organiser des cérémonies commémoratives à la mort de Gluck en 1787.

Il retourne à Naples, puis à Venise, mais revient bientôt en France où il est nommé inspecteur de l'Enseignement du Conservatoire en 1800, peu avant sa mort.

Rappelons que Mozart resta tout à fait en dehors de la querelle entre piccinnistes et gluckistes.

ANTONIO SALIERI (1750-1825)

Né à Legnano le 18 août 1750, c'est en 1766 que l'un des ses professeurs, le musicien Florian Gassman, l'emmène, jeune garçon talentueux, à Vienne. En 1769, Salieri rencontre Christophe Willibald von Gluck qui devient l'un de ses meilleurs amis.

Excellent compositeur, Salieri écrit une musique adaptée aux mœurs de son temps. En 1770, il monte à Vienne son premier opéra, *Le donne letterate*, qui est un échec. L'année d'après la première d'*Armida* est un succès qui ne cesse de croître au fil des représentations. Et Salieri, très à l'aise dans les intrigues de cour, assied sa notoriété.

Il succède à Florian Gassman au poste de chef d'orchestre des opéras italiens, puis est nommé maître de chapelle de Cour. Il épouse en 1775, Thérésa Helfenstorfer qui lui donne huit enfants. Antonio Salieri retourne en Italie pour deux années afin d'y composer des opéras. En 1784, tout se précipite. Il est nommé à l'opéra de Paris et doit, par des allées et venues incessantes, se partager entre les deux capitales. Cela ne l'empêche pas de composer plusieurs opéras. En 1787, son *Tarare*, écrit pour Paris, est un triomphe.

En 1790, à la mort de l'empereur Joseph II, Salieri perd son plus fervent admirateur et protecteur. Léopold II qui monte sur le trône n'a pas à son égard autant de sollicitude que son prédécesseur. Il demande à être démis de ses fonctions à l'opéra de Vienne. Le souverain accède à son désir mais le prie de rester maître de chapelle.

Antonio Salieri compose, de 1778 à 1804, seize opéras dont *Palmira* qui fut un éblouissant succès.

A partir de 1804, il ne compose plus d'œuvres dramatiques. Excellent administrateur, il servit la cour impériale pendant plus de cinquante ans.

En 1825, Antonio Salieri s'éteindra presque oublié, après une tentative de suicide en 1823. Son œuvre regroupe quelque trente-huit opéras, des concertos et des centaines de livrets.

LA FRANC-MAÇONNERIE EN ALLEMAGNE

Les premières loges apparaissent dans de grandes villes comme Hambourg, Leipzig, Halle mais aussi en Autriche et en Bavière.

La franc-maçonnerie allemande est ébranlée par plusieurs sectes, les Rose-Croix et les Templiers. Le pays vient d'être secoué par la guerre de Trente Ans qui l'a plongé dans une détresse économique et sociale épouvantable.

Influencé par les philosophes français, le professeur Adam Weishampt fonde, en 1776, « l'ordre des Illuminés » où il instaure une discipline de fer et incite ses adeptes à un travail intellectuel intense. Après de multiples querelles internes, Weishampt s'essouffle ! Il adhère à la franc-maçonnerie où il rencontre Adolphe von Knigge, disciple de Rousseau. Knigge rêve d'une réforme complète de la franc-maçonnerie. En 1778, Lessing écrit ses *Dialogues maçonniques* qui enflamment des hommes comme Nicolaï, Sonnenfels et Gœthe et les incitent à mener le même combat.

Enfin, en 1782, l'ordre des Illuminés trouve définitivement sa finalité. Les groupades y sont répartis en trois classes. Immédiatement, c'est le succès. A la fin de l'année 1784, on compte plus de deux mille membres. Des loges sont créées en différents endroits, dont celle de Mozart à Prague : « A la vérité et à l'unité ».

Le philosophe Stolberg tente de regrouper la franc-maçonnerie allemande en vain. En 1783, l'importance de l'illuminisme ralenti sa progression à cause des rivalités entre Weishampt et Knigge. Plus grave encore, les Rose-Croix dénoncent les Illuminés pour leur esprit révolutionnaire et athée. On les accuse de propager

Voltaire et Helvétius et surtout d'austrophilie. Ces attaques répétées accélèrent l'effritement de la secte.

Le 22 juin 1784, l'électeur de Bavière, Karl-Théodor, interdit toutes les sociétés secrètes dans ses États. Le 2 mars 1785, un nouvel édit frappe les francs-maçons et les Illuminés. De 1785 à 1788, l'illuminisme agonise et en 1790, la secte meurt.

En France, la Révolution gronde. Il fallait trouver un moyen de calmer les esprits... L'illuminisme en a pâti. Tous, de nouveau unis, accueillent la Révolution avec enthousiasme. Quant au courant progressiste de la franc-maçonnerie, loin d'être affaibli par tous ces troubles, il se renforce de 1789 à 1793, pour laisser place à une nouvelle pensée qui n'aurait jamais pu aboutir sans de tels bouleversements idéologiques.

PANORAMA HISTORIQUE

Au xviiie siècle, l'Europe construit les premières industries. Les têtes couronnées — Frédéric II de Prusse, Catherine II de Russie et l'empereur Joseph II — se veulent les disciples des philosophes qui en réalité, combattent les institutions établies.

1756 : Début de la guerre de Sept Ans.

1758 : Les Russes s'emparent de la Prusse orientale.

1759 : Avènement de Charles III d'Espagne. Mort de Montcalm : capitulation du Québec. Publication du *Candide* de Voltaire. Mort de Georg Hændel qui avec *le Messie*, marque cette époque.

1760 : Occupation de Montréal par les Anglais.

1761 : Succès de *la Nouvelle Héloïse* de Jean-Jacques Rousseau.

1762 : Suppression en France de l'ordre des Jésuites. Avènement de Catherine II de Russie.

1763 : Fin de la guerre de Sept Ans par le traité de Paris où la France cède le Canada à l'Angleterre. Mort de Marivaux.

1764 : Mort de madame de Pompadour. Les Russes occupent la Pologne.

1766 : Rattachement de la Lorraine à la France. Procès et condamnation du Chevalier de la Barre. Publication du *Vicaire de Wakefield* de Goldsmith.

1767 : Naissance de Napoléon Bonaparte.

1770 : Conflit anglo-espagnol pour les îles Falkland. Naissance de Ludwig Van Beethoven.

1771 : Les Russes conquièrent la Crimée. Fin de la publication de *l'Encyclopédie*. Salieri donne en concert son opéra *Armida*.

1772 : Premier partage de la Pologne. Catherine II écrase la révolte des Cosaques.

1774 : Mort de Louis XV. Catherine II, par le traité de Kutchut-Kainardja, annexe le Khanat de Crimée et une partie de la Moldavie.

1776 : Déclaration d'Indépendance américaine.

1778 : Alliance entre la France et les États-Unis d'Amérique : début de la guerre d'Indépendance. Mort de Voltaire et de Rousseau.

1780 : Mort de l'impératrice Marie-Thérèse d'Autriche. Joseph II monte sur le trône.

1783 : Traité de Versailles par lequel l'Angleterre doit reconnaître l'indépendance des Etats-Unis d'Amérique.

1784 : Mort de Diderot. Conflit entre l'Autriche et la Hollande à propos de la navigation sur l'Escaut.

1787 : Proclamation de la Constitution américaine.

1789 : Début de la Révolution française. Prise de la Bastille. La monarchie française s'effondre.

1791 : Mort de Mirabeau. Arrestation du roi à Varennes. Rattachement d'Avignon à la France. Déclaration de Pillnitz.

ACHEVÉ   D'IMPRIMER
EN   OCTOBRE   1982
SUR LES PRESSES DE
PAYETTE & SIMMS INC.
À SAINT-LAMBERT, P.Q.